河合塾講師
富増章成
Tomasu Akinari

The Complete Works of Philosophy

この世界を生きる
哲学大全

CCCメディアハウス

この世界を生きる

哲学大全

はじめに

あなたは、「哲学」にどんな印象を持ちますか？

生き方、人生論、説教、あるいは役に立たないへ理屈などでしょうか。

哲学が人生論や生き方だったら自分で考えればいいのだから、そんなものは必要ないと思うでしょうね。

ところが、哲学は必要どころか、知らないと人生に大きな損失をもたらします。哲学とは人生論だけじゃないんです。

哲学は、政治、経済、歴史、芸術、宗教、言語、自然科学、その他ありとあらゆる知識を分析する学問なのです。まさに、文系・理系を縦横無尽に移動して、総合して、脳神経を大発火させるための超便利な思考ツール。それが「哲学：Philosophy」なのです。

哲学は世界の出来事のあらゆる場面に関わるのですが、もし哲学について全然知らなかったらどうなるでしょうか。

まず、国際的なニュースが理解できません。なぜなら、欧米では哲学が常識だからです。また、歴史がわかりません。歴史は哲学・思想で動いているからです。

海外の文学が読めません。海外の文学は哲学を知っているのが当たり前というところからのスタートだからです。クラッシック音楽がわかりません。背景に宗教哲学があるからです。芸術・建築物も宗教思想を土台にしています。海外旅行で建築物をみても「へえ、キリスト教の建物でっかいなぁ」で終わり。悲しすぎます。

哲学を知らないと、欧米人の行動原理が、いまいちわかりません。欧米の考え方のベースがキリスト教的ですし、ニュースで注目される中東情勢もユダヤ教、キリスト教、イスラム教の文化が大きな意味をもちます。

また私たちと同じアジア人の思想といっても様々で、インドは、ヒンドゥー教とイスラム教が信じられています。中国・北朝鮮はマルクス主義哲学です。なんと、世界は哲学で動いているのです！

　なのに、哲学を知らずに、どうやって世界のニュースを読むのでしょうか。自分の行動を選択することができるでしょうか。

　哲学を勉強しないと、世界史と海外のニュースがわからず、徹底的な情報不足となり、資本主義社会の中で、流れに取り残されてしまいます。

　どんな仕事をするにしても、日本人の中で、日本人の考え方に縛られて、日本のニュースだけから情報をとって、頭がガチガチになっていたら、遅れをとるのは当たり前です。

　けれども、現代のグローバルな流れに合わせて、「思い込みを破壊する学」、「新しいアイディア発想のための思考ツール」として古今東西の哲学を活用し、あえて非常識な思考実験を繰り返して、様々な日常や仕事の場に応用していったらどうでしょう。

　人生そのものが精神面、物質面でも豊かになるとは思いませんか！

　今日からぜひ、哲学というこの強力な思考ツールを、あなたの人生の指針に組み込んでください。きっといいことがありますよ！

　最後に本書の出版を実現していただいた、CCC メディアハウスの田中里枝さん、編集者の細田繁さん、楽しいイラストを描いてくださった飯村俊一さん、ブックデザインをご担当いただいたデザイナーの矢部あずささんと岡澤輝美さんに、心よりお礼申し上げます。

2020年9月　富増章成

3

本書の使用法

- Ⅰ部は、普通の哲学史入門（または哲学入門）とはちょっと違います。現代の私たちが生きていく上で直結するような問題だけをピックアップしています。

- 哲学では非常識なことを連発しますが、頭に刺激を与えることで、自分が変わることができます。ちょっとした脳トレなどよりも効果がありますので、どんどん妄想を広げてください。

- ところどころにリンク ☞ P52 が挿入されているので、先にそこをチラチラ見ると、「こんなことにつながるのか！」という哲学の汎用性がわかります（古代ギリシアの思想が現代の物理学につながるとか、近代の発想がパソコンにつながるとかいろいろ）。

- Ⅱ部は、様々な哲学をテーマ別につなげており、Ⅰ部の復習と応用編になっています。「哲学と臓器移植が関係あるの？」「哲学をやっていればウイルスに感染しづらくなるの？」「哲学とコンピュータってどこでつながるの？」などと、一見、むりやり感があるようですが、頭がシャッフルされるような感覚を覚えることでしょう。

- 順番に読んでもいいですし、Ⅱ部からリンクをたどってⅠ部に戻るというやり方でもよいでしょう。本書は１度読んで終わるというものではなく、思考の成長を促す効果がありますので、いつも持ち歩いて、常に新しい発想を生み出すツールとして使いましょう。

- 本書で参照・引用した書籍については巻末の「参考文献」にまとめてあります。

本書の使用上の注意と効能

- 本書を読み過ぎると、大変に疑い深い性格となり、慎重に慎重をかさねて、あらゆる情報がウソなのではないかと考えるようになります。しかし、自分が体験したことではない出来事については、それくらい慎重に情報を選別したほうがいいでしょう。これは情報リテラシー、リスク管理、ひいては自己の生命を守る、家族を守るという話につな

がります。

●本書を読むと、他の人が何かを主張している場合、その主張内容はさておいて、「どうしてこの人はこういうことを言いたいんだろう？」「これを言うことで、この人はなんの利益があるのだろう？」「なにか辛いことでもあるんだろうか？」というように欲望・感情的な起源を探るようになります。つまり、その主張内容よりも、その人間自身について深読みする習性が身についてしまいます。

●本書を読むと、文系は理系、理系は文系という畑違いの分野も学習したくなります。和歌を趣味としていた人が、急に数学の参考書を買ってきて、関数の問題を解き始めるというような現象が起こることがあります。

●本書を読むと、慎重になりすぎるので、あらゆる防御をしすぎて、妙に健康になってしまう場合があります。「死」の話が多い割には、寿命が延びてしまうかもしれません。
　「睡眠時間を多めにとる」「体によい食品を選ぶ」「適度な運動をしている」「深呼吸をすることが多くなる」「無理をしないので、体に負担がかからなくなる」などの行動をとるようになります（哲学者はけっこう長生きで、健康マニアが多い）。

●本書を読むと、「なにが正しいのかわからない」という混乱に陥ります。「どの哲学者も違うことを言っている。だから、哲学なんて信じられない」と考えるようです。
　それはそもそも、その発想そのものが間違っています。「この世に答えはない」のですから、「みんなが違うことを言うのは当たり前」と考えましょう。そして、１つの考え方を貫くなんていう古くさい態度を捨てましょう。

●本書を読むと、あまりに大きな問題について思考するあまり、日常的な小さな問題がどうでもよくなってしまう時があります。「自分はなにを気にしていたのだろう」という覚醒体験をしばしば得ることになるでしょう。

I 哲学史編

哲学の歴史で思想の流れをつかみ、
思考ツールを身につける……10

1 古代の哲学

現代を理解するのに必要な基本の思考パターンを
古代の叡智から得る……12

2 宗教で現代をみる

知識として宗教を知れば、
国際情勢や未来予測のヒントが得られる！……38

3 近代の哲学

近代哲学は、人間と科学の橋渡し。
この思考法で大きな夢をもって生きよう！……72

4 現代までの哲学

理性より欲望が人間を動かしている！
世界の裏読みをするために便利な思想……98

5 社会と経済思想

今を読み解くために、
経済史の流れと社会の変革について考えてみる……132

6 生と生存の哲学

心の内側から直接わかること。
それは、リアルに存在して生きている自分……162

7 未来へつながる思想

知ると知らないとでは大違い。
柔軟な思考法で未来を見守っていこう！……192

II テーマ別 編

現代の問題をテーマ別に分けて、
思考ツールで問題解決へと導く……226

1 哲学・思想の応用編

様々な人生の難問について、哲学を使って考えよう！……228

2 社会・政治の哲学

古今東西の政治哲学で、複雑な現代社会を読み解いていこう！……262

I

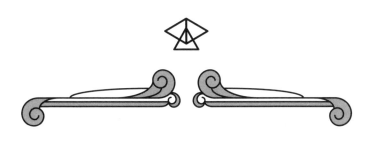

哲学史

編

哲学の歴史で
思想の流れをつかみ、
思考ツールを身につける

1 古代の哲学

　I部1章は古代ギリシアからヘレニズム世界までの流れです。1節で、いきなり「万物の根源は水である」という意味不明なフレーズが出てきますが、ここで、現代の自然科学にもつながる「1つの原理ですべてを説明する」という思考法を紹介します。

　古代哲学では、この世界が仮象（今でいうとヴァーチャル）で、真の世界は違う形であると主張される場合が多々あります。これにもまた、「そんなバカなフィクションか？　へんな宗教か？」と引いてしまう人が多いようです。しかし、これは別に、霊界があるとか主張しているのではありません。

　これらは、「形而上学」というものです。まだ顕微鏡も望遠鏡もない時代です。目の前の物質は、本当にありのままの姿なのか、もしかしたら、物質を構成している要素は、感覚で捉えられるものとは違うのではないか？　だったら、感覚で捉えられない領域を理性の力で究明してみようという学問です。

　今は、これらの探究が物理学などの分野となりました。ミクロの物質世界では、素粒子（そして波動）の存在が認められます。これを2000年前に、ただ散歩したり、部屋で書き物をしたりして考えていたわけです。

　現代の哲学では自然科学は科学者にゆだねているので、自然哲学はありません。それでも、「なぜ素粒子が〈ある〉のか？」と、存在そのものをさらに突き詰めますし、人間の「存在」の謎を追い求めることにも終りがありません。

現代を理解するのに必要な基本の思考パターンを古代の叡智から得る

2節で取り上げるソクラテスは、自然哲学も含めて、倫理学について考えていたとされます。哲学は、自然法則と人間の法との関係を考えるからです。

その弟子プラトンは、ソクラテスの求めた真理が、この世界を越えた普遍的な場にあると考えました。

その弟子アリストテレスは、「万学の祖」と呼ばれています。自然学から政治学、また文学的な分野、現代の記号論理学のもとになるような研究までしているので、すべての学問の基礎が築かれました。

古代哲学の終わりの方は、「アレキサンダー帝国崩壊後、苦しい人生をどうやって乗り越えればいいんだ？」という哲学が展開されていきます。

新プラトン主義は、一般的な哲学入門では、けっこうはしょられてしまうところです。しかし、ルネサンスに影響しますし、現代の神秘主義にまでつながっていますので、ここではあえて1節を割いて解説しています。

古い人間が言ったことを勉強してもしかたがないと思う人は多いものです。ところが、古代哲学の思考パターンは「抽象化」「概念化」ですので、世界全体を上から俯瞰するというすばらしいものの見方が学べます。ふだん当たり前と思っていることをこの思考パターンで分類すると思わぬアイディアが出てきたりするのです。ぜひ、今の価値観では非常識にも思える古代哲学の思考パターンを知っておくことをおすすめします。

哲学の始まり「自然哲学」

✖✖✖✖✖✖✖✖✖

自然哲学って、理科みたいな感じ？

✳ 哲学は「生き方」や「人生論」ではない？

　ギリシアの哲学は、**宇宙の根源（アルケー）**は何なのかという疑問から始まりました。それ以前、人々は太陽はアポロンの神が司り、海はポセイドンの神が司るというように、神話によって世界の成り立ちを説明していました。これに対して、今でいう物理学・化学のような側面から、世界の成り立ちを考えてみようという人々があらわれたのです。

　哲学とは「生き方」の考察や「人生論」から始まったのではなく、世界は何でできているのか、どのような仕組みになっているのかという1つの正しさを追い求めることから始まったのでした。それはまるで理科の科目のような内容でした。彼らは自然哲学者と呼ばれ、変化する世界の中に、絶対に変わらない原理があると考えた人々です。

　タレスは、哲学の祖と呼ばれています。彼は、「万物の根源は水である」と唱えました。これは、「水」こそがいっさいの存在の始まりで、存在の原理であるということ。草木、動物、人間にいたるまですべては、「水」が変形したものだという考えです。

タレス
紀元前624年頃－前546年頃
自然哲学者。「半円に内接する角は直角である」という「タレスの定理」なども唱えている。

ピタゴラス
紀元前582年頃－前496年
古代ギリシアの数学者、哲学者。弟子とともにピタゴラス教団をつくったとされている。

ヘラクレイトス
紀元前540年頃－前480年頃
「万物流転」の背後に変化しない原理としての「ロゴス」を考えた。火をその象徴としている。

デモクリトス
紀元前460年頃－前370年頃
原子論を確立。哲学のほか数学・天文学・音楽・詩学・倫理学・生物学などを研究した。

✻ 間違っていたことをなんで勉強するの？

もちろん、この説は間違っていたわけですが…。すべては「水」でできているわけはありません。でも、「水」の部分を「素粒子」などに置き換えてみるとタレスが追究していたことの意味はわかります。

つまり、タレスの哲学のすごいところは「水」の部分ではなくて、「1つの原理から世界のすべてを説明しよう」という試みを、世界で最初に行ったということなのです。具体的なことを抽象レベルまで高めた**フレーム思考**が重要なのです。それが脈々と続いていき、現代の科学☞P344までつながったのです。

この世界の根源はこのあと様々に考えられていき、バリエーションが広がっていきます。アナクシマンドロスの弟子と言われている**アナクシメネス**という人は、アルケーは「空気」だと言いました。

アルケーという言葉を最初に使ったのは、記録によると、アナクシマンドロスらしいのですが、この人の場合は、アルケーは「水」や「空気」「火」などの限定的なものではなく、「無限なもの（**ト・アペイロン**）」であるとしました。水やら火やらで考えないのです。人間の感覚で知覚できる現象世界には、水や火があるわけですから、その奥のアルケーは、もっと別な形をしているでしょう。かといって、形を限定したら、さらにその先を考えていかなければいけません。こうして、抽象レベルがさらにアップしていきました。それが、「数」という概念です。

現代物理学が目指した理論の起源?

✳ ピタゴラスの哲学では「数学」が宇宙の原理

　昔の哲学は、まず宇宙の原理を理解して、そこから人間はどう生きるべきかにつなげます。そのため、どうしても今で言う物理学的なことなど、科学と関係してきます。「原理（宇宙の仕組み）」から「生き方」「人生論」につなげていくのが、昔の哲学のだいたいの特徴です（現代においては、物質については科学が担当しますので、現代哲学では、ほとんどそのような発想をしません）。

　ピタゴラスの定理で有名な**ピタゴラス**は、万物の原理を数としました。ちなみに、ピタゴラスは、第48回オリンピア競技会で、拳闘で優勝したそうです。数学だけでなく筋トレも頑張っていたのでしょう。

　それだけではありません。ピタゴラスは、ハーモニーについても論じています。1：2、2：3、3：4の長さの比に張った弦に応じて、それぞれ8度（オクターブ）、5度、4度のハーモニーが得られます。これらの比率を惑星の想定距離に適用し、音程比率は天界まで延びていると考え、星の下の全領域は天界の音楽に反響するといわれました。

　さらに、ピタゴラス教団なるものが存在したのですが、これは宗教集団のようなものでした。ピタゴラス教団の人たちの**ピタゴラス的生活**は宇宙の数の理論と生活が一体化したものです。

　ピタゴラスの哲学は「数学」という抽象概念から、「宇宙の原理」へ、さらに、具体的な人間の「生き方」へと展開されていきます。

　このように、哲学はいきなり「生き方」を説くものではありません（それは、オヤジの説教のようなものです）。世界についての抽象的な概念について考察してから、具体化に進みます。これが哲学をわかりにくくする理由でもあるわけです。

✳ 考えただけで、「原子」がわかってしまった？

　さらに、**ヘラクレイトス**は「万物は流転する」と説きました。彼は、この世界は川の流れのように一瞬も止まることがない世界であるから、人は同じ川に２度入ることはできないと言いました（１回目に足を踏み入れて、２回目に足を踏み入れるとそれは違う水だからという意味）。

　これは、仏教の**諸行無常**とはちょっと違います ☞ P65。ヘラクレイトスによると、生成（ものが生じて形を現すこと）は対立物のあらわれです。冷たさと温かさ、湿気と乾き、覚醒と睡眠などいろいろです。だから、「生と死」、「若年と老年」などは、実は同じものだそうです。これら対立物の織りなす調和は美しいという話です。ただ、これらの対立から、人間同士の戦いも始まりますので、人生は至るところに戦いがあるというわけです（ちなみに、ヘラクレイトスのあだ名は「暗い人」です）。

　さらに、この**万物流転説**と正反対の万物静止説を唱えたのが、エレア学派の**パルメニデス**です。彼の考えは「あるものはあり、ないものはない」という言葉で要約されます。確かに「ある」ものが「ない」になったりしないし、「ない」ところから「ある」が突然出てくるはずはありません（０と１で考えるとわかる）。よって、変化している世界は実は錯覚であって、本当は何も減りも増えもしていないというわけです。

　ソクラテスの後の人ですが、**デモクリトス**はすべては原子によってなりたっているという**原子論（アトム論）**を唱えたことで有名です。そんな大昔に、原子のことがもうわかってしまったとは驚きです（もちろん現代物理学の原子とは、形や性質は異なりますが…）。

　デモクリトスは、世界におけるあらゆる物質は最小単位としての無数に存在する原子から構成されており、それらの結合によって生じ、分離によって消滅すると考えました。ここからも様々な「生き方」が考えられるようになっていきます ☞ P31。

ソクラテスはなぜスゴい？

⨯⨯⨯⨯⨯⨯⨯⨯⨯⨯

問答すればホントウのことがわかってくる

✳ プロタゴラスは教師のプロ？

　ソクラテスという人は、先ほどの自然哲学者とはちょっと違います。自然哲学は主として「宇宙の原理」について考究していましたが、ソクラテスは、人間の生き方についてより徹底的に考えた人です。「**倫理学の祖**」と呼ばれたりもします。

　ソクラテスは、著書を残しておらず、弟子のプラトンの著書にしか彼の言葉が残っていないので、ソクラテスの思想とプラトンの思想との線引きは明確にできません（ソクラテス問題）。そこで、弟子のプラトンの対話篇などの文献からその思想を推測することになっています。

　さて、当時ギリシア社会の民主化が進むにつれて、古い考え方では新しい民主社会の要望を満足させられなくなりました。「これが正しいことだ」という**普遍的真理**（だれにとっても正しい基準）があやふやになったためです。

　そんな状況の中で、**相対主義**の立場をとる職業的教育家が現れ、彼らは**ソフィスト**（知者、知恵の教師）と呼ばれました。では相対主義とは何なのでしょうか？

ソクラテス
紀元前 469 年頃 – 前 399 年

古代ギリシアのアテネの哲学者。著作は残していない。倫理学の祖。ロゴス（言葉）の世界に普遍的真理を見ようとした。青年に思想的悪影響を与えたとして告発され、毒杯を自らあおいで獄中にて死す。

✳「人それぞれ」という考え方の起源

　ソフィストの代表者にはプロタゴラスやゴルギアスなどがいます。特にプロタゴラスが唱えた「**人間は万物の尺度である**」という人間尺度論は有名です。これは、今どきの高校生などに聞けば、すぐにわかるような考え方です。

　オッサン「人って、どういう生き方をしたらいいかな。おじさん悩んでるんだよ。人の生きるべき道って何かな」

　高校生「そんなの、人それぞれっしょ。私は私、あんたはあんた」

　人の生き方は相対的だ、見る角度で変わるというわけです。これは別に勝手な考え方というわけではなくて、立派な哲学説です。現代の私たちも「すべての人にとって1つの正しいことがある」というよりは、「人それぞれに生き方がある」と考えるのが一般的でしょう。

　ただ、この相対主義には1つの難点がありました。すべてが人それぞれなら、他人との共通点がなくなってしまいます。そうすると、共通のルールもなくなってしまうのです。たとえば、サッカーをするとき、それぞれ自由に走ってもいいでしょう。だからといって場外に走り出してはいけません。「人それぞれ」が度を越すと社会が崩壊してしまうかもしれないのです。

いつの時代も、ホントウのことを言うとヤバい

✳ 「人それぞれ」だけど、ここはおさえておきたいポイントとは？

　プロタゴラスの教えは後世の人により発展していきました。「どんな議論にも相反する２つの議論がある」から、うまいことヘリクツ（詭弁）をこねれば「弱い議論をつよくすることができる」というものです。

　それは主張内容の正しさはさておいて、議論で勝てばよいという考え方でした。ソフィストは裁判で弁護などの仕事をしますから、弁が立つといい収入源になったようです。要するに、話し方のノウハウ化が重視されたのです。

　ソフィストらによると、この世界は**自然**（ピュシス）と**制度**（ノモス）に分けられます。自然は人間が変えることのできない土台のようなものです。山は山、海は海。山を海というのは無理なことです。

　ところが、法律制度なるものは人間が決めたことですから解釈が自由と言えます。ある程度、さじ加減が可能です。ソフィストは解釈の自由さを使って、白を黒と言いくるめるような議論を展開していきました。

　ソクラテスはこれらの知者に対話をいどみます。真実の人ソクラテスと口先の人っぽいソフィストとの間で論理バトルが展開されることになりました。詳しく内容を知りたい方は、プラトンの対話篇『**ゴルギアス**』が、おすすめです。偉そうなソフィストがソクラテスとの議論でタジタジになるという爽快な展開が繰り広げられる対話篇です。

　ソクラテスが議論に強かったのは理由がありそうです。その秘密は、「自分から答えを言わないで、質問責めにする」という**問答法**を用いたことです。

　ソクラテスはソフィストに「善とは何か」などの質問をして、どんどん具体から抽象レベルに追い込んでいきます。

✴ 抽象化思考を使えば、知が広がっていく

　問答法をわかりやすい例で説明すると、次のようになります。

　まず、「キミ、赤って知ってる？」というような、当然誰でもわかっている質問をします。当然、相手は「そりゃ知ってるよ」と答えます。そこで、すかさず「赤を説明してくれ」と催促します。すると必ず相手は、具体的な実例をあげます。「信号機の赤」「リンゴの赤」「バラの赤」などです。それに対して、さらにこう言います。「いや、私が聞いているのは、赤の具体的な例ではないんだ。リアルに感じているこの赤とは、何なのかを聞いているのだ」（**普遍的・絶対的真理**かつ抽象的な答えを求めている）。

　「赤」そのものは何なのかと質問している以上、赤の本質、つまり、ありありと感じる赤そのものを別の物質の例で説明しても無駄なのです（脳とかもちだしても、残念ながらダメなのです…）。

　同じように、「正義とは何か」「美とは何か」「愛とは何か」など、もう何でもありです。ソフィストは答えに行き詰まってしまいます。

　するとソクラテス必殺のキーワード「**無知**」が明らかになります。「知っていると思っていたけど、実は知らなかった」ということが。

　ソクラテスは「ソクラテスより賢いものはいない」という**デルフォイの神託**（神様のお言葉）を弟子から聞いて、「そんなはずはない」と知者であるソフィストと議論バトルをしてみたといいます。

　ソフィストは知識はある（情報をたくさんもっている）けれども、その本質をわかっていない。一方のソクラテスは「自分は知らないということを知っている」（**無知の知**）。だから、その分だけちょっと自分が賢いのだと納得したのでした。ところがギリシア政府は、ソクラテスが青年を惑わし、ギリシアの神以外の神を信じていたというかどで彼を裁判にかけ、死刑を言い渡したのです。この様子はプラトンの書いた『ソクラテスの弁明』に詳しいので一読をおすすめします。

ソクラテスからプラトンへ

イデア論は、数字で考えるとちょっとわかるかも？

✳ ホントウのことを追究すると消される

ソクラテスは、誰の心にも本当のことの答え（真理）が先天的にインプットされていると考えました。何が正しいのか、あるいは何が悪いのかは、潜在的に誰でも知っているというのです（**倫理的主知主義**）。

冷凍ピラフをコンビニで買ってきて、チンすれば、ピラフのできあがり。その、「チン」にあたるのが「問答法」で、「あったかピラフ」にあたるのが「真理」です。相手に質問を投げかけるという働きかけによって、相手の心の中にある潜在的な答えが導き出されるとされました。

プラトンの対話篇『メノン』では、ソクラテスが奴隷の子供に幾何学の問答をするシーンがあります。そして、無学な奴隷の子供が幾何学の証明をしてしまうのです。幾何学的真理を問答によって引き出したのです。つまり、奴隷の子供は幾何学的真理を先天的に知っていたのです。

さて、ソクラテスは、こんな感じで、誰かれ構わず問答していたわけですが、あるとき政治家の不正と絡んでしまったそうです。今も昔も政治家には真実が暴露されることを御免こうむりたい人がいるようです。結局、ソクラテスは**死刑**へと誘導されることになりました。

プラトン
紀元前 427 年 – 前 347 年

アテナイの名門出身。著作『ソクラテスの弁明』『クリトン』『プロタゴラス』『ゴルギアス』『国家』など。ソクラテスの処刑および、政治家志望から転向し、ソクラテスの精神を著作に生かす哲学の仕事へとすすんだ。80 歳で「書きながら死んだ」と伝えられる。

✳ あの自然哲学はつかえるじゃないか！

　ソクラテスの話はつきないので、次に行きましょう。師匠ソクラテス
が死刑になったことで、弟子の**プラトン**はいたくショックを受けました。
政治家志願をとりやめて、哲学者になることにしました。

　ソクラテスが求めてやまなかった真実──ソクラテスはそれを「問答
法」で明らかにしようとしたわけですが、プラトンはより論理的に裏付
けようとしました。その際に、自然哲学を応用します。ピタゴラス
☞P16 は、この世界が数でできていると考えました。ここであたりまえ
のことを考えてみます。

　「1ってなんだろう？」と。

　数字の「1」です。電車の吊り革が1つ、電車車両が1両、電車の本
数が1本。全部「1」ですが、でも「1」そのものは見えるでしょうか。
どこに「1」があるのでしょうか。何をもって「1」としているのでしょ
うか。

　ピタゴラスは2000年以上前の人ですが、ピタゴラスの「1」と私た
ちの「1」は紛れもなく同じです。なぜ時代をこえて、「1」なのでしょ
う。

　もっともシンプルなことがとてつもなくむずかしいということでしょ
う。そういうことを考えるのも哲学なのです。

現実世界はニセモノでホンモノは別にある？

✳ プラトンの説いたイデア論とはなんだろう

　ピタゴラスは、宇宙の原理を数だとしました。つまり、現象世界が変化しても、数は変わらないと考えたのです。だからこそ、ピタゴラスの頭の中にあった「1」と私たちそれぞれの頭の中にある「1」は、時代と場所を超えて同一性を保っているのです。

　プラトンはそれを**イデア**と表現したのでした。学校の教科書にはよく、馬の絵が描かれていて「馬のイデア」の説明が記述されています。現実の馬の本体は、異次元世界にある馬のイデアだと説明されたら、「哲学っておかしい。意味ない」と生徒が思うのも無理ありません。

　プラトンは、現象世界にある幾何学的図形についても考えてみました。数字の1と同じことが三角形、四角形にもあてはまるでしょう。三角形を紙に描きながら、以下のような疑問をもつと哲学的です。

　「自分の書いた三角形は、隣の部屋の人が書いた三角形となぜ同じなのか」「フリーハンドで書いて、多少線が震えていても三角形なのはなぜ？」「はんぺんの三角形でピタゴラスの定理が考えられるのはどうしてだろう。ぐにゃっとしてるのに」「コンビニのはんぺんのサイズはすべて違うのに、全部三角形」。そして、気がつくのです。この現実世界のグダグダな三角形とは別に、シャープな三角形そのものがあると…。

　現代人が納得しやすいようにプラトン的に考えるとこう説明できます。まず、宇宙に普遍的な物理法則の真理があります。それに基づいて物体が運動します。その真理を普遍的な数学で表現します。あらゆる物体は別々ですが、それをひっくるめた絶対の法則があるということです。それが**イデア界**にあるイデアなのです（宇宙の背後に法則があるということ）。

✳ ホントウのことは、どこかに必ずある

こう考えると、プラトンの「イデア論」はそれほどおかしい話ではないでしょう。

さらに、現実の世界は生成消滅し、変化に絶えません。ヘラクレイトスの「万物は流転する」です。しかし、変化しないイデアがある。そうしなければ、数字の1も三角形も、物理の公式も存在できないからです。

コンピュータ技術が進んだ今では、よりプラトンのイデアを理解しやすくなりました。仮想現実（ヴァーチャル・リアリティ）をたとえに世界を考えてみるとよいのです。SF映画『マトリックス』など、仮想現実を題材にした映画は数多くあります。これをイデアと現象にあてはめるとイデア論がわかりやすくなります。

さて、人生は人それぞれ、相対的です。でも、誰にとっても正しいことってあるかもしれません。プラトンはこれをイデアと言っているわけです。　現実の机は、机のイデアという**真実在**を分有しているからこそ机であると考えられます。

イデアは私たちの住んでいる世界（**現象界**）を超越したイデア界にあるので、見ることも触ることもできません。あらゆる感覚的な事物はすべて真なるイデアの近似値として与えられているだけです。

だから私たちは、完全な三角形を描くことはできないのに、理性的には完全な三角形（三角形のイデア）を知っているとされます。

さらにプラトンはソクラテスが求めていた善・正義などの**客観的真理**もまた、感覚的な個々の日常行為を越えたところに、絶対の基準であるイデアとして存在していると考えました。

結局、「人それぞれだけど、正しいことって絶対にあるよね」という感じ。

こうしてソクラテスが求めた「絶対に正しいこと＝真理」は、イデア界のイデアにまで高められたのでした。

アリストテレスで頭を冷やす

✳✳✳✳✳✳✳✳✳✳

師匠プラトンの説を批判したアリストテレス

❊ **哲学は、その前の哲学を批判するからややこしい**

　プラトンのイデア論をまとめると以下のようになります。

　この世界（現象界）は、変化消滅する不完全なものである。完全な土台としてのイデアはイデア界にある。

　イデア界のプログラムが投影されて現実世界が生じる。だから、馬のイデアのプログラムが、ヴァーチャルな馬を映し出しているようなもの。目の前にいる馬は、生成消滅する不完全な馬だが、馬そのもののイデアは数学の規則、物理の法則と同じくイデア界にちゃんとある。

　このような、二元的な世界観が展開されたのでした。

　プラトンは、この哲学の原理から、生き方や国家のあり方などの説をふくらませていきました。**「真」「善」「美」のイデア**がイデア界にあることで、私たちは現象界で、イデアに憧れながら生きる。

　この憧れが完全なるものを求める気持ち**エロース**（愛）です。正しいことがわかるのは、イデア界からの情報伝達がなされているからだ（イデアを想起するからだ）。ところが弟子のアリストテレスは、こうしたプラトンの説を批判しました。

アリストテレス
紀元前384年 – 前322年

プラトンの弟子。「万学の祖」と呼ばれる。『オルガノン』『自然学』『政治学』『ニコマコス倫理学』『形而上学』など膨大な著作の内容は、あらゆる学問の基礎となった。プラトンのイデア論を批判し、独自の形而上学体系を形成。現代まで大きな影響を与えている。

ヒュレー

エイドス

分子

遺伝子

ウマい
たとえだ

✳ ひとりの頭から、よくこれだけの学が生まれたものだ

この、哲学を批判するという能度が、一般に哲学が理解されにくい理由です。なぜなら「哲学は決まっていることを説教するものだ」と思っている人が多いからでしょう（実は逆で、哲学は「思い込んでいることを破壊して、新しいことを考える」というものです）。

アリストテレスは、私たちが普通に考えるような立場をとりました。彼は、イデアと**個物**（ペットボトルなどの物）が分離しているのはおかしいと考えたのです。ペットボトルは現実世界にそのままあると考えればよいでしょう。ならば、イデアという本質もまたこの中に入っている（内在している）はず。だから、別に異次元は考えなくていいのだということです（しかし、後にやっぱりイデアはあるという人も出てきます ☞ P191。だから哲学はややこしい）。

アリストテレスは「万学の祖」と呼ばれています。アリストテレスは、数学、自然学（今でいう物理など）を研究・整理整頓しました。動物学、霊魂論（心理学のようなもの）、政治学、弁論術、詩学、論理学、形而上学などを1人で体系的に作りました。

政治学は国家や政治を対象とし、弁論術は、聴衆に対するすぐれた説得法を対象とします。また、詩学は文学や演劇について。論理学は哲学には含まれず、学問と論証のための道具とされました。

ものごとを目的論的に考えてみる

❋「存在」からまぬかれる存在はない…

　今あるほとんどの学の起源は哲学でした（論理学 ☞ P109 は別）。哲学の真骨頂は、**形而上学**というものです。これは「存在の学」であり、**第一哲学**と呼ばれています。まさに形而上学は、「キング・オブ・哲学」なのです。なぜなら「存在」以外の知識は、一面だけを取り出して研究しているにすぎません。しかし、あらゆる知識・学問の根本にある「存在」については、なにをさしおいても研究することが必要であると考えられたからです。何かを話そうが指さそうが、そこには必ず「存在」があります。だったら、「存在」とは何かを先に追究しようということです。形而上学は、存在のしくみについて考えるわけですが、後に、物理学と微妙な関係をもつようになります。

　プラトンの場合、銅像という個物ではイデア界のイデアがこの現実世界に投影されている（分有されている）と説明しました。

　アリストテレスは、現実的に考えます。銅像はその像の形（プラトンの言うイデアにあたるもの）がその中に入っています。もちろん形だけでは銅像にはなり得ません。その材料が必要です。この場合は、銅がその材料です。銅像の雛形を**形相（エイドス）**、材料を**質料（ヒュレー）**といいます（質量とは関係ありません）。つまり、銅像は像の形と銅で合成されたものだと言えます。このようにあらゆる個体は形相と質料の合体したものです。

　ここで、「それがなんだっていうの？」と疑問を持たれる人は多いでしょうが、現代の生物学にもつながると考えると納得がいきます。形相は遺伝子、質料は分子（原子）と対応させるとしっくりします。

　実際には、存在論という壮大な哲学が展開されます。

✻すべての存在は目的に向かって進む

植物の種は枝葉をつけます。赤ちゃんは大人になります（可能態から現実態へ)。つまりアリストテレスによると、プラトンの説いたイデア(→エイドス、形相）は、物体の設計図として内在していることになります。

昔の哲学のよいところは、理系も文系もいっしょくたに考えるので、形相・質料の論理は、あらゆる物体の原理として提示されます。

たとえば、質料としての鉄は、形相によって金槌や釘、鉄道のレールなどに変化します。これらの変化は**原因と結果**（因果法則・因果律☞P89）に従います。

また、アリストテレスは自然界に存在するすべてのものに目的があると考えました（**目的論的世界観**)。これらの、原因・結果、そして目的というキーワードで考えると、人間の生き方がわかってきます。

たとえば、私たちの生活は因果関係と様々な目的でつながっています。筋トレは健康のため、健康は仕事のため、働くのはお金のため、そして、まわりまわってフィットネスクラブの会費を払う…。よく考えると、人生とはどうどうめぐりです。

そしてアリストテレスは、そういう生き方は虚しいと言っています。「ちいさな目的に向かって、原因と結果の繰り返し。自分の人生って結局なんなの？」ということでしょう。

そこで、アリストテレスは、人にはもはやそれ以上、問うことのできない「究極の目的」が必要だと考えました。繰り返される円運動は、世界が究極の目的に向かっている動きです。

それは質料を持たない第一形相、あるいは**不動の動者（神）**とされるものでした。目的論的な哲学思考をすること（**観相**（かんそう）**、テオーリア**）で、複雑な現代社会を読み解くヒントが得られるかもしれません。

がんばるヘレニズム哲学

✕✕✕✕✕✕✕✕✕✕

「人生が苦しい」、じゃあどうする？

✳ 逆境にあっても幸せでいる方法

　有名なアレキサンダー大王（紀元前 356 〜前 323）による世界帝国の出現により、ギリシアのポリス（都市）社会が崩壊しました。

　国が消えて、国民はバラバラ。家族も大変。腹が減る…。

　このような人々の困惑の中で出現したのがエピクロス派やストア派です。だから、現代人も苦しいときは、この哲学がおすすめです。また、国家があることに感謝できるような気分になります。

　エピクロスの思想は快楽主義とよばれています。「エピキュリアン(快楽主義者)」という言葉が残っています。エピクロスの快楽とは「体に苦痛のないこと」と「心が穏やかなこと（**アタラクシア、魂の平静**)」ということ。けっこう質素で、快楽状態とは違います。

　確かに「普通が一番だね」なんて言われます。とりあえず、住むところと食べ物と着る物があって、健康ならいいんじゃない？　ところが、それが簡単なようで難しいのでしょう。特に、「普通」に生きていても、誰もがどうしても乗り越えられないものがあります。それは「死の恐怖」です P299 。

エピクロス
紀元前 341 年 - 前 270 年
古代ギリシアのヘレニズム期の哲学者。エピクロス派の始祖。「エピクロスの園」で弟子たちと共同生活をする。71 歳で死去したという。

ゼノン
紀元前 335 年 - 前 263 年
キプロス島の哲学者でストア派の創始者。商人の息子。高齢の時、自ら息を止めて死んだという言い伝えもある。

✳ 死ぬなんてこわくない…ホント？

　死ぬのは本当に怖い。死ぬのが怖くないっていってる人は、おそらくまだ死について考えが浅いか、究極の悟りを得たかのどっちかでしょう（この本を最後まで読めば、真実と向き合うことになるので、死ぬのが本当に怖くなるかもしれません）。

　エピクロスは、デモクリトスのアトム論（原子論）☞ P17をつかって、「死ぬのは全然怖くない」と私たちに言い聞かせてくれます。体も魂も原子（アトム）でできているからです。

　死んでしまえば、もはや感覚はないはず。それに、生きているときは、死んでいない。当たり前。それなら、なんで死を考えるのか。死んでから考えれば良いことだ。でも、死んだら考えられない。じゃあ、解決ですよね、ということになります。

　エピクロスによると、「われわれが存在しているときには死はやってこないし、死がやってくるときにはわれわれは存在しない」というわけです。

　エピクロスには申し訳ないですが、それでも、人は死が怖いのです。なぜでしょう。それは、原子が解体したあとの「無」が怖いからです。それを生きている時に考えるから…。この問題は、**ヤスパース**☞ P180などの実存哲学者が後ほどもう一度くわしく説明してくれます。

先に苦しいことをやっておけば苦しくない

✳ 禁欲的な生き方

　死は怖くないという話をすると、よけいに怖くなってしまうかもしれません。そんなときは、ストア派の哲学がおすすめです。ストア派は、禁欲主義による苦行を行います。これは、苦しみの先取り。鍛えることによって快楽・苦痛に惑わされない境地を作り上げようというのです。

　ストア派の代表者はキプロスの**ゼノン**です（「アキレスと亀」のパラドックスを唱えたゼノンとは別人）。彼は人間の本性は理性（**ロゴス**）にあるから、合理的な習慣・行動を身につけるべきだとしました。ストア派のストアは学園の柱の意味で、そこで話し合っていたからストア派といわれるようになりました。「ストイックだね」の由来です。

　ストア派の哲学者によれば万物に秩序と法則を与えるのは世界理性（ロゴス）です。これは宇宙の秩序・原理のことです。地の果てから、目の前のペットボトルにまでロゴスは満ちています。

　この世界理性から人間はロゴスを分けてもらっている（**分有**されている）ので、人間は理性的に考えることができるのです。つまり、宇宙のアプリ（世界理性）がスマホ（人）にダウンロードされているようなもの。

　「自然」＝「理性」＝「宇宙の原理」に従っていればうまくいきます。

　ゼノンは「**自然に従って生きよ**」と説きました。理性に従って生きることこそが、自然に従って生きることになります。

　また、人は情念（パトス）に動かされ、どうでもよいことを気にします。だから、情念に動かされないようにすればよいそうです。これは、「アパティア（無感動）」と呼ばれました。悲しくても能面。これを目指すのも、けっこうきつい修行だと言えましょう。

✳ 根性の哲学で人生を乗り切る

ストア派の哲学では、快楽は自己保存の衝動を満たすことから得られる無意味なものとされます。たとえば、お腹が空いたから食べる。これは理性的に考えれば栄養を取るためです。だから、カロリーメイトで十分。グルメなんてとんでもないという考え方です。ちょっと、現代人には合わないかもしれませんね。

また、ゼノンによると、善と言われるのは、思慮、節制、正義、勇敢などの徳だけです。逆に、無思慮、不節制、不正、臆病などは悪とされます。

だからそれ以外の、生と死、名誉と不名誉、富と貧困、病気と健康などは、どうだっていい。人間の魂を高めること、**徳**（魂のよさ）だけを気にしていればよいということになります。

ゼノンによると、死ぬこと、貧乏なこと、不健康なことは、善悪の見地からすれば意味のないことなのです。

ローマ時代になると、ストア派は大ブレイクします（後期ストア派）。ここからは、セネカ、エピクテトス、**マルクス・アウレリウス**などを輩出します。現代の自己啓発 ☞ P348 でも引用されるマルクス・アウレリウスには有名な言葉があります。

マルクス・アウレリウスは朝起きたとき、自分にこう言います。「今日も私は恩知らずで、凶暴で、危険で、妬み深く、無慈悲な人々と会うことになるだろう」「しかし、何者も私を傷つけることはないし、私が腹を立てたり嫌ったりすることもない」

自己啓発のアファーメーション ☞ P368 としてはちょっとネガティブなので不向きですが、それでもすばらしい心構えと言えましょう。

エピクロス派・ストア派の哲学も、やはりまず、宇宙の原理を明らかにして、それから「生き方」が決まります。「原理」→「生き方」は、近代哲学までの公式のようなものです。

HISTORY 6

新プラトン主義の神秘

イデア論のパワーアップ版がこれだ

絶対者との融合をめざす思想

ここでは、あまり哲学史でとりあげられない神秘主義についても触れておきます。神秘主義は意外にも、現代を読み解く鍵となる要素を持っているからです。

アレキサンダー大王の遠征によって、ヘレニズム期以降のギリシア文化圏は拡大し、ギリシア哲学は東方諸世界と融合していきました。ローマ帝政期になると、にわかに絶対的なものを希求する、神秘主義哲学としての**新プラトン主義**が流行ります。ローマ期はギリシア精神が世界史から消滅していく時期といえます。

この思想のすごさは、生きている人間が、実際にイデア界レベルの絶対者との融合をめざすところです。新プラトン主義を唱えたのは、**プロティノス**です。イデア論を引き継いだ彼は、イデア界以上の究極の原理を求めます。イデア界にも様々な階層があったのです。牛丼でたとえれば、小盛・並盛・大盛・特盛のような序列があり、「善のイデア」が最高とされました。プロティノスはこれらを飛び越えて、松阪牛ステーキそのものを自在に食べられるような存在になれると考えたのです。

プロティノス
205年頃–270年

古代ローマ支配下のエジプトの哲学者。新プラトン主義（ネオプラトニズム）の創始者とされる。主著は『エンネアデス』。イタリア半島南西部に「プラトノポリス」を建設することを計画したが、皇帝の反対で頓挫。後にルネサンスや神秘思想に大きな影響を与えた。

✳ 生きたまま宇宙の原理と合一する方法

　哲学の基本的思考として、究極の原理を求めようとするならば一切の多様性を取り除く、というのがあります。　パン、ハム、チーズ、納豆、うどん、ラーメンなどを「食品」という大きな概念でまとめあげるという作業です（具体から抽象へ向かう）。

　そこで、プロティノスは、多様性から存在・思惟と概念を高めていき、究極の原理をおきました。

　１頭の牛から、いろんな料理が生まれるように、哲学においては究極の原理から多くが生まれます（２つあると二元論 ☞ P80 と言います）。

　この究極の原理は神であって、「**一者（ト・ヘン）**」とよばれました。

　プロティノスは、様々なものに分化する以前の統一体がなければならないと考えたのです。

　「一者」は空間的、時間的規定を越えているから、どこにあるわけでもなく、いつあるのでもありません。動きもしないし、かといって静止しているのでもありません。私たちの常識的な発想をはるかに超えている存在です。

　重さも大きさもないし、形もないのです。抽象概念の究極の領域なので、これをイメージすることが瞑想につながります。

世界はなんでこんなにバラエティに満ちている？

✳ 満足しているものは、なにもしないはずだが…

　ないないづくしの話が続いて申し訳ないのですが、さらに「一者」には、私たちの意識すらあてはまらないのです。というのは、意識はみるものとみられるもの（**主観と客観**）☞**P80** という対立の中から生じます。一者の中にはそういった区別もありません。ということは、一者とは人格をもった神というわけでもないのです。

　こうしたあらゆる規定に縛られない根本的原理が一者です。1つの原理がだんだんと多様化する、というこの発想は、現代物理学において、1つの数式で世界のすべてを説明したいと考えたホーキング博士の立場などと通じるところがあります。

　ところで、世界の究極の原理である「一者」は、なんら形の定まったものではないのに、どのようにして多様化したのでしょう。現在ではビッグバンで宇宙が生まれたと説明されています（その目的は考えに入れません）。でも、昔の哲学は、「何のために（目的）」を問います。よって、「何のために世界は多様化して出現しているのか？」と問うわけです。

　プロティノスによると、一者が世界を創造しました。創造というのは1つの作用ですから、作用というのは変化する現象世界だけのこと。究極の「一者」がそれをするのはおかしいとされます。そもそも「一者」は完璧なのですから、自足状態です。もうお腹いっぱい。なにもわざわざ世界をつくろうなんて思う必要もないわけです。

　ここに、この世界の存在に対する不思議が問われています。なぜ世界はあるのでしょう。何のためにあるのでしょう。完全な存在と不完全なこの世界。プロティノスの答えはこうでした。世界はあふれて**流出**したのである、と。

✽ 最後は神人合一するという神秘体験をめざす

一者は無限です。一者を限定するものは何もありません。一者は限りなく湧き出る泉のごときものであって、満タンだからあふれざるをえないというのです。

一者は完全すぎて無限のパワーをもっているから、なんにも補給することなくパワーを出し続けます。後にこの考え方が、キリスト教哲学 ☞P55 の神の無限性や近代哲学の実体という考えと関係していきます。

「豊かすぎて必然的にあふれる。だから世界はある」。ちょっと科学的には説明不足ですが、現代人にとってもロマンのある考え方です。しかし、ここに問題があります。お茶を何度も入れ直すと、出がらしになってしまいます。実は、私たちは、イデアを忘れ、感覚だけにたよる物質的世界に堕落しているとされます。つまり、一者から大きく隔たったコピーの世界で生きていることになります。

一者からの流出は、プロティノスによれば、**ヌース（精神）**から魂を経て、段階を追いつつ質料（物質的なもの）におわります。最下の質料は光の完全な欠如、闇であり、悪が生まれる場所です。

原理はわかりましたので、例によってここから「生き方」の話に入ります。私たちは物質世界への「下降を喜ぶ」ことをやめて、一者の方へと自己を向上させなければならないとされます。

一者という本体よりも劣った存在である現実世界(現象世界)のコピーをたよりに、超越的な存在に近づいて出会うことが**神秘体験**です。

プロティノスの弟子のポルフュリオスによれば、プロティノスは４回一者との合体を果たしました。一者との合一においてはすべてを忘却し、ことばも思考も失って恍惚のもとに光に満たされるといいます。

これは、究極の瞑想体験でしょう。このように、合理的なものと非合理的なものをつなげるのも哲学的思考の面白いところです。

宗教で現代をみる

　2章では宗教について解説をします。宗教なんて自分には関係ないと思う方も多いのですが、世界史の教科書をみてもわかるように、世界は昔も今も、ユダヤ教、キリスト教、イスラム教（イスラーム）、仏教、ヒンドゥー教に大きな影響を受けています。

　宗教は、文学、音楽、絵画、建築などあらゆる場所に浸透しています。宗教を知ることで文化史が理解しやすくなるので、基本だけでもおさえておいた方がいいでしょう。

　忙しい人は、それぞれの宗教の本を何冊も読んでいる暇はないと思います。そこで、本章では、ユダヤ教とキリスト教にボリュームをもたせて解説しています。

　宗教は政治と深い関係があるので、国際的なニュースを読む際にも必要となります。

　ユダヤ教は現代まで脈々とつながり、現在ではイスラエルのパレスチナ紛争にまで影響を与えています。インドはヒンドゥー教とイスラム教です。本章では、ヒンドゥー教は取り上げていませんが、一部は、古代インド思想と関係しています。

　カトリック勢力とアメリカのプロテスタント勢力、アメリカとイスラム諸国との対立など、宗教問題はあまりに複雑で混乱しがちです。

　宗教的な内容よりも、情報として役立つ事項にフォーカスして、極力わかりやすくすることに注意をはらいました。一方、アジアの思想については、インド思想を中心に解説しています。中国の思想は

知識として宗教を知れば、国際情勢や未来予測のヒントが得られる！

政治哲学として、Ⅱ部で扱っています。

　ユダヤ教、キリスト教、イスラム教は一神教です。インド思想では、古代の多神教と仏教との融合などが見られますが、原理的には、西洋の汎神論に近いと言えます。

　一神教の場合は、「神」の概念がわかりにくいとされています。神が怒ったり、恨んだり、喜んだりする人格神である場合が多いのですが、哲学・神学では、プラトンやアリストテレスの哲学をつかってこれを説明しますので、神が原理としての存在となります。

　よって、一神教は、古代ギリシアの哲学とユダヤ・キリスト教、イスラム教を関連づけることで理解しやすくなります。

　一方、インド思想では、心の実体性や物事の因果関係を土台とした哲学理論が展開されます。それと同時に、具体的な悟りのための実践方法（瞑想法など）が考えられているのもインドの特徴です。

　本章はなにかの宗教的信条などを押し付けるものではなく、あくまでもニュースがよくわかるよう理解を深めるためのものです。様々な宗派の独自の説明の仕方がありますが、内容は文部科学省検定の『倫理』教科書に掲載されている説が中心です。

　また、本書はいかなる組織、団体、自治体とも、一切、関係はありません。

ユダヤ教の成立と『聖書』

✖✖✖✖✖✖✖✖✖

宗教はさておいて、『聖書』は「歴史書」と割り切る

✳ ユダヤ教の歴史をおもいっきり要約するとこうなる

　紀元前2000年から1500年頃、古代イスラエル人たちは、パレスチナ地方に移住し、様々な他民族の支配を受けつつ、流浪の生活を余儀なくされていました。苦難にみちたイスラエル人は民族の団結と再生を求める中でユダヤ教を形成していったのです。国がないので、精神的なルールで一致団結していたと言うわけです。宗教・思想は国がなくても人々をつなぎとめるというのは現代に続いている事実です。

　ヤーヴェと呼ばれるユダヤ教の神は恐ろしい神様です。怒る、妬む、呪う、裁く、を司る人格神です（宇宙の原理としての神、汎神論の神 ☞P82 とは異なる）。この神様が世界を創造し、人間をお造りになったのだから、絶対的な存在です。人間に不平をもらす余地はありません。

　この神は、イスラエル人をみずからの民として選び（**選民思想**）、彼らを永遠の救いに導くことを約束しました。そのかわりイスラエル人は、神の意志として示された律法（法律のようなもの）を厳守しなければならなかったのです（神との契約）。

カイン
「創世記」第4章など
アダムとエヴァの息子。カイン（兄）はアベル（弟）を殺したので、人類最初の殺害者。

ノア
「創世記」第5章–10章など
ノアは方舟を完成。妻と3人の息子、息子の妻ら、すべての動物のつがいを方舟に乗せた。

アブラハム
「創世記」第11~17章など
ノアの洪水後、神による人類救済の出発点として選ばれた最初の預言者。妻はサラ（サライ）。

イサク
「創世記」第17~35章など
父アブラハム、母サラの息子。イスラム教ではイサクよりも兄のイシュマエルが重要視されている。

✳ 苦難のユダヤ人は神の律法を守れなかった

　律法の根本とされたのは、「**モーゼの十戒**」です。『旧約聖書』によれば、紀元前13世紀頃、エジプトで奴隷生活を強制されていたイスラエル人たちが、神の導きを受けたモーゼに率いられ脱出しました。この後もイスラエル人たちの歴史は悲惨でした。バビロン捕囚 ☞ P46 のさなかにあってもくじけずに、律法を守り、民族を統一していこうとがんばりました。

　やがてイスラエル人たちは、ペルシアによって捕囚から解放され、故郷の地エルサレムに帰ります。そして、神殿を再建して教団を創設しました。ここでユダヤ教が成立します。

　一気にストーリーをまとめてみましょう。まず、神が天地を創造して、人間をつくった。人間が神を裏切って罪を冒した。楽園から追い出された。人口は増えたが、あまりにダメダメで、神は一度は人間を滅ぼそうとした（**ノアの方舟**） ☞ P43 。でも、やっぱりやめた。それでも人間はダメ。神はルールを示した。でも、守れない。次々と神のお仕置き。

　ようやく神殿とユダヤ教ができる。でも、結局ダメなまま現代に続く。

　『旧約聖書』は全39巻で、五書（律法の書、5巻）、歴史書（12巻）、知恵文学（5巻）、預言書（17巻）から成ります。歴史書はユダヤ人が自分たちの歴史を神との関係で捉えた表現になっています。

壮大なドラマ展開の『旧約聖書』

✳ 神の絶対性がよくわかる

ここで、もう少し、『聖書』（『旧約聖書』）で現代を読み解くためのポイント的な内容に踏み入ってみます。『聖書』は、「最初の人類と最初の殺人」がオープニングです。「創世記」で、神が「光よ、あれ」と仰せられ光ができました。

さらに、神が宇宙、地球、生命、人間を6日で創造したことになっています。神は**アダム**をつくり、アダムの肋骨から**エヴァ**がつくられました（アニメ『エヴァンゲリオン』に必須の知識）。

しかし2人は、善悪の知識の木になる実を食べてしまい、神の怒りをかってエデンの園という楽園から追放されます。

アダムとエヴァは楽園追放後に普通に夫婦生活を続け、**カイン**（長男）と**アベル**（次男）が生まれます。けれども、ここで人類最初の殺人事件がおこりました。

カイン（農耕者）がアベル（牧畜者）を殺してしまったのです（神が農耕の捧げものを好まなかったため。なぜダメなのかは諸説あり）。

カインは神から追放されましたが、アダムとエヴァには3男のセトが生まれました。セトの家系は信仰に生き、アダムから10代目に**ノア**が生まれます。

神はカインが誰にも殺されないように「カインの刻印」をつけました。カインは息子エノクをもうけ、追放後に住みついたノドの地で作った街にもエノクという名をつけました。

この後、神は再び、人類を滅ぼそうとしました。神は絶対の存在なので、人間には理解できないことをよく行います。後に神学者がこれらに意味づけをしていきます。

✳ 現代のニュースを理解する用語が満載の『旧約聖書』

　ノアの時代には、悪がはびこっていたので、神は人類を滅ぼそうとします。けれども信仰心のあついノア一家は方舟をつくることで生き残ります。そしてノアの子供から新しい人類が生まれました。

　しかし、この後、人類は驕り高ぶり、バベルの塔（タワービルのようなもの）を作ります。神はこれをよくないと思い、人々の言葉をバラバラにし、言葉が通じないようにしてしまいます。

　こうして、様々な言語ができました（言葉が違うとグループも変わる。そして戦争をする）。

　セム（ノアの子）の子孫の**アブラハム**は甥のロトとともにカナンの地に住みました。神はアブラハムの息子**イサク**を生贄にせよと命じ、信仰深いアブラハムは、愛する子供イサクを本当に殺そうとします。

　神は、子供をも犠牲にするアブラハムの信仰を知って、イサクに手を下すことをやめさせるというハッピーエンドです。神の祝福により人類は、砂の数のように増えることになりました。

　一方、**ロト**と娘たちが定住したソドムは、快楽に溺れた罪深い土地でした。2人の天使がロトの一家にこの街が滅ぶことを告げたので、ロトとその家族は脱出します。

　ロトの妻はソドムが滅ぶ瞬間、「振り返ってはならない」という神の言葉を聞き入れず、振り返ってしまいます。すると、ロトの妻は塩の柱になってしまいました。

　このように、ストーリー的に展開されるのが、『旧約聖書』の歴史書の部分です。預言書はイザヤ書、エレミヤ書、哀歌、エゼキエル書、ダニエル書の大預言書5巻と短い小預言書12巻から構成されています。

　預言書は、神から言葉を預かった預言者による神の言葉が様々な形で表現されているので、これらも、現代の世界情勢を読み解くときにヒントとなるかもしれません。

『聖書』がなぜすごいのか？

✳✳✳✳✳✳✳

『旧約聖書』の映画がおもしろい！

✻ 偉大なるヨセフの功績が忘れられるまでの話

　イスラエル人は族長のアブラハムを父祖とし、紀元前20世紀頃にメソポタミアの都市文明を捨てて、遊牧しながらパレスチナに移住しました。アブラハムは**神（ヤーヴェ）**から、約束の地「乳と蜜の流れる」**カナン**を与えられます。

　アブラハムの子イサク、その子ヤコブ、そしてヤコブの子が**ヨセフ**と続きます。名前が多くて意味がわからなくなり、『旧約聖書』を読むのをあきらめる人が多いようです。とりあえず、アダムとエヴァの子孫、アブラハム…そしてヨセフでいいでしょう。

　ヨセフは高潔で「さとく賢い」人物であった（「創世記」41：39）とあります。もともとヨセフは兄弟にだまされてエジプトに奴隷として売られた人です。なのに隠れた才能（夢の読み解きなど）を発揮し、エジプトの飢饉を救うなどの功績を残して、エジプトの宰相（総理大臣レベル）に出世しました。ヨセフの成功物語は、よくアメリカのプロテスタント系の自己啓発 P349 で使われます。

ソロモン
紀元前1011年頃 – 前931年頃
『旧約聖書』の「列王記」に登場する古代イスラエル（イスラエル王国）の第3代の王。王国最後の栄華をきわめた。

エリヤ
「列王記」第18章など
預言者。バアル崇拝への反対者で、ヤハウェ信仰の守護者。『新約聖書』の「ヨハネによる福音書」でも強調されている。

エゼキエル
紀元前6世紀頃
祭司。バビロン捕囚時代の預言者。神殿の再建、将来の国家について語る。バビロン捕囚後の人々による国家復興へとつながったとされる。

✳ エジプトからの脱出後、十戒を受ける

しかし、慈悲深いヨセフは自分を売った兄弟を許し、家族ともどもエジプトに迎え入れます。そこで、イスラエル人はエジプトで繁栄することになりました。

『旧約聖書』の話は省略される時代も多いのであっという間にストーリーが進みます。この後、エジプト人はヨセフの存在すら忘れ、ユダヤ人が多いことに不満を抱くようになっていきます。恩知らずなエジプト人の王朝が復活した後、イスラエル民族は奴隷となって苦しむことになりました。まとめると、エジプトの奴隷ヨセフ→総理大臣になる→その子孫は奴隷。

ここまでのストーリーについては、映画『イン・ザ・ビギニング』をおすすめします。天地創造からヨセフの成功物語が含まれています。他に、出エジプトをえがいたスペクタクル映画『十戒』が圧巻でしょう。

紀元前13世紀頃に、イスラエル人は預言者の**モーゼ**に率いられて約束の地であるカナンへ回帰をこころみました。モーゼによってエジプトから脱出することに成功し（出エジプト、紅海が真っ二つに割れるシーンが有名）、この後、神はシナイ山でモーゼを仲介者として、イスラエル人に契約（十戒）を与えました。

イスラエル王国時代になると、カナンの地では、士師という指導者のもとでユダヤの12部族が連合して、先住民との戦いを繰り返すことになります。

洪水、疫病、蝗害、飢饉、地震、戦争の繰り返し

✳ 災害は神のお仕置きとして表現されている

紀元前11世紀頃、**ダビデ王**、さらにソロモン王が栄華をきわめました（映画は『キング・ダビデ』などがあります）。

『旧約聖書』はスケールの大きな歴史書が多くを占めていますので、過去の環境問題についてもわかります。

まず、洪水。これはノアの方舟の話から推測できます。また、モーゼの出エジプトの際には、疫病、蝗害（イナゴ大量発生）、水の汚染などの様子が描かれています。

ほかにも『旧約聖書』には、地震、そして戦争が多く描かれています。

現代で考えれば、感染症→バッタ大量発生→洪水・飢饉・地震→恐慌→戦争のパターンを把握しておくと、災害対策に有効かもしれません（なぜ歴史的にこのパターンを繰り返すのかは謎です）。

さて、話はどんどんすすみ、ユダヤの王国は北イスラエルと南ユダに分裂してしまいます。

さらに、前9世紀頃になると異民族による支配や貧富の差による社会問題を背景として、神の裁きを警告する預言者が出現します。

ところが、前8世紀には北イスラエルは滅び、多くの部族が諸国に離散してしまいました。前6世紀には新バビロニアによって、南ユダも滅ぼされ、何度かにわたって指導者的な人々が拉致されていきました（**バビロン捕囚**）。捕囚の後、新バビロニアを征服したアケメネス朝ペルシアによって捕囚された民は解放されます。

解放された民はエルサレムに帰り、前6世紀に、ユダヤの神殿が再建されました。ここでユダヤ教 P40 が成立したのです。

✱ 預言者も「予言的」なことをたまに言う

『旧約聖書』では予言者たちが活躍します。話は少しもどりますが、南（ユダ）王国と北（イスラエル）王国とに分裂した頃に、預言者**エリヤ**が活躍しました。また、紀元前8世紀頃、預言者ヨナがニネヴェの民を神の信仰へと向けることに成功しました（ニネヴェはメソポタミアの地）。

バビロン捕囚の頃は、預言者エレミヤが活躍します。バビロニアに連れていかれた彼らは、自分らが「神に選ばれた民である」との自覚をもつようになりました（**選民思想**）。

預言者**エゼキエル**はバビロンに連行されましたが、この時に象徴的な幻を見ています。神の四方に動物が浮かんでいる幻影です。このバビロン捕囚の時代に、多くの「預言書」がつくられました。

イスラエルの民が様々な苦難を経てきたのは、神が与えた試練であって、神との契約が守れなかった自分たちに対する罰が下っていたのだ。でも、将来的には神が約束をした地に導かれる（シオンの地にもどれる ☞P315）であろうという希望を持ちました。また、祈りを捧げる場としての**シナゴーク**が作られました。

バビロン捕囚後、エルサレムの神殿は再建されましたが、バビロン捕囚によって異国の風習に染まった人々は、律法を守ることができませんでした。預言者マラキは「大いなる恐るべき主の日が来る前に、預言者エリヤをあなたたちに遣わす」と預言します。

さて、『旧約聖書』を一言でまとめると、神による天地創造→アダム・エヴァが犯した人類の罪→ユダヤ（イスラエル）人が律法を守らない→神のお仕置き→悔い改め→また律法を守れない→お仕置き→悔い改め→また律法を守れない…（以下、何度も繰り返す）という話です。1948年にはイスラエル国家 ☞P316 が建設されました。『旧約聖書』に約束されていたことが成就されたとされます。

キリスト教とはなんなのか？

❖❖❖❖❖❖❖

イエスもユダヤ教信徒だった

✳ ユダヤ教を土台にキリスト教が生まれる背景

　『旧約聖書』と『新約聖書』の違いを、一言で表現すれば、『旧約聖書』はユダヤ人の歴史と律法・詩編など、『新約聖書』は**イエス**の登場とその弟子の活躍、布教の手紙と黙示録です。『旧約聖書』と『新約聖書』の間は、約400年ですので、世の中もガラッと変わっていました。

　イエス誕生以前、ユダヤの地はローマの属州でしいたげられていました。彼らの宗教はもちろんユダヤ教です。ここにイエスが生まれましたので、イエスもユダヤ教徒でした。ところが、イエスは当時のユダヤ教のあり方を批判したため、ユダヤ人らの要望により、ローマの法にもとづいて、十字架刑で死刑となりました。つまり、このときはキリスト教はまだありません。

　イエスは十字架刑にかかる前に、死後3日後に復活すると弟子に伝えていました。十字架刑の3日後、イエスの遺体が墓から消えます。

　その時に、マグダラのマリアが、イエスに会ったといいます。さらに、イエスは弟子たちの前に出現したと伝えられます。

イエス
紀元前4年頃~後30年頃
ユダヤ教徒。ガリラヤ地方のナザレに育ち、大工の仕事を継ぐ。30歳のころ宣教し、処刑。

ヨハネ（洗礼者ヨハネ）
「マタイ福音書」第3章など
ユダヤ人の宗教家・預言者。イエスに洗礼を授ける。ヘロデアの娘の要求で、処刑された。

ペトロ
生年不明~64年頃
ガリラヤ湖の漁師ペトロの名は岩の断片、石などの意味。イエスの弟子。初代ローマ教皇とされる。

マタイ
「マタイ福音書」第9章など
イエスの弟子となる以前は収税人だった。「マタイによる福音書」の著者かどうかは謎。

✳ ローマ帝国と属領ユダヤの関係

ナザレに住むユダヤ教の**マリア**は、大天使ガブリエルから受胎告知を受けました。マリアの夫はダビデ ☞P315 の血を引くヨセフです（しかし、イエスは処女懐胎で生まれました）。

その後マリアと夫のヨセフはベツレヘムへ向かい、宿の馬小屋でイエスは誕生しました。

このときのユダヤは先述したとおり、ローマの属国でした。ユダヤ王のヘロデは救世主の誕生に自分の地位が脅かされると感じ、ベツレヘム周辺の嬰児をすべて殺害するように命じます。

しかし、すでに、間一髪でヨセフ一家は天使ガブリエルの勧めによってエジプトに逃れていました。彼らはヘロデ王が没するまでエジプトにとどまります。ヘロデが没した後、天使がヨセフの夢に現れてそれを告げました。でも、まだ危険は去っていません。ヘロデの子（アルケラオ）が跡を継いでユダヤを支配していたからです。そこで、一家は**エルサレム**から離れたナザレにすむことになります。

ここで、「天使なんて本当にいるの？」などの疑問は、いったん保留して現代の情報収集に使えるところを先に確認しましょう。

今の説明でのキーワードは、ローマ帝国、ユダヤ人の住む属国、植民地（帝国主義） ☞P304 、エルサレム、天使の名前などです。

『旧約聖書』と『新約聖書』をくらべると面白い

✳ イエスが洗礼を受ける？　洗礼を授けるんじゃないの？

　30歳ほどになったイエスは、ヨルダン川の岸辺で**ヨハネ**によって洗礼を受けました。ヨハネはユダヤ教エッセネ派（俗世を離れて活動）に属していたと言われていますので、イエスはユダヤ教の洗礼を受けたことになります（まだ、キリスト教は成立していないから）。

　人々はヨハネを**メシア（救世主）**と考えていましたが、彼はそれを自ら否定し、自分よりももっと優れた人物が来ると説きました。それがイエスだったのです。

　「マルコによる福音書」は、「時は満ちた。神の国は近づいた。悔い改めて福音を信ぜよ」（1：15）とイエスは言ったとしています。これが宣教活動の開始とされます。

　この福音を伝えるために、イエスは身分差別をせずに社会の下層で苦しんでいた人々を助けようとしました。イエスは差別のない共同の食卓を実践しました（こういう正しく良いことをすると、上の方からにらまれることがあるので注意が必要です）。

　イエスは、ヨハネから洗礼を受けた後、宣教活動を始める前に、荒野に入って修行し、悪魔の誘惑に勝って、ガリラヤで宣教活動に入ります。

　ここで、イエスの「悔い改め」と**「神の国が近づいた」**という教えに導かれて、次々と弟子たちが育ち、イエスによる様々な奇跡が起こりました（もちろん、「奇跡なんて本当にあるの？」なんて疑問は保留です）。

　イエスはガリラヤ湖で漁師をしていた**シモン（ペトロ）**とアンデレ兄弟に出会いました。シモンとアンデレは、仕事をやめてイエスに従います。

　同じく漁師のヤコブ（ゼベダイの子）とその兄弟のヨハネがイエスの後について行きます。12人の弟子は、**使徒**と名付けられました。

✳ 『旧約聖書』に書いてあることをイエスがなぞっていく

「マタイによる福音書」の第5～7章は「山上の説教」と呼ばれています。

「イエスはこの群衆を見て、山に登られた。腰を下ろされると、弟子たちが近くによってきた。そこで、イエスは口を開き、教えられた」

こうして、後のキリスト教の有名な教えが展開されます。

「心の貧しい人々は、幸いである、天の国はその人たちのものである。悲しむ人々は、幸いである、その人たちは慰められる」など苦しむものへの慰めや、「復讐してはならない」、「天に富を積みなさい」（天で富を増す）、「人を裁くな」などの数々の教えが綴られています。

これらは、この世に幸せを求める常識とは正反対の内容でした。

キリスト教では、神が悪人にも善人にも平等に与える愛を**アガペー**といいます。アガペーは隣人愛として現れます。

また、ユダヤ教における「神の国」はバビロン捕囚の後に、預言者たちが民族的な国として望んだものでした。でも、イエスは、「神の国」を神の支配と捉えなおして、それがすでに始まっているとします（諸説あり）。

エルサレムは、紀元前1000年頃に、イスラエルの第2代の王ダビデ P46 が都にしたところです。ダビデは、モーゼの十戒 P41 を刻んだ石版を収めた「契約の箱（アーク）」をエルサレムに担ぎ上げて天幕の中に安置しました。

イエスがその城壁内に入るシーンが**「エルサレム入城」**です。「マタイによる福音書」では、『旧約聖書』の「ゼカリヤ書」の一節から引用して「柔和な方で、ろばに乗り、荷を負うろばの子、子ろばに乗って」とあります。『旧約聖書』の通りに、イエスは、ろばに乗って平和的にエルサレムに入場したのでした。

群衆は叫びました。「ダビデの子にホサナ（私たちに救いを）！」

『旧約聖書』と『新約聖書』の対応が、『聖書』の面白さの一つです。

ついにキリスト教の成立

�

原始キリスト教から世界宗教へ

❋ **最後の晩餐はカトリックのミサにあらわれている**

　イエスは、「無差別平等の神の愛」や「律法を守ることの真の意味」を捉えなおそうとしたので、**ユダヤ教主流派（パリサイ派など）**の指導者たちの反感をかいました。

　最後の晩餐は、有名なシーンです。イエスは十二使徒と一緒に食事の席につきました。使徒のうちの1人、イスカリオテのユダの裏切りを知っていたとされます。また、イエスは、死が間近に迫ってきたことを予知し、弟子たちと別れの食事をしました。パンをとって「これはわたしの体である」と告げ、ぶどう酒を注いだ杯をもって「これは多くの人のために流される私の血、契約の血である」と言いました。現在の**カトリック教会**で、これを模した儀式が行われます。

　ユダヤの祭司長や長老たちは、イエスを死刑にしたかったのですが、総督ピラトはイエスが死刑にされるべき理由がないと考え、彼を釈放しようとしました。しかし、ピラトの「あなたはユダヤ人の王ですか」という問いに対する、イエスの答えが問題視されました。

パウロ
?-65年頃
多くの伝道活動によって、小アジア、ギリシア地方に教会を設立。キリスト教が世界宗教となる端緒を開く。

アウグスティヌス
354年-430年
初期キリスト教会の最大の教父。正統的カトリック教義を確立。プラトンの思想をもちい、古代・中世思想に大きな影響を与えた。

トマス・アクィナス
1225年頃-1274年
中世ヨーロッパ、イタリアの神学者、哲学者。スコラ哲学の大成者。アリストテレス哲学を用い、信仰と理性の調和を目指した。

※ パウロは何をみたのか？

　イエスが「ユダヤの王」ということになると、それは彼が**メシア（救世主）**であることを意味します。これは、ユダヤ教的にはNGです。そこで、ユダヤの民衆はイエスを死刑へと追いやります。ユダヤ人がユダヤ人イエスを死に追いやったことになっています。

　もともと十字架刑とは、ローマ人が他民族の犯罪人を処刑するときに用いた方法です。イエスもそのような犯罪人（政治犯）の１人になり、十字架刑に処せられました。イエスは十字架上で「エリ、エリ、レマ、サバクタニ」と叫んだとされます。これは「わが神、わが神。どうして私をお見捨てになったのですか」という意味です（『旧約聖書』「詩編」22：2、ダビデの言葉）。イエスはもう一度大声で叫ぶと、息を引き取りました。

　さて、3日後にイエスが復活し（疑問は保留…）、使徒たちによって、イエスはメシア（**救世主＝キリスト**）であるという確信が得られます。ここにキリスト教が成立しました。

　『A.D. 聖書の時代』は、2015年にアメリカ合衆国で放映されたTVドラマで、わかりやすい展開になっています（**プロテスタント** P76）。

　イエスの十字架刑の後は、普通に考えるとキリスト教は一部の地域でとどまるはずでした。ところが、これを世界宗教にまで広めたのが、使徒たちの活躍だったのです。

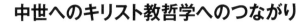

中世へのキリスト教哲学へのつながり

✻ 大どんでん返し。パウロがキリスト教を世界宗教にした

　キリスト教を世界宗教に広めた人物として、ユダヤ教徒の**サウロ（パウロ）**があげられます。最初、サウロ（ヘブライ語名）はキリスト教徒を激しく迫害していた人でした。サウロはローマ市民権を持ち、ユダヤ社会では富裕層に属していました。

　ところがサウロは、シリアのダマスコに行く途中、「サウロ、サウロ、なぜあなたは私を迫害するのか」というイエスの声を聞きます。さらに、サウロの目が、その瞬間見えなくなってしまったのです。

　イエスは、サウロにダマスコへ行けばなんとかなると助言します。サウロは、苦悶の末、ダマスコで弟子らと連絡をとります、なんと、神の力で目からウロコのようなものがとれ、視力を回復しました（「目からウロコ」の語源）。

　それを契機に、パウロ（ギリシア語名）は回心してキリスト教徒となりました。パウロは、ユダヤ教主流派から迫害されるは、キリスト教信者からは疑いの目でみられるは（急にユダヤ教からキリスト教に宗派を変えたから）、という逆境の中で、布教活動と著述にはげみます。

　結果的に、パウロの使命感に満ちた伝道により、キリスト教はイスラエル民族を超えた世界宗教となっていきます。他の使徒も大いに活躍し、パウロとほとんどの使徒は殉教することになりました。

　イエスの死後キリスト教の成立から2世紀頃までのキリスト教を一般に**原始（初期）キリスト教**といいます。

　パウロは、人間は、信仰を持ち、悔い改めて、神と隣人を愛することによって救われるとしました。

✳ ギリシア哲学と融合した教父哲学とスコラ哲学

しかし、普通に考えて、救世主イエスは、なぜ死刑になってしまったのでしょうか。死刑は、神がイエスに変身（**受肉**）してきて、全人類の罪をチャラ（**贖罪**）にしてくれたということを意味します。これで『旧約聖書』のアダムとエヴァの原罪はリセットされたのでした。

この後、キリスト教はさまざまな迫害を受けながらも勢力をのばし4世紀末にはローマ帝国の国教となりました。ローマ帝国はキリスト教を大迫害していましたので、かなりの逆転劇です。

また、教父とよばれる人々によって、プラトン哲学を中心としたギリシア哲学の影響を受けながら神学が成立します（**教父哲学**）。

3～6世紀に、プラトン哲学の流れをくむ新プラトン主義 ☞P34 が影響力をもちました。

アウグスティヌスにより、「父なる神と子なるキリストと聖霊」の3者は実体が1つであるという、**三位一体**の教義が確立しました。

アウグスティヌスは、神の絶対性とカトリック教会の権威を基礎づけました。「カトリック」は「普遍的な」を意味するギリシア語に由来します。

中世になると、西ヨーロッパの全体がローマ・カトリック教会の支配下に入りました。すると、ローマ・カトリックの教義は、さらに哲学によって体系化されます（「哲学は神学の侍女」）。教会や修道院に附属する学校（スコラ）で教授・学習されたため、これらは**スコラ哲学**とよばれます（スクールの語源）。

スコラ哲学者トマス・アクィナスは、信仰と理性の調和を求め、アリストテレス哲学 ☞P26 を用いてキリスト教の信仰を体系的に説明しようとしました。ここで、哲学史で重要な**神の存在証明**がなされました ☞P245。理性によって論理的に神の存在を証明したのでした。

また、法律のもととなる**自然法**についても説いています。

イスラム教の基礎知識

✖✖✖✖✖✖✖✖✖✖

イスラム教（イスラーム）は中東情勢の必須知識

✱ イスラム教は過激な宗教か？

「悪夢の9月11日」は、アメリカの繁栄と力の象徴だったニューヨーク・マンハッタンの世界貿易センターを狙ったテロでした。またイスラム国の事件も起こりました。これらの情報から、イスラム教は危険だとか、特定の思想をもつのはよくないというような判断をする人もいるようです（それも一つの哲学的な見解でしょう）。

確かに『コーラン（クルアーン）』には迫害する者に関して、「おまえたちの出会ったところで彼らを殺せ」（2：191）とありますから、そこだけを見ると、やっぱり過激な宗教なんだと早合点してしまいそうです。

でも、以下のようにも書いてあります。「しかし、度を越して挑んではならない。神は度を越す者を愛したまわない」（2：190）。

神が「度を越してはいけない」と諭すという、まことにやさしい宗教なのです。イスラム教は、アラビア半島を中心に、今日約16億の信者を有する宗教で、キリスト教、仏教と並ぶ世界宗教でもあります。

善悪判断はさておいて、ニュースを知るには、イスラム教の知識は不可欠です。特にパレスチナの紛争 ☞ P314 は重要ポイントです。

ムハンマド
570年頃–632年

イスラム教の開祖とされる。政治家、軍事的な指導者。ムハンマドは、アラビア語で「賞賛する」「称えられる」の意味。アラビア半島中西部、中心都市メッカの支配部族クライシュ族の名門ハーシム家の出身。最高にして最後の預言者。

✲ ゲーム・アニメで有名「天使ガブリエル（ジブリール）」！

イスラム教を例えれば、大作映画の１作目が「ユダヤ教」、続編が「キリスト教」、完結編が「イスラム教」という設定です。だから、１作目、２作目をみておかないと完結編はわかりません。

イスラム教は570年頃、アラビア半島のメッカに生まれた**ムハンマド**が神の啓示を受けたところからスタートします。ムハンマドは、商人で40歳の頃、**メッカ**近郊の洞窟で瞑想をしていました。そこで天使ガブリエル（ジブリール）を通じて、「起きて警告せよ」という唯一神アッラーの啓示に接します。ムハンマドも最初は信じられなくて、奥さんに相談したら、背中をおされてやる気になったという話が残っています。ムハンマドは、自分は神の言葉を預かる預言者☞P47であると確信し、唯一神への絶対的帰依と神の前での平等を説きました。

アッラーは全知全能の創造主ですから、宇宙の万物を創造し、自然的秩序や人類の守るべき規範をも定めています。イスラムとは、「帰依する」という意味です。イスラム教では、神は時間の流れにおいて一連の啓示を人間に送りました。キリスト教では、ユダヤ教の預言者がメシア（救世主）の出現について語り、神の子イエスがメシアとして全人類の罪をあがなったというストーリー☞P55でしたが、イスラム教はこれを認めませんでした。

断食はよくニュースになるので大事

✳ イエスが人間にもどってしまった？！

　イスラム教ではイエスはメシアではなく単なる預言者の１人です（つまり、キリスト教での位置づけからは格下げ）。もちろん神ではありません。

　『コーラン』では、アダム、ノア、アブラハム、モーゼ、イエスはすべて預言者です。ムハンマドの立場は最高にして**最後の預言者**です。

　ユダヤ教の教典は『旧約聖書』、キリスト教の教典は『旧約聖書』と『新約聖書』でした。イスラム教では『旧約聖書』のうちの「モーセ五書」「詩編」と『新約聖書』のうちの「福音書」、そして『コーラン』を聖典とします。

　つまり、イスラム教によれば、ユダヤ教もキリスト教も失敗の宗教だった。そこで、今ようやくイスラムの**信仰共同体（ウンマ）**が出現したというわけです。

　こうした思想の違いに、領土争いがからんで、今日のような紛争へと結びついてしまいました。イスラム信仰の規約は、①神（アッラー）、②天使、③啓典、④預言者、⑤来世、⑥天命の「**六信**」です。

　アッラーは、世界の創造神であり絶対神とされます。神は**最後の審判**の日の主宰者でもあり、悔い改める者には許しを与え、そうでない者は地獄へ落とされることになります。

　天使はアッラーが光から創造した霊的存在（アッラーと人間の中間的な存在）とされます。

　一方、天使に敵対するのは、シャイターン（サタン）です。

　ユダヤ・キリスト教の流れをくむ宗教なので、重なる部分も多々あります。神の唯一性、絶対性、天使と悪魔、最後の審判、天国と地獄なども共通しています。

✳ 祭政一致のイスラム教

　イスラム教徒には信じることと共に5つの柱である行の勤め（**五行**）があります。

　①信仰告白（シャハーダ）…アッラーの他に神はなく、ムハンマドはその使徒である。

　②礼拝（サラート）…1日5回神を拝む。

　③断食（サウム）…イスラム暦第9月のラマダン月は日の出から日没まで飲食を断つ。

　④喜捨（ザカート）…イスラームで決められた割合の財産を貧しい人に施す。

　⑤巡礼（ハッジ）…余裕があれば、一生に1度、メッカへお参りをする。

　礼拝は夜明け（日の出前）、正午、午後、日没、夜半の1日5回で、必ず神に祈りを捧げます。一連の礼拝の単位を「ラクア」といい、夜明けは2ラクア、正午と午後と夜半が4ラクア、日没は3ラクアと決まっているそうです。**断食月（ラマダン）** は、よくニュースでとりあげられます。ラマダン月の30日間、日の出から日没まで飲食を断ます。夜の飲食はかまいません。喜捨は救貧税であり、貧富の差をなくすための社会政策でもあります。

　『コーラン』には、「されば汝ら、誰でもラマザン（ラマダン）月に家におる者は断食せよ。但し、ちょうどそのとき病気か旅行中ならば、いつか別のときにそれだけの日数（断食すればよい）」とあります。神が振替日のことまで説明してくださるという親切さ。

　また、巡礼は、財産に余裕があり、肉体に支障がなければしたほうがよいという寛容なものです。

　このようにイスラム世界では、宗教と政治が表裏一体であることがわかります。現代の国際社会を読み解くには、**祭政一致** という社会のありかたも考えると役に立つことでしょう。

インド哲学とヨガ

✕✕✕◇✕✕✕◇✕✕✕

ホットヨガをする人のためのインド哲学

✳ ウパニシャッド哲学、ヨガ思想で元気になる

アジアの思想において、**輪廻思想**は現代の私たちにも大きな影響をあたえています（西洋にもピタゴラス教団などに輪廻思想はあります）。

古代インドのウパニシャッド哲学では、人間の魂は永遠に不滅であり、生まれては死んで、死んでは生まれと輪廻し続けると考えられました。

その魂はどのような姿になって生まれるかはわからないのです。つまり、今は人間ですが、来世は牛か豚か、カエルかゴキブリかまったく予想がつきません。

この輪廻から脱出するメソッドがヨガ（ヨーガ）です。

『リグ・ヴェーダ』はインド最古の文献です（紀元前1200〜前1000年頃成立）。これは神々に対する賛美の集成で、他にも様々な種類の『ヴェーダ』がありました。

この『ヴェーダ』の延長線上にあたるのが、「サンヒター（本集）」「ブラーフマナ」「アーラニカ」「ウパニシャッド」などです。「ウパニシャッド」は奥義書とよばれ、神秘的な哲学説を記した聖典です。

『ヴェーダ』
紀元前1200年頃から紀元前500年頃に、インドで編纂された文書全体を指す。サンヒター（本集）、マントラ、ブラーフマナ（祭儀書）、アーラニカ、ウパニシャッド（奥義書）など。

ハタ・ヨーガ
ハタ・ヨーガはインドのヒンドゥー教聖者ゴーラクシャナータによって完成されたと伝えられる。ムドラー（印相）と、プラーナーヤーマ（調気法）が中心。現代ではエクササイズで人気。。

✳ この聖典に輪廻からの脱出方法が書いてある

　輪廻とは環状線のようなもの。ぐるぐる回っています。なんとかして人生の環状線から降りたい。新宿で山手線に乗って、寝過ごして新宿にもどってきてしまったというようなマヌケなことはしたくない。

　では、どうすれば？　それは、乗客だからぐるぐる回ることに意味を感じないわけですが、もし環状線の運転手だったら、車両と一体化できますので、苦しみは消えます（あくまでもたとえです）。

　魂が何度も生まれ変わってしまうということは、魂は死んでも消えないということです。死んでも消えないどころか永遠に消えない。この魂は、**アートマン**（我）と呼ばれます。

　アートマンは実体ですから、永遠に輪廻を繰り返します。一方、**ブラフマン**（梵）は宇宙の原理です。そこで、自分はアートマンとして輪廻しているが、実は本来の自己はブラフマンなのだと認識すること、ここに解脱の境地があるとされました。

　ブラフマン（梵）とアートマン（我）は本来同じものであるとする境地を梵我一如といいます。梵我一如を体感する修行法が「ヨガ」です。「5つの知覚器官が意とともに静止し、覚もまた動かなくなったとき、人々はこれを至上の境地だという」（『ウパニシャッド』）。つまり、「心の死滅」を目指すのです。

ココロを殺すなんてすごい修行

✳ ヨガでいろんなポーズをとる理由

　「心の作用が死滅されてしまった時には、純粋観照者である真我は自己本来の状態に止まることになる」（『ヨーガ・スートラ』）。

　ついつい人前であがってしまう、いざというときに心が動じてしまう、気が短くて怒鳴りやすいなどなどの悩みはヨガ（ヨーガ）で緩和できるようです。

　ヨガでは体位（**アーサナ**）で体を浄化することと、瞑想が必要となります。瞑想では、あぐらのようにして、両足を互いのモモのうえにのせる「蓮華坐（パドマ・アーサナ）」などの坐法を1つ選びます。アップルの創立者スティーブ・ジョブズ P350 も行っていた坐法です。スティーブ・ジョブズは、若いとき禅が好きで、日本に来ようとしましたが、断念して近所の日本人のもとで修行をしました。瞑想には新たな発想を生み出す秘密があるようです。

　このパドマ・アーサナだと足腰が痛くなるという人は、あぐらをくずすタイプでも大丈夫です。この時、心を丹田（へそのあたり）に集中して、腹をゆっくりとへこませながら十分に息をはきます。

　そこで1～2秒とめてから緊張をゆるめ、鼻から自然に息を吸い込みます。

　今度は胸を拡げながらその息を胸全体に満たしていきます（胸の下から上へ）。胸の上の方まで息が入ったら、また1～2秒息を止めておき、ゆっくりと吐き出していきます。

　こういった修行法を高度化していき、**チャクラ**を開発すると、アートマンとブラフマンが究極的には同じものだとわかり、梵我一如の悟りの境地に入ることができるとされます。

❋ チャクラを開発するのはアブナイ？

より高度な修行法としては**ハタ・ヨーガ**があります。これは、１人でできるものではなく、必ず先生（グル）のもとで指導を受けなければ危険であるとされています。

古典的なヨーガに対して、この「ハタ・ヨーガ」は秘密の教えにあたるようです。「ハタ・ヨーガ」修行法は仏教における禅や密教（秘密仏教）などに大きな影響を与えたと考えられます。

オウム真理教事件で「チャクラ」や「空中浮遊」などは、印象が悪くなってしまいましたが、もともと古代インドの「ハタ・ヨーガ」で行われていたので、本来は、まったくアブナイ思想ではありません。

あの事件以来、これらの歴史ある神聖な教えに誤解が生じているようです。オウムというマントラ（呪文）も広く使われていた聖なる音です。

チャクラ理論によれば、人体には７つのエネルギースポットがあります（５つや６つの流派もある）。下腹部、へそ周辺、みぞおち、胸、喉、眉間、頭頂という順番になっています。尾骶骨に眠っている**クンダリニー**という潜在的な宇宙エネルギーが、背骨に沿って存在する霊的な経路のスシュムナーを通過することで、この７つのチャクラが覚醒します。

クンダリニーのエネルギーが最後に男神シヴァが鎮座する頭頂のサハスラーラ・チャクラに達することで、完全な解脱がなされるとされています。このクンダリニーが上昇する時のエネルギーによって、空中浮遊が発生するというのです。これを成就するためには、心身共に浄化されていなければならないのですが、その修行の一つが様々なアーサナ（体位）を行うことだったのです。

霊的なパイプであるスシュムナーが曲がっていると（背骨がまっすぐでないと）、クンダリニーが上昇しないので、しっかりと「バッタのポーズ」「猫のポーズ」などをとる必要があるようです。

原始仏教の教理

「無我」の理解がけっこう難しい仏教

✳ 人生は一切皆苦だからしょうがない…

　ゴータマ・シッダールタ（釈迦）は現在のネパール領に住んでいたシャカ族の王子です。王子なので、不自由のない安楽な生活を与えられていましたが、あるとき、生・老・病・死という人生の苦しみについて悩みをいだくようになりました。

　仏教では、「人生は苦である（一切皆苦）」と説かれます。たまに苦があるのではなく、人生そのものが苦なのです。「人生、四苦八苦だよ」というわけです。

　生老病死の四苦に加え、愛別離苦（愛する者と別離すること）、怨憎会苦（怨み憎んでいる者に会うこと）、求不得苦（求める物が得られないこと）、五蘊盛苦（人間の肉体と精神が思うがままにならないこと）をあわせて**四苦八苦**となります。

　ゴータマは29歳のとき、この悩みの克服を求めて出家しました。しかし、彼は6年間の苦行をしても安らぎを得られませんでした。そして、苦行を捨て、菩提樹の下での坐禅を通じ、世界の究極の真理（法、ダルマ）に目覚めたのでした（覚者＝**ブッダ**となった）。

釈迦（釈迦牟尼）
紀元前463年頃 – 前383年頃
　仏教の開祖。姓・ゴータマ、名・シッダールタ。16歳で結婚、息子をもうけたが、29歳のとき意を決して出家。修行の末、35歳頃ブッダガヤーの菩提樹の下で悟りを開いてブッダ buddha（仏陀、覚者）となる。80歳で没する。

天上天下
唯我独尊

✳ 仏教では、アートマンを否定した

　私たちは、自分一人の力だけで、独立して生きているような気がしています。でも、実際は、原因と結果の編み目によって織りなされた布のような世界にからめとられていることに気づきます。

　仏教では、すべてのものがそれ自体で独自に存在しているのではなく、相互依存しつつあるということを、**縁起**と言いました。

　仏典では、縁起について以下のように説明されています。

　「これに因りてかれ有り、これ生ずれば則ち生ず、これ滅すれば則ち滅す、これ無ければ則ち無し」（『阿含経』）

　この世界は、無数の出来事が組み合わされては次々に変化していきます。諸行無常です。縁起の考えから、常なるものはなく変化していくということがわかります。そうなると、恒常不変のものは存在しないことに納得がいくでしょう。

　ウパニシャッドの哲学では、実体としての**アートマン** ☞P61 （我）が輪廻すると主張されていました。しかし、縁起の思想からすると、これはおかしなことになります。すべては相互依存しているわけですから、独立した実体であるアートマンの存在は矛盾しています。

　よって、仏教では、ウパニシャッドの哲学で説かれたアートマンとしての「我」を否定することになります。この思想が**諸法無我**です。

初期の仏教は、私たちの仏教とちょっと違う

✳「私」はただの寄せ集めだから存在しない？

　私たちは通常、「私」という変わらぬ存在があると考えています。コンビニに買い物に行く私、食事をする私、ゲームをする私などなど…。

　こういった「私」というものは、この世界が変化していっても同一性を保ち続けると考えられます。

　しかし、仏教によれはこの「私」はない（**無我**、実体がない）とされますので、どうも話が難しくなってしまいます。

　例えば、「ラーメンを食べている私」という場合で考えてみましょう。ウパニシャッドが説くように、「私」が他のものとの相互依存の関係のない独立した「**実体**」であるとします。

　すると、相互依存の関係がないので、ラーメンも食べられません。しかし、縁起の考え方では、「諸法無我」になりますので、やっぱりラーメンを食べている私は実は存在していないことになります。

　でも、「あんたは存在しない」なんて言われても、やっぱり、自分は存在していると感じるものです。

　そこで、仏教では、「私」とは様々な条件の寄せ集めなのであり、それを実体と錯覚しているだけだと考えるのです。

　あるのは「私という実体」なのではなく様々な刺激に反応するという形で寄せ集められた、集合体としての「私」です。煩悩・執着の求心力で、ひとかたまりになったものが私なのです。

　仏教では人間をつくっている要素を**五蘊**（ごうん）といいます。五蘊とは、色（しき）（＝肉体）・受（＝感覚）・想（＝想像）・行（ぎょう）（＝心の作用）・識（＝意識）です。五蘊という要素が私なのだから、永遠に変わらない私そのものなど存在しない。だから、やっぱり「無我」なのです。

✳ 私たちは瞬間に死んでいるようなもの？

今日の私と明日の私をつなげているのは、実に「私」という実体ではなく、モノに対する執着です。だから、執着を消し去れば「私」は消え去り、永遠の苦悩から逃れられるというわけです。

仏教では、自分自身でさえも実は自分のものではないと考えます。自分を所有できないならば、他人や物を所有することもできません。この法則（ダルマ）を免れるものは何一つない以上、私もまた瞬間に流れ去っていく存在です。

ブッダは、修行もまた快楽と苦行の両極端にすぎないように、バランスのとれた中道をとるべきであると説きました。

中道の実践の道が四諦と八正道であり、この道によって悟りを得ることができると説かれます。

仏教の道しるべのようなものが、四諦（苦諦・集諦・滅諦・道諦）です。まず人生は苦であるという真理（苦諦）を知る。そして苦の原因は煩悩であるという真理（集諦）を知る。

苦しみは、すべてが変化していく（無常である）この世界に、欲望をもち、こだわりながら生きるから生じるのだという真理に気づくことが大切とされました。

ということで、煩悩を滅すれば苦も滅するという真理（滅諦）が示されます。欲望を消せばその苦しみも消えていくわけです。その修行が中道＝八正道であるということが４つ目の真理（道諦）なのです。

ブッダは、この無常・無我の法を悟り我執を断てば、煩悩の炎が消えた涅槃（ニルヴァーナ）の状態である清浄で平安な解脱の境地（涅槃寂静）にいたると説いています。

やはり、一番ハードルが高いのが、「無我」ではないでしょうか。これは、理屈で考えただけではわからないようですが、深い瞑想（禅定）でハッとわかるのかもしれません。

日本にも大影響の大乗仏教

大乗仏教で人生を変える

✳ 大乗仏教の究極の思想は「空」

　ブッダ亡き後の仏教教団は、弟子が教え（経典）と戒律をつくることにより守られていきました。ところが、仏教教団の内部における意見対立が生じ、保守的な上座部と進歩的な大衆部の2つに分裂することになりました。

　後に前者が**小乗仏教**、後者が**大乗仏教**という形で展開されていきます。小乗仏教の特徴は出家主義です。小乗仏教ではいくら修行しても、阿羅漢（最高の悟りを得た者）にはなれるが、ブッダにはなれないという教えがありました。

　大乗仏教が大きな飛躍をとげた理由が「**空**」の思想です。空の思想を説いた経典には、大乗仏教の『大般若経』などがあります。

　そのエッセンスを抜き出した短いお経の『般若心経』は日本人にも馴染み深いものです。

　「空」の思想を発展させたのは、**竜樹**（ナーガールジュナ）という人です。はたして「空」とは何なのでしょう。

ナーガールジュナ
150年頃–250年頃
竜樹。南インド出身。僧院を設け、大衆部、上座部、説一切有部、大乗経典を研究。著書に『中論』『大智度論』などがある。

アサンガ、ヴァスバンドゥ
4–5世紀頃
アサンガ（無著）、ヴァスバンドゥ（世親）。インド仏教の唯識学派の学者の兄弟。瑜伽行派。中観派とともにインド大乗仏教の中心。

空海（弘法大師）
774年–835年
真言宗の開祖。讃岐出身。804年に入唐。高野山金剛峯寺を建立。嵯峨天皇から東寺を賜る。著書『三教指帰』『性霊集』など。

アーラヤ識

めざして…

もぐってもぐって

✽ 空という大きな視点から世界を見る

　ナーガルジュナは**空**の立場から「説一切有部」を批判し、「空の思想」をうちだしました。あらゆる物質は縁起の法によって、様々な原因結果の網の目の結果として存在しているのでした ☞ P65 。ですから、物質は固定的・永久的に存在するものではないのです。

　物質の本質はない。すなわち『般若心経』にも説かれる色即是空＝「物質は空である」となります。また空は色に異ならずですから、「空によってまた物質が存在できる」と解釈されます（『般若心経』は中国であとから作られたという説もありますが、空が中心なのは確かです）。

　縁起は相互依存をあらわすのだから、当然その本質・実体は存在しないことになります。ナーガールジュナはこれを「自性がない」とし、「空」であると解釈します。「空」は「無」ではないのですが、否定的なあり方であって、この見地からすると何かが「ある」という考え方は間違っています。

　当時、小乗仏教の学派に「**説一切有部**」というのがありました。この学派は実在論の傾向をもっていて、あらゆるものにそれ自体に備わる特性が保持されているという立場をとります。

　この世に存在するすべてのものは、縁起の法によって生成消滅するのですから、永遠不変の実体をもたない（**無自性**）。この「空」の思想は大乗仏教の中心的な教えとなりました。

大乗仏教で人生を変える

✳ やっぱり世界は、仮想現実なのか？

ナーガールジュナは、この「空」の思想から、人間は誰しもが解脱して、ブッダになれることを説きました（初期の仏教では、ブッダは釈迦だけ）。だれにでも「仏性」があるということの理論的根拠が「空」なわけです。

大乗仏教にも様々なものがありますが、これまた魅力的なのが**唯識思想**です。これはアサンガ（無著）・ヴァスバンドウ（世親）兄弟によって説かれました。

彼らは、「空」の思想を発展させます。そして、「あらゆる存在は、人の心・精神作用によって生み出された表象である」という「**唯識**」の思想を説きました。おなじみ、世界はヴァーチャルであるという哲学です。プラトンのイデア論 **P24** や経験論哲学 **P86** と比較すると良いでしょう。

意識をたどっていくとその究極の土台に「**アーラヤ識（阿頼耶識）**」があります。これは、すべての現象を生み出す心の根本的なはたらきのことです。

つまり、人間は「アーラヤ識」から発生する仮想世界にとらわれているがすべてが心の作用であることを悟れば、迷いの世界を脱することができるという説です。

私たちはなぜ生死輪廻を繰り返しているのか。仏教では、この問いに対して、自己存在という結果を生みだし、その存在の質を決定するのは業（行為）である、という考えをとります。

しかし、問題となるのは、「何が輪廻しているのか？」です。無我（実体はない）なのですから、誰が輪廻しているのでしょうか。「私」ではないなら何がその主体なのでしょう。

✻ これが究極の仏教哲学「唯識思想」だ

仏教においてこの問いかけへの思索が深まり、いくつかの部派で**輪廻の主体**を想定するようになりました。「輪廻の主体」追究の頂点において発見されたのがアーラヤ識だったと言うわけです。

ヴァスバンドゥは、アーラヤ識について、「異熟はアーラヤ識と称せられる識で、一切の種子をもつものである」（『唯識三十頌』）と説明します。「異熟」、すなわち「異なって熟したもの」という意味です。

過去世（あるいは現在世）の業を原因として現在世（あるいは未来世）に生じた結果、それをすなわち自己存在を言い、その自己存在の根本をなすものがアーラヤ識であると考えます。

たとえば、映画『マトリックス』 ☞ P25 でいう、コンピュータ・サーバーの情報が「アーラヤ識」です。

これが後に密教思想につながっていきます。この世界はすべてヴァーチャルであるならば、根本的なプログラムを変更すれば、現象世界も変化します。

日本にいちはやく密教を伝えたのは、平安時代の空海（弘法大師）ですが、**密教**は貴族の現世利益のニーズにかなっていました。　具体的なメソッドは、深い瞑想状態に入り、「アーラヤ識」の情報にアクセスします。そして、現世利益的な願望を設定すれば、それが現象化してくる（つまり、願いが叶う）という方向へと発展します。そのために、「アーラヤ識」にアクセスしやすいように、様々な方法が考案されていきます。

瞑想をして定に入る、お経を読む、呪文（マントラ、真言）を唱える、曼荼羅をえがく、護摩を焚くなどの修行をします。

現代では、自己啓発の分野でこれらの方法を簡略化し、科学的に活用できるようにシステム化されています。スピリチュアルの「引き寄せの法則」とも関係がありそうです。

近代の哲学

　3章では、ルネサンスの思想と近代哲学をあつかいます。ルネサンス、近代哲学ともに、4章に関連づけられるところ、また、現代の私たちの思考法に役に立つところをピックアップしています。

　しかし、相変わらず「わけがわからない」と思われるかもしれないのは変わりません。

　ここでは、近代哲学が何をあつかってきたのかを知るために、おおざっぱなストーリーをまとめておきます（それでもわけがわからないのが普通です）。

　近代の哲学者は、今までの哲学を踏まえつつも、「理性」によってゼロから始めて、数学のような整合性をもった哲学を求めます。スタートはデカルトです。デカルトは、全てを疑うことで、絶対に疑うことのできない哲学の第一原理を土台にし、ここから演繹的に諸学問をうちたてようとしました。

　この後、スピノザ、ライプニッツが考えを展開します。これは「大陸合理論」という思想潮流になります。

　大陸合理論の哲学を一言で表現すると、部屋で「ウ〜ン」と考えているだけで、宇宙の果て、宇宙の仕組み、原子レベルのミクロの世界、また神の存在、霊魂の存在などが全部わかってしまうという哲学です。

　そんなバカなと思うかもしれませんが、人間には高度な理性が備わっているので、これを使って論理的に考えるとかなりいい線まではわかります。現代の理論物理学者は数学を使って仮説モデルを構築しますから、この合理論者の態度は、それほど不思議

近代哲学は、人間と科学の橋渡し。この思考法で大きな夢をもって生きよう！

なものではありません。

　ただ、やはり大陸合理論の場合、理論が極まりすぎて、２つの理論が同時並行し、どちらが正しいのかわからないという二律背反に陥ってしまいました。

　一方、ロック、バークリー、ヒュームらは、経験を重視しますので、合理論のように宇宙の果ての話までは論理を進めません。むしろ、経験できないことを考えてもしかたがないという慎重な態度を取ります。これはイギリス経験論という流れです。

　そうなると、経験はその場によって変わりますので、経験そのものが常に疑われるようになります（今起こったことが、明日起こるとは限らない）。すると疑いが疑いをよんで、この世界の実在も自分の存在自体も疑われうるという懐疑論に陥ります。一言で表現すれば、「物理法則も信じられないし、自分の心も信じられない」というどん詰まり状態です。

　そこで、カントの登場です。カントは『純粋理性批判』で、人間が世界をどこまで理解できるのか、また、どこから理解できないのかの線引をしました。理解できない領域は「物自体」とされます。

　しかし、この後、一般にドイツ観念論が展開され、「物自体」の消去が行われます。ヘーゲル哲学では、理性の力で弁証法的に世界の全体がわかることになりました（諸説あり）。こうして、哲学、自然科学、政治・経済学、法学、倫理学などありとあらゆる分野が哲学体系で包摂されるというすごい状態まで極まったというストーリーでした。

ルネサンスと宗教改革

✖✖✖✖✖✖✖✖✖

ヒューマニズム思想とカトリックへの反発

✳ 人間は自由意志をもっているという新しい考え方

　ルネサンスは、十字軍以来の東方貿易によって繁栄した北イタリアの自治都市で 14 世紀からはじまり、だんだんとヨーロッパ各地にひろがっていきました。

　ルネサンスとは、もともと再生という意味の言葉で、ギリシア・ローマ文化の復興を意味しています。ルネサンスの運動が生んだ芸術家としては、レオナルド・ダ・ヴィンチやミケランジェロらが有名です。

　思想的には、**人文主義**が展開されます。これはプラトン P22 の著作など古典の研究を通じて、新しい人間のあり方を探究するものでした。

　ここで再び登場するのが「新プラトン主義」 P34 です。イタリア・ルネサンスの人文主義者であるピコ・デラ・ミランドラは、人間の自由意志について強調しています。彼は、新プラトン主義とともに、ユダヤ教の秘密の教えであるカバラを極めることで、人間はキリスト教神学の奥義をより深く理解することができると考えたようです。ピコの思想は、人間中心主義（ヒューマニズム）という思想をスタートさせました。

レオナルド・ダ・ヴィンチ
1452 年 –1519 年
イタリアのルネサンス期を代表する芸術家。音楽、建築、数学、物理学など多様な分野に業績がある。

ピコ・デラ・ミランドラ
1463 年 –1494 年
イタリア・ルネサンス期の哲学者、人文学者。31 歳で死去。『人間の尊厳について』を著す。

マルティン・ルター
1483 年 –1546 年
ドイツの神学者、教授、聖職者。「万人祭司主義」、「信仰のみ」の立場に立った。

ジャン・カルヴァン
1509 年 –1564 年
フランス出身の神学者。スイスを中心にカルヴァン派を形成した。『キリスト教綱要』を著す。

❋ ルターの宗教改革と活版印刷技術で聖書が広まった

　ドイツの修道士だったマルティン・ルターは、ドイツのヴィッテンベルク大学で神学・哲学を教えていました。

　しかし、スコラ哲学に納得がいかなかったようです。ある時、聖書の「パウロ書簡」に、人は自分の行いによってではなく「信仰によって義とされる」と書かれているのを発見します。

　1517 年 10 月 31 日、ローマ・カトリック教会が発行する贖宥状（免罪符）の悪癖を攻撃する「95 カ条の論題」を発表しました。ルターの論題がドイツ各地に伝えられると、教皇庁の搾取に反発する諸侯や市民、領主の搾取のもとにあった農民など多くの人々がこれを支持します。

　1521 年、神聖ローマ帝国皇帝のカール 5 世は、ヴォルムスの帝国議会にルターを召喚し、彼の説の取り消しを求めました。

　けれども、ルターは「聖書に書かれていないことを認めるわけにはいかない」と自説を撤回しなかったので、教皇から破門されます。ルターは、『新約聖書』のドイツ語訳を完成させたので、これによって民衆が、直接キリストの教えに接することができるようになりました。その際には、**活版印刷** ☞ P204 による印刷物というメディア技術が大きな役割を果たしました。また、聖職者は結婚しないのが常識でしたが、ルターは数多くの修道者たちに結婚を斡旋しました。

現代アメリカのメガチャーチがすごい!

✴ 離婚するためにわざわざ国の宗教改革をする?

　フランス人のジャン・カルヴァンは、ルターに共感してキリスト教の改革運動を進めましたが、迫害されてスイスのバーゼルに亡命しました。彼は、神の絶対性を強調して、人間が救済されるかどうかは、神によってあらかじめ決定されているという「(救済)予定説」を唱えました。

　予定説では、労働することは救いの条件とはなりませんが、救いの確信をもたらすとされます。職業労働を「**神の栄光**」をあらわす道とし、商工業者らに支持されました。

　20世紀初頭のドイツの社会学者マックス・ウェーバーは『プロテスタンティズムの倫理と資本主義の精神』において、予定説が資本主義社会の成立につながったと説いています。

　カルヴァン派は、16世紀後半にはフランス、スコットランド、イギリス(イングランド)などにも拡大して、ドイツや北欧諸国で有力だったルター派と並び、有力なキリスト教の宗派となりました。

　彼ら新教徒(**プロテスタント**)は、ローマ教皇の権威を認めず、聖職者の特権を否定すること(万人祭司主義)になりました。

　さて、イギリスの宗教改革は、国王ヘンリー8世(1491〜1547)の統治下に始まります。ヘンリー8世は、もともとルター派の支持者というわけではありませんでした。改革は、王妃キャサリンとの結婚解消を、教皇クレメンス7世に願い出たことがきっかけとなりました。

　ローマ・カトリックでは離婚を認めないので、願い出は退けられてしまいます。そこで、彼は1534年に自らを「英国教会の地上における唯一なる至上の長」として、ローマ教皇から独立した国民教会を確立したのです。これが**イギリス国教会**の成立した理由です。

✳ 現代のニュースに役立つカトリックとプロテスタントの違い

16世紀のイギリス国教会において、主としてカルヴァンの宗教改革に従い、より徹底した改革へ向かった人々が清教徒（**ピューリタン**）です。

1620年に「メイフラワー号」でイギリスからアメリカ大陸に渡った「ピリグリム・ファーザーズ」は、後のパプテスト教会へとつながっていきました。

ローマ・カトリック教会と**プロテスタント教会**の違いがややこしいので、ここで比較しておきましょう。カトリック教会では礼拝はミサをはじめとする典礼が中心になっているのに対して、プロテスタント教会では、聖書の朗読と説教が中心になります。カトリックには「神父」という聖職者が存在しますが、プロテスタントでは、信徒の1人としての「牧師」が指導をします。「神父」は結婚できませんが、「牧師」は結婚して家庭をもつこともあります。女性の牧師が存在するのもプロテスタントの特徴となっています。

また、カトリックには聖人信仰がありますので、**洗礼名**（クリスチャン・ネーム）が与えられますが、一般にプロテスタントでは聖人の洗礼名はありません。聖人崇拝、マリア信仰もありません。カトリック教会では礼拝はミサが中心で、毎日行われていますが、特に日曜のミサは大切です。プロテスタント教会では、礼拝は日曜日にあるのが普通です。

また、カトリックでは**修道院**があり、修道生活が行われますが、プロテスタントでは修道生活の習慣はあまりみられません。

祈り方は、カトリックが「父と子と聖霊のみ名によって」と額から胸に、左肩から右肩に十字を切るのに対して、プロテスタントではこのような習慣は薄れました。現代アメリカのプロテスタント・メガチャーチでは、巨大なホールで信徒が聖書を片手にもって高くかかげ、神の栄光をたたえます。ネットサイトやFacebook、Podcast、Twitterなどで牧師の説教やゴスペルコンサートを閲覧できます。ネットでの物販も盛んです。

近代哲学の父デカルト

⚒⚒⚒⚒⚒⚒⚒⚒

「私は考える、ゆえに私はある」って結局なに?

✳ 疑いようのない絶対確実な真理を探せ

デカルトは数学者であり哲学者です。そこで、数学の方法を使って哲学の厳密化をめざします。デカルトは、絶対確実な原理をもとに**演繹的**な体系を構築することを理想としました。

まず、厳密な哲学体系をつくるには、絶対確実な原理を出発点としなければなりません。絶対確実なことを発見するために、わざと疑いを強化しているのです。

そして、疑っても疑ってもどうしても疑うことができないことがあれば、それはもう確実です。疑うことが目的ではなく、真理を発見するための慎重に慎重を期した思考方法なのです。これを**方法的懐疑**といいます。

まず、デカルトは感覚によって知られることをすべて排除しようとします。感覚というものは誤りやすいからです。

さらに、デカルトは「自分が部屋にいること」といった、誰もが信じ切っている事実をも疑うのです。私たちは夢をみているとき、ほとんどの場合それが夢の世界だとは気がつかない。ならば、部屋にいるという現実と思われているこの世界も夢かもしれないというのです。

ルネ・デカルト
1596 年 -1650 年

フランス生まれの哲学者、数学者。近代哲学の祖とされる。「世間という大きな書物」に身をなげて遍歴する。哲学全体は 1 本の木にたとえられ、根に形而上学、幹に自然学、枝に諸々の学問があると考えた。スウェーデン女王クリスティーナのために講義をした。

夢をみている私の夢をみてい…

✳ すべてが夢幻でも、私が存在することは確実だ

　デカルトの疑いは徹底しています。2＋3＝5などの数学的な真理も疑ってしまうのです。計算するたびに、何かの力が介入して、そう思わせられている可能性があるからです。ここまで疑うと確実なことは、なにもないように思われてきます。

　要するに、すべては仮想現実あるいは妄想かもしれないし、数学でさえ勘違いかもしれないと疑えてくるわけです。そんなアホなと思いますが、逆に、この世界は仮想現実・妄想ではなく、数学は絶対に正しいと証明するのはものすごく大変なことです。

　ところがここまで疑っても、たった1つだけ疑うことができないものがあります。それは「今、私は疑っている」という事実です。これはどうしたって疑うことはできません。なぜなら、「私は疑っているのだろうか？」と考えたとたんに疑っていることが自動的に明らかになってしまうからです。

　「私がこのように、すべては偽である、と考えている間も、そう考えている私は、必然的になにものかでなければならぬ、と。そして『私は考える、ゆえに私はある』という真理…私はこの真理、私の求めていた哲学の第一原理として、もはや安心して受け入れることができる、と判断した…」（『方法序説』）

物体は機械的に運動している

✸ 主観と客観はいかにして一致するのか

「考える私」は精神そのものです。「考える私」のどこをさがしても「考えること」しか見出せません。とすると「考える私」は他の何ものにも頼ることのない独立した実体だと考えられます。

考える私（精神）と肉体（物体）はまったく異なった性質をもっています。ここから、デカルトは精神と物体は異なる実体であると結論しました（**物心二元論**）。精神も物体もともに実体ですが、精神の属性（本質）は思惟することであり、物体の属性（本質）は延長すること（空間を占めること）ですから、これらはまったく次元の違う存在だと考えられるのです（けれども、心身問題 ☞P164 も生じましたので、デカルトもここには苦労したようです）。

ここで、外部にある物体を主観はいかにして正しく捉えることができるのか（主観と客観はいかにして一致するのか）という難しい問題が生じます。精神と物体の二元論（2つがそれぞれ独立した実体）ですから、これら両者をつなぐ土台が必要です。

そこでデカルトは、論理的に**神の存在証明**を行います。この神の存在によって主観と客観は一致することになります。

この神は、宇宙の原理としての神です。神の観念には**「誠実」**が含まれています。「誠実」ではない神は矛盾です。これによって、人間の理性は確実であることが保証され、人間はありのままの世界をありのままに認識できる。だから科学的判断は正しいとなります。

疑いをすすめると、どうしても目の前のペットボトルは幻覚ではないか、仮想現実ではないかという話になりますが、デカルトは、神の存在証明によって主観が客観に的中するという保証を得たのでした。

✳ こうして科学は進歩した！

さてデカルトは、精神の属性は思惟ですから、そこに自発性と自由を認めます。しかし、物体の動きについては徹底した機械論と決定論で説明しました。

これ以前は、アリストテレス・キリスト教哲学の影響で、物体と精神の境界線が曖昧でした。しかし、デカルトはこの２つをバッサリと仕切ったのです。

物体の本質は幾何学的に規定される三次元の量としての延長（空間を占めること）です。延長とは無限に分割可能な連続体です。ここでは、物体が空間を占めていますので、真空は認められません。

つまり、この世界に隙間はいっさいないということになります。精神の入る余裕はもうありません。だから、幽霊の存在などありません。

こうやってデカルトは、物体から精神的要素をすべて排除して機械としての世界観を確立しました。

アリストテレス・キリスト教哲学の目的論的世界観に対して、これを**機械論的世界観**といいます。デカルトによれば物体の本質は延長ですから、物体はみずから運動する力をもちません。

機械論的世界観は、神が最初のひと突きをしたことによってビリヤード玉が次々と運動をし始めてこの世界が動いているというようなイメージです。ビッグバンがイメージできそうな感じがします。

また、神は（永遠・不変だから）、恒常性という性質をもっています。よって物体もまた恒常性、つまり慣性をもっています。こうして世界は１度動き出したらあとは永久に運動するという「慣性の法則」が導き出されます。「私は考える、私はある」から「慣性の法則」がでてきてもよいのです（自然哲学だから）。

この後、スピノザ、ライプニッツらが合理論哲学をさらに展開させて、壮大な世界像を構築していきました。

大陸合理論の展開

❋❋❋❋❋❋❋❋❋

現代科学の概念につながる思想

✳ さらに論理的！　ユークリッド幾何学の証明法を使った哲学

　オランダの哲学者スピノザの著した『エチカ』は哲学史上でも大変にユニークなスタイルの本です。ユークリッド幾何学の体系にならっていて、**定義、公理、定理**という形の論理的な体系となっています。

　スピノザによると「神」は世界を外側から造ったのではなく、自然そのものです。今で言えば、自分も含めた生物も、目の前にあるスマホも建ち並ぶビルも山や海や地球も全部「神」です（**神即自然**）。このような考え方は、**汎神論**と呼ばれます（神は精神・物質の根源です）。

　そしてスピノザはこう記します。「【定理４】　異なる２つあるいは多くのものが互いに区別されるのは、実体の属性の相違によるか、それとも属性の変様の相違による」（『エチカ』第１部）

　ペットボトルやスマホだって、実体（神）の属性（性質）や変様（様々な変化）なのです。たとえば、水が水蒸気や氷として表現されるように、神は世界の様々なものへと姿を変えます。「神」というのがピンとこないなら「宇宙そのもの」などと言い換えるといいでしょう。要するに、現代物理学の概念を先取りしていたということです。

バールーフ・デ・スピノザ

1632年-1677年
オランダの哲学者。ポルトガル系ユダヤ人。ユダヤ教から破門。レンズ磨きで生計を立てた。主著『神学・政治論』『知性改善論』『エチカ』。

ゴットフリート・ヴィルヘルム・ライプニッツ

1646年-1716年
ドイツの哲学者、数学者。モナド論・予定調和の説を展開。微積分法を発見（ニュートンとは別）。論理計算を創始。著書『モナド論』など。

❋ 過去も未来もすべて決定している？

　この理論だと、神は実体で、精神と物体はその属性となりますので、心と体も同じものが異なった形で現れていることになります（**心身並行論**）。

　スピノザによると、すべては神が表現された「様態」ですから、海の水が神だとすれば、世界の変化は波のようなもの。

　すべては、自然＝宇宙（神）という全体の一部分ということになります。

　すると、すべての出来事は、決定していることになるのです（**決定論**）。ゲームのパッケージが神だとすれば、コンテンツが様態ですから、最初から最後まで内容は機械論的に決定しています（ラプラスの悪魔）☞ P342。

　だから、人生においても、自分がどこの学校に入学し、誰と出会い、誰と結婚して、何年何月の何日何時何分に死ぬのかまで、すべては決定しているというわけ（人間に自由はない）。

　でも、スピノザによると、みずからが神の中にあり、神を通して運命が決まっているということを考える**知的愛**で、人は最高の満足を得ることができるのです。

　これは「永遠の相の下に」認識すると表現されました。

天才ライプニッツは、すでに計算機を創案

✳ 世界はモナドのフォースで満ちている！

　デカルト、スピノザと続いて、ライプニッツもまた合理論哲学を唱えました。**モナドロジー（単子論）**と**予定調和説**です。

　デカルトは、物体の本質は延長（空間を占めること）を属性とするとしました。でも、延長をもつ物体は、どこまでも分割でき、多くの部分に分けられてしまいます。リンゴを半分に切っていくと最後はどうなってしまうのか。私たちは、分子・原子、さらには素粒子などの理論を知っていますが、当時はこのことはまだわかっていませんでした。

　ところが、ライプニッツは哲学によってどことなく現代の物理学を先取りするようなことを言っているのです。

　ライプニッツによると、「それ自身で存在するもの」という実体（ホントウの姿）の名に値するのは、究極の最小単位ということになります。でも、究極の最小単位が延長（空間を占めている）とするなら、さらに分割されてしまうのでそれは最小単位とは言えません。ややこしい話です。そこで、ライプニッツは究極の最小単位は、物体的には考えられない単純なものであり、この単純な実体を**モナド**（単子）と名づけました。諸々の物体はモナドの集合であり「現象」なのです。でも、モナドはつぶつぶではないのです。モナドの本質はフォース（力）なのです（『スター・ウォーズ』のフォースとは違う）。これは、現代の原子物理学の波動理論と矛盾しないでしょう。少なくとも、物質の奥をどんどん追究していくと、それは形を持っていないのです。

　さらに、ライプニッツは、それぞれのモナドは自己のうちに全宇宙を反映しているとしました。宇宙の一部分でありながら、同時に宇宙全体が凝縮された小宇宙なのです（「宇宙を映す鏡」）。

✳「言語が記号化されて、それを計算する時代がくる！」と予言

コップや机などのモナドと私たちのモナドとはどこが違うのでしょうか。

それは、モナドにも表象能力の差異があって、「眠れるモナド」「霊的モナド」「精神」という3段階があるからです。物質（無機物）は「眠れるモナド」、動物が「霊的モナド」、そして「精神」のモナド段階が人間となります。モナドは表象だけでなく欲求をもっています。

モナドには宇宙のすべてが凝縮されているので、「精神」にも「眠れるモナド」「霊的モナド」の低次な段階が含まれています。

だから、人間が夢を見ているときや失神した状態は「霊的モナド」や「眠れるモナド」の状態になっているのです（死んだらそうなるかもしれません）。

ところで、「モナドは窓をもたない」とされ、それぞれの内部で活動性をもっています。モナドは他のモナドから影響・作用を受けることはありません。にもかかわらず、モナドとモナドがお互いに関わり合っているのは不思議です（リモコンスイッチを押すと、テレビがつくなど）。

ライプニッツによると、それは、この宇宙が生成されたときに各々のモナドに全宇宙のプログラムがすでになされていたからです。まるで、2つの時計がなんら関係をもたないのに同じ時間を指すような感覚です。これを「予定調和」と言います。

ライプニッツの探求は、さらには、論理学（様相理論の先駆者）、記号学、心理学（無意識思想の先取り）、数学などに及んでいて、これらを総合した**普遍学**構想をもっていました。

ライプニッツは、**2進法**の記述もしています。また、微積分法をアイザック・ニュートンとは別なルートで発見・発明しています。機械式計算機も考案している天才です。論理学では、未来の人間が言葉を記号計算することになると予言しています。まさにコンピュータの世界。AIまでも予知していたかもしれません。

イギリス経験論哲学とは

✕✕✕✕✕✕✕✕✕✕

経験を重視するとより慎重な性格になる？

✳ 生まれたとき、心には何も書かれていない

イギリスのジョン・ロックは哲学において**認識論**を展開し、政治学、法学にもくわしく、**社会契約説** ☞ P134 を発展させました。古典経済学 ☞ P140 にも影響を与えています。

認識論とは、人間が物事をどこまで知ることができるか、知られたことはどこまで正しいのかなどについて研究する哲学の一分野です。

ロックは、デカルトが説いた「第一原理から演繹的な論理を展開する」という哲学を学び、さらにデカルトの懐疑を深めて、経験レベルからの真理追究を目ざしました。彼は、知識の起源をもっぱら感覚的な経験に求める方法をとります。

合理論では、人間は何らかの知識を生まれながらにもっている（**生得観念**）と考えます。先天的に観念をもっているからこそ、新しいことが理解できるとされました。

でも、ロックはこの生得観念を否定しました。彼は、心は最初は何も書かれていない白紙（**タブラ・ラサ**） ☞ P136 であると言います。

ジョン・ロック
1632 年 –1704 年
イギリスの哲学者・政治思想家。イギリス経験論者。認識論の祖。政治思想はアメリカの独立やフランス革命に大きな影響を与える。

ジョージ・バークリー
1685 年 –1753 年
アイルランドの哲学者・聖職者。自然科学の唯物論・無神論の傾向を否定し、神の栄光を擁護しようとした。著書『人知原理論』など。

ディヴィッド・ヒューム
1711 年 –1776 年
イギリス・スコットランド・エディンバラ出身の哲学者。哲学が自明としていた因果律までも懐疑した。主著『人間本性論』など。

✳ 色、音、臭いや暑い寒いは、心の中の話

ロックによれば、私たちの知識は**観念**からなります。観念とは思考する際の対象であり意識の内容です。

観念のうち形、固体性、延長（空間を占めていること）、運動、静止などは、物体がどのような状態にあっても物体そのものから切り離すことができません。このような物体の性質の観念を**第一性質**と呼びます。

一方、色、音、香り、寒暖、硬軟などの観念は人間の中にあるだけの感覚状態ですから、物体の性質をそのまま示すものではありません。

このような色、音、香りなどの観念は第二性質と呼ばれます。第一性質は実際に物体の中に存在します。第二性質は、主観的であり、心の中だけにある観念です。

たとえば、「赤」「緑」などの色は、色盲や色弱の人にとっては、別な色と認識されることもあります。ロックはそのことから、色は物体そのものがもつ性質ではなく、人間の主観的なものであるとしています。

ところが、この説をもう少し発展させると、また、この世界が仮想現実になってしまうのです。第一性質を第二性質に含めてしまえば、すべてが心の中にあることになってしまうからです。それを唱えたのが、バークリーという哲学者でした。

やっぱり慎重すぎて、世界が仮想現実化…

✳ やっぱり、外部の物質は存在しない？？？

　1685年、アイルランドで生まれたバークリーは、15歳でダブリンのトリニティ・カレッジに入学して、ロック、ニュートン、デカルトなどの哲学にふれました。

　バークリーは、主著『人知原理論』において、この世界が、いわば、仮想現実であることを主張しています。一昔前はSFの世界でしたが、今は、物理学やコンピュータ技術の発達のおかげで、理解しやすくなった哲学といえます。バークリーは、物体の形、固体性、広がりなどの第一性質は、色、音、香りなどの第二性質を離れて考えることができないとします。色がなければ形はわからないし、硬軟などの触覚がなければ、物体が空間を占めていることだってわからない。

　すべてが第二性質によるなら、世界は心の中に存在するということになります。たとえば、目の前のリンゴは心の中にあるだけで、わざわざ外界に離れて存在すると説明する必要はまったくありません。つまり、リンゴの形、色、感触のデータが心の中にあればよいということです。

　こうして、バークリーはいかなる感覚的事物も、それを知覚する心の中にしか存在することができないと考えました。「存在するとは知覚されることである」と言うのです。

　自分の部屋に机があるということは、誰かがそれを見ているから存在するということ、逆に、誰も知覚する人がいない場所の物体は存在していないことになります。観察されている間、それはそこにあるわけです。

　でも、このままだと、世界が自分の妄想になってしまいます。バークリーは、宇宙のサーバーのようなもの（神）を設定しました。ネットゲームのように、ちゃんとこの世界で情報交換できるので問題ありません。

✳ さらにそこまで疑うか？

　とどめのイギリス経験論者がヒュームです。経験論者がなにかと疑い
やすくなるのは、経験というものが確実性を持たないからです。

　たとえば、「にんにく大盛りラーメン」がコンビニにあると思って現
場についたら売り切れ。なぜ、こういう期待はずれのことが人生に頻繁
に起こるのかというと、経験的に何度も生じることを、私たちは惰性的
に「また起こる」と信じてしまうからです。慎重に疑いつつ行動すれば、
こうはならないでしょう（電話して確かめるとか）。

　ところが、ヒュームの慎重さはこんなものではありません。物理学の
法則、「原因と結果」という**因果法則**（因果律）　☞P91 を疑ってしまっ
たのです。ヒュームによれば、「原因」と「結果」の観念は経験により
ます。私たちは、２つの事象（コンビニとラーメンの存在）が常に結合
して起こることを何度も経験すると、２つの事象の間に必然的な関係が
あると思ってしまいます。

　よって、「燃えるものは熱をもつ」などの因果関係は、人間が、火を触っ
たら熱かったという経験を何度も重ねるうちに、信じ込んだだけのこと。
よって、すべての科学的な因果法則は、習慣によって生じた信念だとい
うのです（ただし、数学だけは唯一論証的な学問であるとされます）。

　となると、当時、最先端の自然哲学（物理学）だったニュートン力学
も絶対ではないということになります。なぜなら、「リンゴから手を離
すと落下する」は「AならばB」という因果法則が前提にあるからです。

　また、ヒュームは、バークリーの言う通り、物質が知覚されない間も
そこに持続して存在するという保証はないと考えました。さらに、「心
の存在」も疑いました。あるのは知覚だけ。「心、自我」と呼ばれてい
るのは、思いもかけぬ速さで継起し、たえず変化し動き続ける「**知覚の
束または集合**」ですから、それは存在しないのです。これらの考えは、
後に**科学哲学**につながっていきます。

偉大なるカントの哲学

✕✕✕✕✕✕✕✕✕

すべての思想はカントに流れカントから出る

✳ 哲学と科学への決定的な影響力

カントはニュートンの自然哲学に関心をもっていました。彼はニュートン力学の引力 ☞ P342 や天文学に関する論文も書いています。また、星雲による太陽系成立についての**星雲説**（カント・ラプラスの星雲説）を唱えました。

最初、カントは、宇宙の果ての有無や、物質の最小単位の有無などを推理する合理論哲学の立場をとっていました。けれども、ヒュームの科学的知識の基礎をなす因果律の存在をも疑う懐疑論 ☞ P89 や神や自由については何も知りえないとする不可知論にふれて、「独断のまどろみ」から目をさまされたといいます。

そこで、カントは、人間の理性能力そのものを吟味する**批判哲学**を形成しました。彼は、人間の認識は、感性が受け取る素材と理性のもつ理解の形式（**悟性**）というシステムで成り立つと考えました。

まず外界から素材が与えられます。これを感性が空間・時間形式に従って受容しそれが純粋悟性概念を通じて加工され、能動的に構成することによって認識が成り立つと考えました。

エマニュエル・カント
1724 年 –1804 年

ドイツの哲学者。プロイセン王国のケーニヒスベルクの馬具匠の子として生誕。ケーニヒスベルク大学でニュートン物理学を学ぶ。ラプラスに先だって星雲説を述べる。ケーニヒスベルク大学教授。著書『純粋理性批判』『実践理性批判』『判断力批判』など。

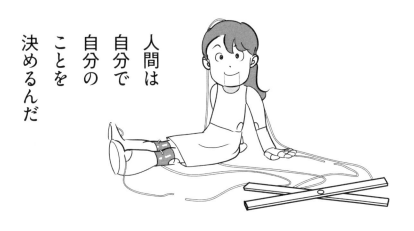

人間は
自分で
自分の
ことを
決めるんだ

✳ 合理論と経験論の問題を同時に解決

カントによると、因果律のような形式は、先験的（経験より先に、**ア・プリオリ**）にそなわっています。ヒュームの「因果律の否定」は否定されたので、これでニュートン力学が正しいということになりました。

カントの認識論では、素材→感性→悟性という経過を経て、認識が生じます。これが現象です。ただし、認識が成立する前の素材はカオス状態です。現象をこえて背後にあるものは、認識できません。これは「**物自体**」と呼ばれます。

つまり、人間の理性は経験できないものについては知りえないということが明らかにされました。

合理論哲学では、「宇宙の果てはあるのかないのか。始まりはあるのかないのか」、「物質の最小単位はあるのかないのか」、「人間に自由はあるのかないのか」、「神は存在するのかしないのか」などを論証しようとして、**二律背反**に陥っていました。二律背反とは、どちらも確からしい証明が並列してしまうことです。

これは、合理論哲学が理性の限界を越えて思考していたので、いわば思考のエラーが発生していたためとされます。ここで、いったん伝統的な神の存在証明 P245 は否定されました（また、復活しますが）。

認識論を土台に道徳哲学へ

❋「ものの見方が 180 度変わる」とはこのことだ

カントは科学的に認識しようとする理性（理論理性）の立場からではなく、道徳的実践にかかわる理性（**実践理性**）から、神・霊魂、自由などを論理的に追究します。

カントは、二律背反の難問を認識能力への無理解から生じる疑似問題と考えます。本来、わからないことを考えていたわけです。物自体と現象とを区別すれば二律背反は解決するわけです。

人間の認識は、スマホのカメラが対象を写し取っているのとは違います。素材を内部で積極的に構成しているわけですから、「認識が対象に従う」（スマホのカメラ）のではなく、「対象が認識に従う」（自分で加工する感じ）ということになります。

カントはこの認識の逆転を、**コペルニクス的転回**とよびました。「宇宙の果て、始まりの有無」「物質の最小単位の有無」などは、現在では物理学の担当になっています。

カントによって神の存在証明、霊魂不滅の証明は否定されます（しかし、神の存在と霊魂の不滅は道徳的要請というかたちで、認められています）。

残るは、「人間に自由があるのかないのか」という問題だけとなりました。人間には、他からの拘束を受けないという自由（外的自由）と、自分の意志を自発的に決定できるという自由（**内的自由**）があります。

カントは、自分の欲求に従って思うがままに行動することは、欲求に従っているので、意志の自発性がないと考えました。つまり、欲求に従うことは、欲求に拘束されているから自由とはいえません P363。

✳ 究極の道徳哲学の完成

ある人がウソをつかなければ殺すと脅迫されたとします。でも、その人の実践理性（内なる理性）は「ウソはついてはいけない」という義務を彼に命令します。カントは、ここに人間の自由を認めました。

自由とは、理性の命令に従う**意志の自律**であり、自律とは、自分が自分以外の支配を受けないこととされます。

カントによると、**道徳法則**に従って行為することは、義務として道徳法則に従って行為することです。カントは、この道徳法則は、ニュートン物理学的法則と同じように普遍性があると考えました。

このことは「あなたの意志の格率（行為の原則）が、常に同時に普遍的立法の原理として妥当しうるように行為せよ」と表現されています。

そして、この命令は「もしＡがほしいならばＢをせよ」という条件の命令（仮言命法）ではなく、無条件の命令（定言命法）でなければならないとされます P363 。

このような行為だけが、道徳的に善であると主張されました。カントによれば、この世で無条件に善とみなしうるものは善い動機、すなわち善意志のみであるとします（動機説、反対が結果説）。

自分が期待する結果をもたらす**手段**としての有用性（自分の都合のよい利益になること）は、悪を生み出すこともあるからです。カントは人格主義を唱え、人を**目的**として尊重しあうような社会を**目的の王国**と言いました。

カントは、「目的の王国」が実現するために、各国が常備軍を廃止して戦争をなくし永久平和を実現することが必要だとして、諸国家を民主化するとともに、たがいに協定をむすんで主権を制限しあう、国際的な平和維持機関の創設を提案しました。これは、のちの国際連盟（1920）や国際連合（1945）の成立につながりました。

ヘーゲルと近代哲学の完成

世界史は絶対精神の自己展開

✳ 哲学の百科事典のようなヘーゲル哲学

　人間は社会や歴史と深い関係があります。フランス革命（1789）後の社会は、ルソーの「一般意志」 ☞P137 やカントの意志の「自律」がなかなか実現されずに、混乱状態に陥りました。

　こうなると、理性への信頼はゆらいでいくので、ショーペンハウアーのように、世界の本質を**非合理的な意志**であると考える哲学者も現れました（この世界は闘争と苦悩に満ちているという考え方 ☞P162 ）。

　けれども、ヘーゲルは、理性的な哲学をよりアップグレードさせて、理想と現実との対立というテーマにチャレンジしました。さらに、歴史を重視したのも大きな功績です。

　まず、ヘーゲルは、**汎神論的**な立場をとります。汎神論 ☞P82 は、神を「世界のすべて（世界そのもの）」とみる立場でした。ヘーゲルは、精神と物質との二元論的な区分をせず、一元的に考え、絶対者である神の働きを**絶対精神**とよびました。絶対精神が、精神の対立物である物質へと「自己外化」したのが自然の世界です。「自己外化」というのはクリエイターの精神のようなものです。

G.W.F. ヘーゲル
1770 年 -1831 年

ドイツ観念論の大成者とも言われた。著書に『精神現象学』『論理学』『エンチュクロペディー』ほか。イェナ大学講師、員外教授となるが、ナポレオン軍の大学封鎖で辞職。ベルリン大学教授、学長を歴任。コレラのため急逝した。

❋ 内面を外化していく労働が世界を動かす

それは芸術家が作品に自己を表現するようなこととされます。精神は、自己否定をして物質へと外化することで、みずから精神であることを明確にします。世界が偉大なるクリエイターなのです。

画家は内面を外化することで、他人にも承認されます。画家の内面の主観的な人格は、最初から存在しているのではなくて、客観的な作品の完成につとめる労働によって陶冶（形成）され、現実化します。

ヘーゲルは、世界全体も精神がみずからを現実へと外化し、歴史的に展開していく過程であるとしました。その過程で、世界の本質が「自由で理性的な精神」であることが自覚されます。

精神とは、自己を反省的に自覚する意識であり、「自由」を本質とします。また、それは民族精神や時代精神など、さらに、個人の精神としてあらわれ出るとされます。

このようにヘーゲルは、「理性的なものは現実的、現実的なものは理性的である」として、現実世界での自由の実現が歴史の目的☞ P272であるとしました。「世界史は自由の意識の進歩である」。これは、歴史というものは、絶対精神が人間の自由な意識を媒介として、自己の本質である自由を実現していく過程であるという意味です。

歴史の進み方には一定の法則がある?

✳ 「世界の本質も精神である」と説いた

　歴史は絶対精神（世界精神）の外化したものです。絶対精神は歴史に自分を投影して、遍歴してから自分自身に立ち返ります。それは、音楽家が自分の曲を演奏しながらもう一度それを聞いているようなもの。この世界精神は、ナポレオンのような英雄を生み出し、様々な没落の過程で歴史を推進します。これは「理性の狡知」 ☞P274 と呼ばれます。

　この歴史の過程は「弁証法」という法則にもとづいて展開されます。

　弁証法のヘーゲルの説明を見てみましょう。

　「花が咲けば蕾が消えるから、蕾は花によって否定されたと言うこともできよう。同様に、果実により、花は植物のあり方としてはいまだ偽りであったことが宣告され、植物の真理として花にかわって果実が現われる…」（『精神現象学序論』）。

　このように、蕾が花に否定され、花が果実にとってかわられるように、すべての現象は、**即自**（正）、**対自**（反）、**即自かつ対自**（合）と展開します。弁証法は、もともとは対話の技術や問答法 ☞P20 の意味でしたが、ヘーゲルはそれを哲学的論理として確立しました。すべての存在はそれ自身のうちに矛盾・対立の要素を含んでいます。そして、相互に作用し合いながら螺旋を描くように、より新しく本質的な高い次元のものへ統合され発展していくとされます。

　すべての存在は、自己自身のなかに自己と対立・矛盾するものを含んでいて、その対立・矛盾をより高い立場で総合することを**止揚（アウフヘーベン）**と言います。存在と認識の思考法としての弁証法は万能の公式です。よって、何かを考える際に、この弁証法のパターンをあてはめるとよいでしょう。

✳ 家族・市民社会・国家と人倫が完成していく

ヘーゲルの歴史哲学 ☞P274 では、東洋は１人（専制君主）が自由であり、ギリシア・ローマでは数人（ポリスの市民）が自由となります。キリスト教ゲルマン社会では、すべての人間が自由になるとされます。

歴史は、人間が自由を自覚し、それを体制として現実化していく過程であるとして捉えられています。歴史がランダムに進んでいくのではなく、１つの大きな法則性を持っているということです。このように、歴史に一定の法則性をもたせたのは、ヘーゲルの大きな功績でした。これは後に、マルクスの**唯物史観** ☞P275 へとつながります。

さて、すべての矛盾は高次の段階に移行することで解決されます。全体の有機的統一としてはすべて理性的に進んでいるのです。

難しい話がつづきますが、さらにヘーゲルの**人倫**というキーワードが重要です。人倫とは、客観的な共同体の**法・制度**と主観的な個人の良心にかかわる道徳（カントの道徳に関連）とを、１つに統一した人間の共同的なあり方のことです。

ヘーゲルは、この人倫を、「**家族・市民社会・国家**」という３つの段階で考えました。家族は、夫婦・親子兄弟が自然の情愛でむすばれ、子供は成長して親から自立し家族関係から独立し、１人の市民となります。市民社会では、個人は自由に欲求の充足を求め、仕事を通じて相互に関係します。これは、対等の契約でむすばれ、法律と行政が管理する経済社会です。この社会は、各人が互いを自己の欲望のために利用しあいます（**欲望の体系**）。

さらに、家族と市民社会との矛盾を止揚する国家があらわれて、自由と共同性がともに実現します。人倫の最高形態である国家において、自己の意志（道徳的心情）と国家の意志（法律的責任）との一致の中で自由が実現されます。ヘーゲルの哲学の影響は大きく、現代の政治哲学にまでつながっていきます。

現代までの哲学

4章では、「近代から現代への哲学」として、主に現代までの哲学の方向転換の話になります。

スタートはおなじみニーチェです。ニーチェは遠近法（パースペクティブ）という考え方をとります。人それぞれ「ものの見え方」が違います。ここに「力への意志」という概念が加わります。すると、人間は欲望・感情によって見たいものを解釈して見たいものを見ているということになりますので、人間から離れて存在する真理は存在しません。これがニヒリズムです。

こうなると、近代までの哲学の土台が揺らいできます。以前の哲学で最高の価値は「神」でしたが、ニーチェにより「神は死んだ」とされて、最高の価値がなくなってしまいました。ここから、人間は理性ではなく、欲望に動かされているのではないかという新しい角度の思想が展開されていきます。

アメリカの古典的なプラグマティズムの哲学も近代哲学の絶対的真理が存在するという立場を相対的に捉えます。ウィリアム・ジェームズは、真理とは人間にとって有用な真理であると説きました。一言でまとめると、「結果がよければ、それは真理である」ということになります。

プラグマティズムでは自然科学も人類がその段階で真理としているものなので、将来的には自然科学の法則も変更されていくと考えました。

フロイトの精神分析学も現代思想に大きな影響を与えます。人間の意識は表面的なもので、その奥の

理性より欲望が人間を動かしている！世界の裏読みをするために便利な思想

無意識の欲望によって動かされているとされます。こうなると、理性的と思って行動していることも、やりたいことをやってから、あとからへ理屈を付けているだけということになります。理性的な主張は、言い訳のようになってしまいます。

構造主義では、無意識的な構造による関係性が重視されます。すると、現代的な社会と未開の社会にもそれぞれの構造があるわけですから、別に現代的な社会が進んでいるわけではないという話になります。これは文化相対主義に関連します。

これらの思想は、近代哲学の重視した実体や理性、そして真理、さらに発達史観を否定します。一言でまとめると、「人それぞれだし、決まってることはないし、欲望で動いているから、自分で自分の行動をコントロールしてないし、目的はないし」という人間の真実がわかってしまいました。そんなこんなで、信じていた人間の理性がガラガラと崩壊した時代が現代です。

現象学は、近代的な主観客観図式を乗り越えようとします。また、ニーチェの系譜学の影響を受けたフーコーは、知の考古学を展開しました。

ウィトゲンシュタイン以降の分析哲学（科学哲学）では、言語の分析だけが哲学の仕事だということになります。

哲学がわかりにくいのは、古代から近代までの哲学を否定する哲学というものが展開されるからです。よって、昔の哲学と今の哲学を連続的に比較することで、視野が広がります。

ニーチェの哲学とニヒリズム

※※※※※※※※※

過去の哲学をすべてリセットしてしまった人

✳ それを言っちゃあ、おしまいよ

　ニーチェの哲学といえば、ポジティブな哲学 ☞ P354 という印象を受けます。もちろん、その思想的側面も役立つのですが、哲学史的には、過去の哲学を全部ひっくり返してしまったところに意味があります。

　ニーチェの思想を、一言で説明すると、「真実とは、自分が信じたいことを真実と思っているだけ」ということ。元も子もありません。

　この思想で考えると、プラトンの**イデア論**はアウトです。イデアを信じたい人がそれを真理と言っているだけ。なぜなら、現実が苦しいから現実を越えた世界を求めるからだ、ということになります。

　キリスト教アウト！　同じ理屈で、神があると気分がいいからそれが真理であるとしているだけ。こんなことを暴露していけば、周りから疎んじられるのは仕方がありません。ニーチェは最後は、孤独の中で発狂して、廃人のまま死にました。時代を先取りした天才の末路でした。

　古代から近代にかけての哲学者も「そう考えると気分がいい」ということを語っていた。だったら、この本の1章から3章はなんだったの？

　いや、心配ありません。ここから、また哲学は発展します。

フリードリヒ・ニーチェ　ドイツの哲学者、古典文献学者。24歳でスイスのバーゼル大学教授。
1844年-1900年　1879年、大学を辞職。10年の思索活動を経て、1889年発狂。ワイマールで没。主著『悲劇の誕生』『反時代的考察』『ツァラトゥストラはこう語った』。

✳ 信じれば元気がでるから「正しい」って言ってるだけ

　今までの哲学は、ソクラテス 🖙 P21 以来、理性的な思考を積み重ねて
いけば、最後は必ず真理に到達するという**ロゴス**（論理、法則）を信頼
していました。

　でも、もしこの世の中には「本当のこと」がないのだとしたら？　プ
ラトンの説くような「真実在」や最高の価値である「神」が存在しない
のだとしたら？　全部、ふりだしにもどります。

　ものの見え方は人によって違う（相対主義）。これはギリシア時代か
ら言われていました。ニーチェは、さらに**パースペクティブ**（遠近法）
を強調します。これは、「観察者の認識が物を見る角度によって変化す
る」という視覚的な「光学」のことです。単に人によってものの見え方
が違うのではありません。人は自分にとって見たいものを見ています。
そして、自分が力強く、そして気分よく生きられるような解釈を「正し
い」と信じ込みます。

　では、そのように解釈させる力とは何なのでしょうか。ニーチェはそ
れを**力への意志**と呼びました。今の自分を乗り越えてよりパワーアップ
していきたいという根源的な意志です。

　過去の哲学は、人間の「力への意志」が解釈し、自分が強くなれるよ
うな論理を「真理」としていたということになります。

無意味な世界をどう乗り越えるかという課題

✳ 自分が「ホントウ」と思っていることは、すべて都合が良い解釈だ

人間のすべての思考や言動は、なんらかの基準や価値評価というフィルターを通過した後に出力されたものです。これは学問的な説明であっても、また、道徳的な説明であっても同じことです。

ニーチェは様々な著作で、人間の欲望的・感情的な力が、論理的な判断を捻じ曲げてしまう例を上げています。

「なぜ反対するか。──人はしばしばある意見に反対する、ところが本当はそれの述べられた調子だけが同感できないのにすぎないのだが」（『人間的、あまりに人間的』）

反論の内容の真偽はどうでもいい。とにかく、自分が優位に立ちたいからとりあえず「それはどうかなぁ？」とか言っておいて、あとから反論の内容を考えるということでしょう。

「意見の固執。──ある者が意見に固執するのは、彼がひとりでにそれを思いついたといくらか自惚れているからであり、またある者がそうするのは、彼が苦労してそれを学んだからであり、それを理解したのを誇りにしているからである。したがってどちらも虚栄心からでている」（同前）

人間は何かを主張するとき、その主張が論理的に正しいと信じ込んでいます。でも、実は、自分が信じたいことに一番ぴったりくる論理を選んでいるのでしょう。何かを主張したくなったら「なんで私はこう考えたかったのだろう？」とその根拠を探す。そして「ああ、こういう設定で考えると、自分は元気がでるわけか」と分析します。ニーチェは、欲望によって論理が操られてしまうのだから、人間はぜんぜん理性的ではないという事実を暴露した哲学者でした。

✳ ニヒリズムの克服が、後の哲学の課題となった

ニーチェは、道徳批判をしています。一般に、道徳は絶対に正しいと思われています。でも実は、「力への意志」が都合のいいことをチョイスして自分を武装しているものなのです。

だれでもうすうす気がついているのですが、道徳的なことを言う人はなぜか説教くさく、うさんくさい感じがします。なぜなら、道徳で自分を武装することができるからです。

ニーチェは、**善悪**の起源も問います。なぜか、弱者は「善」であり、強者は「悪」であると思われがちです（例：貧乏は美徳、金持ちは悪人）。

弱者は、心のなかに恨み（**ルサンチマン**＝怨恨）をもち、弱い自分は「善」であり「正しい」と解釈します。

「道徳における奴隷一揆は、ルサンチマンそのものが創造的となり、価値を生みだすようになったときにはじめて起こる。すなわちこれは、真の反応つまり行為による反応が拒まれているために、もっぱら**想像上の復讐**によってだけその埋め合わせをつけるような者どものルサンチマンである」（『善悪の彼岸』）

弱者が価値の転換をして、強者を引きずり下ろすことを「奴隷一揆」と表現しています。これもニーチェらしい激しい言い方です。

さて、全体をまとめるとこうなります。人間は、よりパワーアップしたいという「力への意志」をもっている。だから、すべては「力への意志」の解釈だから、真実は存在しない（ニヒリズム）。イデアや神は、弱者が強者に勝つために捏造したものだから存在しない。となると、最高の価値としての「神」はない。だから「神は死んだ」…。

というわけで、人類は最高の目的である神を失ってしまったので、「なんのために？」という生きる目的も失っている状態です。

このあと、ニーチェはニヒリズムと対峙して、これを克服しようとしました（超人、永遠回帰 ☞ P257 など）。

HISTORY 22

プラグマティズムの哲学

古典的プラグマティズムは ポジティブだ

✻ 頭をクリアーにする方法

パースは、アメリカの哲学者、論理学者、数学者、科学者です。プラグマティズムの創始者・記号論☞P225の祖でもあります。

パースの立場は、**可謬主義**（fallibilism）です。イギリス経験論の流れをくんでいますので、徹底的に慎重に考える立場です。

「つまり、実際のところ真理の発見にいたる第一段階は、自分はまだ十分な認識には達していないのだ、ということを認めるべきである。自分を正しいと思いこむ病気ほど確実に知的成長をとめてしまうものはない」

パースは、私たちの知識は新しい観念を導入する推論によって拡大するから、決して**絶対的でない**とします。

パースは「これらの帰結の総和がその概念のすべての意味を構成するであろう」と説いています。つまり、「硬い」とは何かを考えてもわかりません。ダイヤモンドを引っ掻いて、傷つかないとかトンカチで叩いても割れないという結果から「硬い」の意味がわかるというわけです。

チャールズ・サンダース・パース
1839年－1914年
アメリカの自然科学者、論理学者、哲学者。プラグマティズムの祖。記号論理学、数学基礎論、科学的方法論の創始者。

ウィリアム・ジェームズ
1842年－1910年
アメリカの哲学者、心理学者。ハーバード大学教授。著書『宗教的経験の諸相』『プラグマティズム』など。

ジョン・デューイ
1859年－1952年
パースの講義を聴き、後に論理学を探究の方法とする視点を確立。教育をはじめ、社会改革を推進した。著書『民主主義と教育』など。

✳ 「ホントウ」のことは結果から考えればわかる

パースは「思考のはたらきは、疑念（doubt）という刺激によって生じ、**信念（belief）** が得られたとき停止する。したがって信念をかためることが思考の唯一の機能である」と述べています。

疑いが止まると信念が生まれるわけです。これが一般に「真理」と呼ばれています。とすれば、「真理」は、将来的には変形していってよいということになります。

パースが定式化した論理学のルールは**プラグマティズムの格率**と呼ばれました。

心理学者・哲学者であるウィリアム・ジェームズはパースの考え方を発展させました（パースはジェームズと決別し、自身の哲学の名称を**プラグマティシズム**に変えました）。

パースは対象に実験を加えて得られる結果について語りましたが、ジェームズの場合は、個人の特殊な経験についてまで「プラグマティズムの格率」を適用します。個人の人生問題にコミットするわけです。人生において実際的に効果をもったものであるならば、それは真理であるということです。

これにより、科学と宗教の調和がめざされます。宗教を信じることで実際的な効果があるならばそれは真理なのです。ここから、アメリカの**ポジティブ・シンキング** ☞P354 の考えにつながっていきます。

アメリカの哲学はこれから広まる？

✳「生きる意味があるのか？」の答え

「生きがい」について私たちは悩みます。人生は生きるに値するのでしょうか。ジェームズによれば、幸福な状態が永続していたとしたならば、人は「生きる意味があるのか？」とは考えないとされます。

そもそもこの問いが発生する意味は「人生がつらい」ということです。ですから、**人生の意味**を形而上学的に考えるのではなく、プラグマティズムの実際的効果の角度で考え直すとよいでしょう。

ジェームズによれば、私たちが生きているときに「糧としている真理」を表す言葉があるといいます。それは、「妨げられることがない明晰さ」「喜び」「力強さ」「くつろぎ」「安らぎ」などです。このような安心と快楽が満ちている感情は、**合理性の感情**と呼ばれます。

ジェームズが焦点を当てるのは探究の到達点にある真理ではなく、生きる糧として真理を求めて止まない、人間ひとりひとりの思考や経験です。

ジェームズによると、これはイギリス経験論が通ってきた道であり、「様々な概念の意味をそれらが人生にとってどのような相違を生み出すのか」を捉えます。

この方式を使えば、「結果的に」幸せになれる解釈を選べばよいことになります。「それは気休めだ」と考えると合理的ではありません。もともと、真理がどこかに実在しているとする立場（プラトンのイデア論など）とは、反対の立場をとりますので、結果的に幸福であれば、それは「真理」ということになります。経験的に自分にとって「いい気分である」ことを維持すれば、それでよいということが合理的に結論されます。「喜び」「力強さ」「くつろぎ」「安らぎ」をイメージしましょう。

✳ アメリカ占領軍の「教育改革」

　ジョン・デューイは、パースとジェームズ、またダーウィンらの影響を受けて、プラグマティズムを展開させました。

　デューイは、考えるということは、環境をコントロールするための道具であるとします。コントロールは行為によってもたらされ、その行為は状況の分析・予測が行われた後に実行されます。彼は、この立場を**道具主義**（instrumentalism）と名づけました。

　彼は思考を疑念から信念へと向かう努力としてとらえるパースの立場を取り入れ、反省的思考を5段階で示しました。

　①疑念が生まれる問題状況、②問題の設定、③問題を解決するための仮説の提示、④推論による仮説の再構成、⑤実験と観察による**仮説の検証**、となります。

　思想は1つのツールですから、その思想を使ってみて効果があれば続ければいいし、もし問題が生じれば反省によってその古い思想は捨てられ、新しいツールとしての思想を適用すればよいのです。

　デューイは、ジェームズとは違って、科学的方法のみが人間の善をもたらすと考えていました。

　さらに、デューイは、教育の画一性を批判しつつ、子供たちの成長と活動に重点をおくべきだと主張しました。人間の自発性を重視したのです。

　彼の実験主義的教育理論は、戦後日本に対するアメリカ占領軍の「教育改革」として適用されました。

　古典的なプラグマティズムから時間を経て、20世紀初頭から中頃にかけて起きた**言語論的転回** ☞ P108 の影響を受けて、新しいプラグマティズムが提唱されるようになりました。これは、**ネオ・プラグマティズム**と呼ばれています。リチャード・ローティら様々なアメリカの哲学者によって拡大しています。

HISTORY 23

ウィトゲンシュタインの哲学

論理学って数学みたいでややこしい

✻ 日本の学校では教わらない論理学ってなんなの？

ニーチェ ☞P100 の過去の哲学批判は強烈でしたが、さらに、ウィトゲンシュタインの哲学は、哲学そのものを終わらせる勢いでした。彼は過去の錯綜した哲学の難題が、言葉を厳密にもちいることによってすべて解決すると考えたのです。これによって哲学は、**言語論的転回**と呼ばれる新たな段階に入ります。

論理学を一分野として体系化したのは、アリストテレス ☞P27 です。論理学は思考の文法のようなものです。思考の素材がまったく同じ内容であっても、配列や量的・質的な要素で論理の真偽がどのように変化するのかというパターンを研究する学問です。ライプニッツ ☞P85 は論理学を用いる**普遍学の構想**を持っていました。アリストテレスの論理学体系が完成した後、その研究は世紀を飛び越えて飛躍的な進歩を見せました。19 世紀中葉から 20 世紀前半へかけて、数学者によるアプローチもあり、新しい論理学が生まれていきました。

新しい論理学は**記号論理学**と呼ばれるもので、ラッセル ☞P236 とホワイトヘッド共著の『数学原理』により集大成されました。

L.ウィトゲンシュタイン
1889 年 –1951 年

オーストリア・ウィーン出身の哲学者。後にイギリス・ケンブリッジ大学教授。イギリス国籍を取得。論理実証主義およびオックスフォード学派に影響を与えた。分析哲学、科学哲学の基礎を確立。著書『論理哲学論考』『哲学探究』。

✳ 言語を数学みたいに計算する学？

記号論理学は命題論理学と述語論理学に分類されます。

命題論理学では命題の肯定・否定と、命題と命題を接続するコプラ（接続詞）のみに注目して言語の記号化が行われます。例えば、「今月は4月である」という命題をpとおき、「入学式がある」をqとおいて、これを「⇒」（ならば、「⊃」）という接続記号でつなげると「p⇒q」つまり「今月は4月ならば入学式がある」となります。

あとは、pやqなどの意味内容はさておいて、pqについての記号の関係についいて真（T）であるか偽（F）のみかを計算します。

一方、**述語論理学**は、何らかの「あるx」を主語としてと考え、それ以外のものはすべてその述語として捉えなおそうとする論理学です。

述語論理学では、「すべての動物は死ぬ」であれば、「すべてのxについて、xが動物である［ならば］、そのxは死ぬ」として、∀x（Fx ⊃ Gx）というややこしい記号で表現します。

この記号を計算するサイトもあるほどで、プログラミング言語と相性が良いようです。論理学と脳の仕組みなどの研究がさらに進めば、AI P337 が人間の思考をすべてカバーする日も遠くないかもしれません。

過去の哲学の問題は解決された？　されない？

✳ 言葉と世界は表裏一体

　さて、ウィトゲンシュタインの著した『論理哲学論考』は、大変にユニークな形式をとっています。今のワープロのアウトライン形式です。

　1　　世界とは生起していることのすべてである。

　1・11　世界は諸事実によって、しかもこれらが全ての事実であるということによって、決定されている。

　1・13　論理空間における諸事実が世界である。

　このような連番式になっていて、最後の「7　語り得ないことについては、人は**沈黙**せねばならない」まで続いていきます。

　ウィトゲンシュタインは、言語と世界には共通の構造があるとします。世界と言語は、いわばコインのように切り離すことはできません。つまり、言語によって表現されるものこそが世界であるということになります。

　普通は、先に世界が独立的に存在していて、そこに言語を貼り付けているという風に考えます。でも、そうではなく「世界そのものが言語」なのです。

　となると「今月は4月ならば入学式がある」という命題は、世界を正しく写し取っていることがわかります。「2・12　像は現実のモデルである」。これを**写像理論**と言います。言語と世界は「音符と音楽」のような関係をもっています。ならば、論理学で様々な哲学的命題を分析すれば、正しい命題と間違った命題がすぐに計算上ではっきりするはずです。大学では、論理学の授業が設けられているところもあります。試験も計算問題なので大変です。大学生はよく考えて選択した方がいいでしょう。

✳ 問題そのものが間違っているといわれたら…

　世界と言語の関係を明らかにし、正確な言語表現（論理学）に基づいて、過去の哲学を分析したのですから、世界と言語は完全にシンクロし、言語は論理学の記号化で完全表現されるわけです。そうすると、世界の出来事のパターンはすべて論理学の記号化（命題）で表現されます。

　これを分析していくと、「世界の存在」「人生の意味」「死後の世界」「神の存在」などなど近代までの哲学がとりくんできたことは、もともと答えがない疑似問題だったことになりました。

　「6・521　生の解決を人が認めるのは、この問題が消え去ることによってである」

　「自分の存在意義がわからないんだ」と悩んでいたら、『論理哲学論考』の論理に従う限りでは「その悩みは、問い自体が無意味なのだ。だから解決するにはその問いを消滅させるのが一番だ。語れないことは沈黙しよう」となります。語れないことには沈黙するのですから、語れないことが「ある」わけです。つまり「私の意識」や「神」「死後の世界」などは語れないなにかということになります。でも、論理の限界が世界の限界ですから、「言語の限界が、世界の限界を意味する」のです。だから、論理的に神を証明するのではなく、心にしまっておけばよいのでしょう。

　ですから、ちゃんと、「6・522　だがしかし表明しえぬものが存在する。それは自らを示す。それは神秘的なものである」とあります。

　さて、すべての哲学的問題が解決したと考えたウィトゲンシュタインは、哲学から引退しました。ところが、ウィトゲンシュタインは自ら、『論理哲学論考』の核となっている「写像理論」が間違っていたと言いました。哲学史上では珍しいことです。そこで、ウィトゲンシュタインは、日常言語の緻密な考察を行い、言語の具体的な多様性を**言語ゲーム**という概念で提示しました。このウィトゲンシュタインの哲学は、分析哲学という大きな流れにつながります。

構造主義とはなんだろう？

×××◇×××◇×××

言語学から構造主義が始まった

❈ 言葉があるから猫の存在もわかる

　ソシュールはフランス貴族の末裔でジュネーブの旧家に生まれました。早くから言語学の分野で活躍し、大学で講義を３回だけ行いました。彼の死後、講義そのものは消えてしまったのですが、聴講生たちが自分らのノートをもちよってソシュールの講義を再現します。これが『一般言語学講義』です。これも哲学史上の**言語論的転回** ☞ P108 に革命的な影響を与えました。私たちは、目の前にまず物理的対象が実在的に存在し、それに言葉のラベルを貼り付けていると考えています。しかし、ソシュールによれば、言葉によって名付けられる前に、物や観念は存在しません。

　ソシュールによると、言語という**シーニュ**（記号）では、シニフィアンとシニフィエが表裏一体の関係としてあります。

　シニフィアンとは、語のもつ感覚的側面のことです。たとえば、猫という言葉に関して言えば、「猫」という文字や「neko」という音声のこと。また、シニフィエとは、このシニフィアンによって意味されたり表されたりする猫のイメージや猫という概念（**意味内容**）のことです。

　その関係に必然性はありません（**記号の恣意性**）。

C. レヴィ＝ストロース
1908 年 -2009 年

フランスの文化人類学者、民族学者。ベルギーのブリュッセルで生誕。フランスのパリで育つ。コレージュ・ド・フランスの社会人類学講座を担当。アメリカ先住民の神話研究を行う。構造主義の祖とされる。著書『親族の基本構造』『野生の思考』など。

✳ 言葉が世界を切り分けている

　記号が恣意性であるのは、たとえばネコちゃんだったら、それを「猫」と書き、「neko」と発音する必然性がないからです。だから、言語によって「猫」の呼び名が変わるわけです。しかし、必然性がないのに、それが了解されるというシステムがあるのが言語の不思議なところです。

　こう考えると、近代までの哲学が唱えていたような**そのもの（実体・本質）**を思考することは無理だということがわかります。というのは私たちは、言葉の指し示すもの（シニフィアン）と指し示されるもの（シニフィエ）というメガネを通してしか世界について考えることができないからです。

　日本人にとっての雪は淡雪、ぼた雪、細雪などですが、エスキモーは雪を多数の種類に分節化します。言語が現実世界を**切り分ける**のであって、その逆ではなかったというわけです。

　「あらかじめ確立された**観念は存在せず**、言語の出現以前には何ひとつ判明なものはない」（『一般言語学講義』）。名前をつけることではじめて、それが他のものやことから区別され、存在をとらえられるというのは、ソシュールの大きな発見でした。この発見は様々な分野において、関係について注目することを促し、**構造**を論じるきっかけとなりました。

構造は見えないけれども、関係としてそこにある

✳ 構造主義のヒントとなった言語論とは

構造主義は、1960 年代に登場して、フランスを中心に発展していきました。文化人類学者のレヴィ゠ストロースは先住民の中に飛び込んで親族関係や神話などの研究をしていました。

彼は親族関係の構造分析を通して、未開とよばれる社会には文化と自然を調和させるしくみや、独特の思考法があることを発見し、それを**野生の思考**と名づけました。

レヴィ゠ストロースが構造のヒントを得たのは、ロシア人言語学者ロマーン・ヤコブソンの音韻論です。ヤコブソンは、ソシュールが提唱した構造言語学の原理を発展させました。ヤコブソンによると、発音としての音韻（音素）は物理的なものではないといいます。

たとえば r と l という音はまったく違った発音をされるので、英語では rice は「米」ですが、lice は「シラミ」を意味します。しかし、日本語では r と l の区別がないから、「ライス」くださいと言えば、「米」以外のなにものも意味しません。

言語が異なれば音素も異なるというわけです。 r と l の発音がいかに異なっていようとも日本人にはその**差異** P210 が存在しません。発音は意味によって振り分けられていた。つまり、関係（構造）が先にあることがわかります。

加えて、レヴィ゠ストロースは自然学者トムソンの説を応用します。トムソンによると、魚の形を座標に乗せて座標自体を変形することで、いろんな種類の魚の形になるといいます。たとえばフグの座標を「変形」するとマンボウという感じです。構造はあらゆる諸現象に沈潜している関係性で、それは「変形」していきつつ維持されていきます。

✳ 構造主義が与えた影響は大きかった

　未開の社会における、親族・婚姻などの関係は、西洋での関係と見た目はちがっても**構造という観点**からみると基本的には、進んでいるとか遅れているといったものではありません。

　レヴィ゠ストロースは「野生の思考」とはすなわち具体の科学であって、今までの近代的思考だけが理性的だという先入観を批判し、**自民族中心主義** ☞ P309 に偏った西洋の世界観・文明観に根底的な反省をうながしたのです。

　「自らの社会の中に、人間の生のもちうる意味と尊厳がすべて凝縮されていると宣明しているのである。それらの社会にせよわれわれの社会にせよ、歴史的地理的にさまざまな数多の存在様式のどれかただ１つだけに人間のすべてがひそんでいるのだと信ずるには、よほどの**自己中心主義**と素朴単純さが必要である。人間についての真実は、これらいろいろな存在様式の間の**差異と共通性**とで構成される体系の中に存するのである」（『野生の思考』）

　ところで、実存主義者のサルトル ☞ P179 は、人間の自由な主体性が歴史を動かすと主張していました。構造主義では、主体はその背後にあるシステム（構造）の影響を**無意識**のうちに受けているという考え方ですから、主体的な人間が社会を進歩させたと考える近代西欧思想への根本的な批判となり、サルトルの実存主義と対立しました。

　構造主義の影響を受けたパレスチナ出身のエドワード゠サイード（1935 ～ 2003）は、**オリエンタリズム** ☞ P309 について言及しています。

　また、構造主義を受け継ぎ、進歩主義や主体性を重んじる近代主義や啓蒙主義を批判し、脱却しようとする思想運動はポストモダンと呼ばれます。ドゥルーズ、ガタリ、ネグリ ☞ P304 をポストモダンに含める人もいます（本人はポストモダンとは言っていない）。リオタール ☞ P206 は、『ポスト・モダンの条件』を著しています。

現象学の創始者フッサール

✖✖✖✖✖✖✖✖✖✖

現象学って結局なんなの？

✳ 外側にある世界の確実性を問うことはけっこう難しい…

　初めて現象学に接する人は、とにかく意味がわかりません。そもそも何を問題にしているのかが不明なのです。ここでは、何をしようとしている哲学なのかが、なんとなくわかる程度に紹介します。

　まず、再びこの世界が、仮想空間（ヴァーチャル・リアリティ）なのではないかという常識外れの考え方にもどります。「この世界は、夢ではないか」でもいいですし、「自分の妄想ではないか」という疑いでもかまいません。

　つまり、主観としての「見るもの」と客観・対象としての「見られるもの」はどうやって一致するのかという話です。デカルトはかつて、神の存在証明でこれを解決しようとしました。スピノザは汎神論で、**心身並行論**を説きました。カント **P92** は主観と客観は、**先験的**な形式であるとしました。ヘーゲル **P96** は弁証法によって主観と客観は一致する（**絶対知**）と考えました。

　でも、これだけ主観と客観を一致させようと考えても、やっぱり世界は自分の妄想であって、確実性はないかもしれないのです。

エドムント・フッサール
1859年-1938年

当時オーストリア領のプロスニッツに生まれる。現象学の創始者。28歳からハレ大学、ゲッチンゲン大学、フライブルク大学に赴任し、退職後も精力的に仕事を続けた。著書『算術の哲学（論理学的かつ心理学的研究）』『論理学研究』『イデーン』など。

✳ これが現象学的還元だ！

自分の考えていることと世界がピッタリと一致していなければ、あらゆる学問に**厳密性**がなくなります。つまり、「私の主観が客観的な対象を正しく捉えている」ことの確実な証拠が必要なのです。

そこで、オーストリアの哲学者フッサールは、この問題に新しい方法で挑んだのでした。フッサールは、ドイツの哲学者・心理学者ブレンターノ（1838 ～ 1917）の「**志向性**」の概念を引き継ぎます。その概念で、意識とはいつも、「何かについての」意識です。空っぽの意識はないというのです（無心のような状態は、ないことになります）。

まず、フッサールは、人間が世界を**自然的態度**で捉えていると説明します。目の前にコップがあり、それをありのままに意識が写し取っているというごく普通の自然な態度です。

しかし、この態度をとるかぎり、世界のなかにいる自分ということになりますから、主観は客観に的中しません。

そこで、フッサールは、その自然的態度を捨てるという方法をとります。世界のあり方を括弧に入れて保留するのです。コップが外にあり、自分の意識がそれを捉えているというあり方を**判断中止（エポケー）**します。このような操作を**現象学的還元**といいます。

世界が意味となってたち現れてくる瞬間

✳ 還元後は、純粋意識が現れる

フッサールは現象学的還元で、世界の存在についての確信をスッキリとやめました。そこで、今度は反対に、直接与えられる意識体験からどのようにして、コップなどの物が外にあるという**確信（妥当性）**が生じてきたかを見ようとします。「世界を越えて世界の根元を問う」ので**超越論的還元**とも表現されます。

もちろん世界が「還元」されたからといって、世界の存在を否定したり失ったりするわけではありません。そういう思考実験のようなものです。現象学的還元をすると、すくなくとも、目の前のコップが「自分の意識上にありありとしている」ことだけは確実なので、もう仮想現実、夢、幻覚などと考える必要はないのです。

意識の上に展開する意味としての「コップ」に変化するのです。主観客観図式では、精神と物質になりますが、意識の世界へと舞台が変わりました。

そして、世界が判断中止された今、「そこにコップが本当にあるのか」という疑問は不要で、「どうして、自分はコップがそこにあることを確信しているのか」という疑問にシフトできます。

こうすれば、今までのようにコップとの関係を物理的に説明する立場から脱して、私たちがコップを意識上でどのように捉えているのかについて、確実な地平で語れるようになるわけです。

自分がリアルに感じていることを素直に記述するならば、間違いようがありません。勘違いでもかまわない。その勘違い体験もまた紛れもない自分の意識上の真実だということになります。この還元された後の意識は、**超越論的意識、純粋意識**などの用語で説明がなされています。

✳ 自分が確信を得ている条件を記述していく

　現象学的還元の後には、コップを見ているときの私の意識内容そのものが、リアルなコップで占められます。意識の上に展開する意味としての「コップ」に変化するわけです。

　現象学的還元により、意識の世界へと舞台が変わりましたので、次の手順として、事物が意識上に流れていくありさまを分析していきます。ペン、机、ノートというように意識の流れを追います。

　フッサールは、意識に様々な体験を統一して意味を与えるという作用が働いていると考えました。この志向作用を**ノエシス**、志向の対象になる「ペン、机、ノート、コップ」などを**ノエマ**と言います。私たちはただ漠然と外からの情報を受け入れて流しているだけではなく、そのつど意味づけの作用をしています。

　私たちは常に、「これが正しい」という何かの確信をもって生きていますが、それは私たちがそのつど意味づけし、心の奥底で直観しているから（**本質直観**）という結論に至ります。

　ここで、とりあえず「この世界は夢や幻ではないのか」という疑問に対する答えがわかります。なぜこの世界は夢でも幻でもないと私たちは確信するのかというと、たとえば「えいっ！」と念じてもコップが消えたり出てきたりしないとき、私はそこにコップが間違いなくあるという確信を得るからです。

　その他「対象を自由に変化させられないから」、「目を閉じてから開けてもそこにあり続けるから」などそういった意識経験をすると私たちはそれが外部にあるという確信を持ちます（外部に実在することを証明したわけではない）。そういった確信でできあがったものを私たちは「世界」と言っているのです。

　このように、自分の意識を観察していく現象学は、ハイデガー、メルロ＝ポンティ、サルトル、レヴィナスなどの哲学で応用されます。

フーコーと系譜学

✕✕✕✕✕✕✕✕✕✕

正常と異常の区別をつける人は正常なの？

✳ 精神病は区分の仕方で生まれていく

　フランスの哲学者フーコーは、最初、構造主義者と思われていましたが、フーコー自身は構造主義を批判しているので、のちに**ポスト構造主義**に分類されました（諸説あり）。

　フーコーは『狂気の歴史』（1961）において、狂気が今日の精神病とされるまでを時代を追って論じています。私たちは精神病が大昔からあったと思っています。狂気と正常という基準が最初から決まっているような気がするからです。

　ところがフーコーによると、狂気が先にあるのではなく、社会が狂気を規定しているということになるのです。

　つまり、狂気というものは理性（正常）との関係で、歴史的に形作られていったものだというのです。だから、精神病は新しい仕切り方でつくられたということになります。

　ここには、構造主義 ☞ **P114** の影響があります。フーコーによると、西欧社会において、中世までは狂気の人は「神懸かり」で、神からのメッセージを受け取るような仕事をしていました（古代の巫女さんなど）。

ミッシェル・フーコー
1926 年 –1984 年

フランスの哲学者。1968 年にパリ大学バンセンヌ分校教授、1970 年にコレージュ・ド・フランス教授。構造主義の影響のもとで、科学史、思想史の思考の考古学を開発。西欧文明の歴史での思考形式の構造の変遷を探る。著書『狂気の歴史』『言葉と物』『監獄の誕生』など。

✻「知の枠組み」が歴史的に変化していく

　けれども、やがて狂気は監禁の対象となっていきます。というのは、理性が重視され、**正常と異常**の線引きが進んだからです。結果として、狂気が精神病という「病気」に移行していくことになりました。

　これは、現代の医療問題にも関連します（例：医者によって、うつ病認定がはっきりしないなど）。

　フーコーは、歴史をさかのぼって、これらのことを実証します。具体的には、フランス王朝の絶対王制によってパリに一般施療院の設立が布告され、ここに狂気の人が閉じこめられました。その後、18世紀末からは、狂気の人は保護施設という制度にまかされます（17～18世紀は理性の哲学 P72 が全盛期）。

　つまりフーコーは、狂気が精神病に位置づけられたことから、**精神医学と心理学**が成立したと考えたのです。

　フーコーは、さらに、人間の知の流れについてその系譜を追ってみました。フーコーは、それぞれの時代における**エピステーメー**（知の枠組み、思考の土台）を明らかにしたのです（知の考古学）。『言葉と物』（1966）によると、中世・ルネサンス P74 のエピステーメーは「**類似**」です。たとえば、「クルミと脳が似ているので、クルミを食べると脳に効く」という類似的な思考法です。

私たちの社会も監獄的?

✳ 理性的な価値観を基準にするのはもう古い

17世紀半ばになると、対象を分類・整理するという時代がやってきます。デカルト ☞ P78 のように、**理性**が正誤を判断する基準となるエピステーメーの時代です。このとき、様々な理性的な学問が発展したとされます。

19世紀初頭からは、経済学、言語学、生物学、人類学、心理学などのエピステーメーが発展していきました。フーコーは、ここにおいて「**人間**」という枠組みが誕生したといいます。フーコーは、「主体」としての人間は、近代の「発明」にすぎないとしました。

もちろん、はるか昔から生物学的な人間は存在していました。しかしここで言う「人間」とは、新たな「エピステーメー」というフィルターを通してみた人間のことです。

そして、フーコーは**人間の終焉**を唱えました。未来において「エピステーメー」が変われば、「人間」も終わるからです（人類滅亡という意味ではありません）。未来に、まったく異なったものの見方が出現するという意味です。これも頭を柔軟にする思考法です。

このように、フーコーは、西洋の人間（理性）中心主義の限界と問題点を明らかにしました。近代以降、人間の理性を尺度とした文明社会は、病気や狂気、犯罪といった反理性的なものを日常生活から排除してきたのです。このことは、社会の管理化を強めることとなり、監視社会につながっていきます。

近代の理性的な人間観は、「自分が理性的存在だ」と思わせることで道徳的な自立を求めました。これが進むと、根源的な「性」の問題を片隅へと追いやります。

✳ 誰かに見張られていると思ったら、実は自分が見張っていた

　フーコーの『監獄の誕生』（1975）では、ベンサム **☞ P150** が考案したパノプティコン（一望監視施設）について説明がなされています。パノプティコンは、中央に監視塔を備え、そこから放射状に伸びる独房に収監された囚人の動静を、一度に監視できる監獄です。真ん中に塔があり監視員が見回します。

　でも、囚人からは、監視員がみえません。そうすると、囚人は自分がいつ監視されているかわからないので、自分で自分を監視するようになり、**従順な主体**になるとされます。

　はたして、「従順な主体」が主体性をもっているか疑問です。実は、私たちもパノプティコン的な生活をしている可能性があります。「誰かに見られているかもしれない（誰も見ていないんですが…）」と思って自分の行動を規制します。自分で決めているようで、実は周りから強制されているという息苦しさがこれです。フーコーは、管理統制の権力構造を指摘したわけです。

　「閉鎖され、細分され、各所で監視されるこの空間、そこでは個々人は固定した場所に組み入れられ、どんな些細な動きも取締まられ、あらゆる出来事が記帳され、中断のない書記作業が都市の中枢部と周辺部をつなぎ、権力は、階層秩序的な連続した図柄をもとに一様に行使され、たえず各個人は評定され検査されて、生存者・病者・死者にふりわけられる。」（『監獄の誕生』）

　フーコーの思想は社会学・政治学・教育学など様々な分野に大きな影響を及ぼしています。ニーチェ **☞ P102** やフロイトらの理論と合わせて考えるとよいでしょう。

　思想の流れでは、デリダ、ドゥルーズ **☞ P210** などに、つながっていきます。

精神分析の流れ

※※※※※※※

フロイトの精神分析がすごい

✳ 無意識の構造を科学的に明らかにした初めての人

　近代の理性主義により、科学技術が発展し、自然の支配がどんどん進みました。けれども、これは人間の**内なる自然**（感情、衝動、本能など）を抑え込むことにもなりました。心の病は社会現象と関係があります。

　20世紀のはじめ、オーストリアの精神科医フロイトは、夢の研究や神経症の治療を行うなかで、人間の心の奥底に**無意識**の領域が存在していることを発見しました。

　この無意識は、**エス（イド）**とよばれ、生命体をささえる本能的な領域であるとされます。エスは、身体領域から生じる**リビドー**（性的エネルギー）の場です。リビドーは幼児期から成長とともに発達していきます。5〜6歳頃の男子のリビドーは母親に向かい、母親の愛情を独り占めしようとします。その際に父親に嫉妬します。

　この時、母親への愛情と父親への憎しみは無意識の中へと抑圧され、**超自我**が形成されます。フロイトは、この心理を、父を殺して母を妻としたギリシア神話のエディプス王（オイディプス王）にちなんで、**エディプス・コンプレックス** P210 と名づけました。

ジグムント・フロイト
1856年 -1939年
オーストリアの精神科医。精神分析の創始者。神経症の治療法・精神分析を確立。著書『夢判断』『精神分析入門』など

カール・グスタフ・ユング
1875年 -1961年
スイスの心理学者。精神分析学者。バーゼル大学教授。1948年チューリヒにユング研究所を設立。著書『変容の象徴』『心理学的類型』など。

オヤジ
うぜー

✳ 無意識のしこりを取り除くのが精神分析

　超自我は「～してはならない」「～であれ」「～しなくてはならぬ」などの禁止・理想の追求などを受け持ちます。自我は、エスと超自我を調和させる仕事をします。**心のエネルギー**の仲裁が自我の仕事です。

　フロイトはヒステリー患者の治療を試み、患者らが意識の裏側に例外なく性的なトラウマを秘めていることを発見しました。また、その記憶を忘却の中からすくい上げて、**意識化し**、**自覚させる**ことで、患者のヒステリー症状が消失するという事実を確認しました。

　フロイトによると、性的な欲求にまつわる体験が、いびつな形（性的に不愉快な体験など）でストップされた場合、心を守るために心の自動安全装置が働き、その体験内容を記憶の彼方に抑圧してしまうというのです。抑圧とは、不愉快な体験・異常体験を無意識のタンクにしまい込んでしまうことです。

　また、**ノイローゼ**患者たちの心にも同じように無意識的抑圧が生じていること、それを解放すればノイローゼ症状が消失する場合があることを認めました。現代の心的外傷や PTSD（Post Traumatic Stress Disorder：心的外傷後ストレス障害）の研究と関連します。

　フロイトは、無意識に抑圧された内容を回想し言語化して表出することができれば、症状は消失するという**カタルシス**療法を開発しました。

ユングの分析心理学もすごい

✳ すべての人に共通する「集合的無意識」とは？

　ユングは、フロイトの影響を受けたスイスの精神病学者・心理学者で、独自の**深層心理学**を確立しました。深層心理学は、意識に対して無意識の働きが大きな位置を占めると考える心理学です。

　深層心理学の学派は、フロイトが創始した精神分析学派を代表として、ユングの分析心理学派以外にも、アドラー の個人心理学などに分かれていきます。

　フロイトは個人的無意識について考察しましたが、ユングは心のさらなる深層に、**集合的無意識**があると考えました。これは個人的な経験から生じたのではなく、遺伝的に受け継いできた生得的な心の領域です。**元型（アーキタイプス）**は、すべての人間の心の根底にある普遍的な型（タイプ）のことです。時代や民族をこえて人類の神話・昔話・芸術・宗教、また個人の夢にも共通して現れるとされます。神話学では「モチーフ」、人類学では「集団象徴」と呼ばれています。「集合的無意識」は、「元型」を通じて現れます。

　ユングは、違った国や文化で育った人間が、同じように蛇の幻覚を見る場合があることなどに着目し、「集合的無意識」に先祖の経験も含まれていると考えました。

　ユングは、「元型」として、「**グレートマザー（太母）**」、「**アニマ**」、「**影（シャドー）**」、「**子供**」、「**老賢人**」、「**おとぎ話の妖精**」などをあげています。

　「グレートマザー」はすべてののものを包み込む（または飲み込む）はたらきのことです。「アニマ」は女性の姿をとって現れた心で、神話の世界では人魚、森の精などとして表現されています。

❋ 円をみると心がやすらいでいく

　ユングの心理学では、元型のイメージの意味を解釈し、個人が意識と無意識を統合する「個性化」をめざします。これにより心が分裂したり、様々なコンプレックスに陥ることを解消します。

　ユングは複雑な感情的反応が生じることを**コンプレックス**と呼びました。「父親コンプレックス」は、父親に対する敵対心や父親を乗り越えたいとする気持ちです。男性の場合は上司や目上の人に反抗的な態度として表れ、女性の場合は年長の男性に対する恋愛感情になるとされます。

　「母親コンプレックス」は、女性にやさしくされると過度に甘えたりつきまとったり、「愛されたいという気持ち」、「なぜ、もっと愛してくれないのか」という恨み、「見捨てられる」という失望感をもつことなどです。「カイン・コンプレックス」は兄弟・姉妹の競争心と嫉妬という感情的反応です。「メサイア（救世主）・コンプレックス」は、人を助けることで自分の存在を確認したり、優位に立とうとする感情的反応です。自我（エゴ）を包み込んでいる全体が**自己（セルフ）**です。集合無意識を探究することが治療の一環になるわけです。

　ユングは東洋のマンダラ（曼荼羅）が、自分の中の様々な要素をまとめて１つに統合する全体性を象徴するものだと考えました。マンダラによって、無意識が開放され、抑圧されていた心のエネルギーが開放されていくからです。

　マンダラは「特にラマ教において、さらにまたタントラ経典派のヨーガにおいてヤントラとして用いられる儀礼の円ないし魔法の円」（『心理学と錬金術』）と説明されています。ユングは中国のマンダラを介して中国の錬金術を知り、そこから西洋の錬金術 ☞P340 についての研究を行いました。そして「対立するものの結合」というテーマをその中に見出しています。その他、**シンクロニシティ**の理論なども生み出しました。

アドラー心理学、その他

⋙⋙⋘⋘

人生の悩みはすべて対人関係？

✳ より高い価値を生み出したいから悩む

　フロイトの精神分析では、過去の経験が原因で心的エネルギーが滞っていると考えました。ところがオーストリア出身の精神科医アドラーは、過去の経験が私たちの何かを決定しているのではなく、私たちが過去の経験に、未来へ向けてどのような意味を与えるかによって、人生の意味を決定づけていると考えました。この人生に対する意味づけを「**ライフ・スタイル**」と言います。

　さらに、私たちは今よりも優れた存在になりたいと思いながら生きています。アドラーはこれを「**優越性の追求**」と呼びました。

　「すべての人を動機づけ、われわれがわれわれの文化へなすあらゆる貢献の源泉は、優越性の追求である。人間の生活の全体は、この活動の太い線に沿って、すなわち、下から上へ、マイナスからプラスへ、敗北から勝利へと進行する」（『人生の意味の心理学』）

　ところで、人は挫折すると**劣等感（コンプレックス）**を感じます。けれども、この「劣等感（コンプレックス）」が、人類のあらゆる進歩の力であるとされます。

アルフレート・アドラー
1870年-1937年
オーストリアの精神医学者。精神異常の原因を過度の優越への欲求が原因であると主張。著書『人間知の心理学』『人生の意味の心理学』など。

ウィルヘルム・ライヒ
1897年-1957年
オーストリア・ドイツ・アメリカで活動した精神分析家、精神科医。オルゴン理論を提唱、疑似科学とされる。

✳ 劣等コンプレックスを克服するための勇気

人間は、より自己を高めたいというパワーをもっています。これは、ニーチェの「力への意志」 ☞ P103 に関連します。

でも、パワーアップしようとしても思ったようにならないのが人生。このパワーの度が過ぎると**劣等コンプレックス**と**優越コンプレックス**の表裏一体としての心理が生じます。

劣等コンプレックスは「言い訳」として現れます。たとえば、「人と会うのは苦手」という場合は、「苦手」と言っておけば、行動しなくてもいいわけです。要するにその方が、楽で心地がよいということ。

劣等コンプレックスの裏返しが優越コンプレックスです。自分が優れた人間であるかのように虚栄心に満ちた態度をとり、劣等感に対処します。

長々と自慢話をしたり、派手に着飾ったりすることが含まれると考えられます（もちろん、派手なファッションが趣味の人がコンプレックスをもっているとは必ずしもかぎりません）。

コンプレックスは、対人関係があるから生じます。自分一人だけだったら、優劣は気にならないでしょう。

アドラーは人生の悩みはすべて対人関係にあると考えます。なぜなら、誰もが他者との関係に入っていくのが怖いと思っているからです。

心理学のさまざまな応用がすごい

✳ 劣等感があるから前に進める

　アドラーによると、劣等コンプレックスと優越コンプレックスは、1つの傾向の2つの側面です。よって、アドラーは神経症の本質も、劣等感からの逃避だとします。

　アドラーは、自分の劣等感を社会的・現実的な方法で克服できないときに、神経症が発生するとしました。劣等感が克服できずに、自分の行為について不合理な言い訳をしたり、空想で自分を優れたものにしたりすることもあるようです。

　アドラーはさらに、犯罪の心理的な原因も劣等感にあるとします。犯罪は多様ですが、それらは他人の所有物、身体、名誉などを奪うという点で共通しています。犯罪には、もっとも簡単な方法で劣等感を克服して、他人から注目をあび、自己を高めようとする傾向が含まれる行為であるとされます。

　また、人はたいていの場合、後ろ向きの気分をもちます。そこで前向きに進もうとします。劣等感をもつのが人間ですから、それで良いのでしょう。

　しかし、対人関係において優越性を保とうとすると、他者との競争になってしまいます。むしろ、優越性を追求しながら、自分も高まり他の人も高めていくというあり方が理想です。

　アドラーは他者との結びつきを**共同体感覚**と表現しました。これは、自分が所属する家族、学校、職場、社会、国家、人類、宇宙というすべてを含んだ意味をもっています。個人は、生物学的には個体保存と種族保存という目標を、また、社会学的には所属、心理学的にはその人らしい所属という目標のために行動します。

✴ アメリカで社会現象を起こしたライヒの思想とは？

　オーストリア生まれの精神分析学者ライヒもフロイトのもとで研究していました。ベルリンに移動しましたが、ナチスに代表されるファシズムを批判した『ファシズムの大衆心理』を著したこともあり、その後アメリカへ移住します。

　フロイトが**リビドー**を文化的に昇華させるという立場だったのに対し、ライヒはリビドーを解放するために社会の制度を変革していく道を選びました。これが社会現象を生みました。

　ライヒは、快楽時に発生するエネルギーとしてのバイオ電気（リビドーの物理的な現象面）がどのように流れるかを機械で測定する研究を行いました。さらに非生命物質と生命物質の移行段階に発生する小胞をバイオンと名づけました。

　ライヒは「オルゴン放射（orgone radiation）」についての仮説を立てます。海の砂を加熱するとバイオンが発生するとされます。ライヒはこの力の源を**オルゴン・エネルギー**と命名しました。次の研究段階として、ライヒはオルゴン・エネルギーを収容する装置（オルゴン・エネルギー・アキュミュレーター）をつくりはじめました。そして、バイオンをこの中に入れて観察したところ、明らかな光学現象がみられたとされています。

　さらにライヒは、ある雲が出現すると、息苦しい雰囲気になり、動物の動きが鈍ると主張しました。このことから彼は雲から負のオルゴン・エネルギーを吸い出したらどうだろうかと考えました。

　そこで、長い金属パイプを雲に向けて立て、ケーブル線をつないで深い井戸へとアースをつなぎました。この実験装置が**クラウド・バスター**です。

　ライヒのオルゴン理論は、疑似科学とされていて認められていません。しかし、その自由な発想には学ぶべきものが多くあります。このような思考法が時に、新たな科学的発見につながるのかもしれません。

社会と経済思想

経済学と哲学は一見無関係に思えます。ところが、両者が結びついて世界が変わってしまったので、私たちのリアルタイムの生活に密接に関わっていることがわかります。

古典経済学では、アダム・スミスの経済理論から、J. S. ミルの経済学までをざっと眺めます。ここでは、自由放任主義が主張され、国家はあまり介入しない方針が中心となります。

功利主義をとなえたジェレミー・ベンサムは、「最大多数の最大幸福」を目指す政策を主張しました。J.S. ミルは、これを引き継いで質的な功利主義を展開します。

また、ミルの個人の自由主義（リベラリズム）では、他人に迷惑をかけない範囲での自由が主張されていて、これは、私たちが、何に対して、どこまで自由をもっていいのかなどを再考察する際にとてもためになる哲学です。

また、産業革命によって資本家と労働者という階級ができあがり、貧富の差が広がります。哲学者・経済学者のカール・マルクスは、資本主義を分析した『資本論』を著します。

マルクスは、ヘーゲルの観念論的弁証法を批判しつつ、また、ヘーゲルの歴史法則を唯物論的弁証法で捉え直します。

歴史はニュートン力学と同じレベルの法則性をもつと考えられていたので（物質の集まりが動いているわけだから）、資本主義の発展により矛盾が増大

して社会主義革命が発生し、プロレタリア独裁の段階を経て、新しい無階級社会である共産主義社会が生まれることが、科学的に説明されます（科学的だから必ずそうなるという考え方です）。

マルクス・レーニン主義では、諸説ありますが、一般に、社会主義は過渡期で、共産主義がゴールとされます。

1929年に起こった世界恐慌では、大量の失業者が発生しました。これを救うために、アメリカでは公共事業を増やして失業者に仕事を与えるというニューディール政策が行われました。

経済学者ジョン・メイナード・ケインズは、国家が経済に介入して、有効需要を創出して失業者をなくすという理論を唱えていたので、後に、ニューディール政策の理論的裏付けとなりました。

自由主義経済への国家の介入政策と社会主義政策とでは国家の経済への介入レベルにおいて差があります。どちらがよいのかは、また世界恐慌が発生する時にそなえて、未来に向けて考えていかなければならない問題でしょう。

第二次世界大戦中は、ヒトラーのナチスが台頭して、ユダヤ人が虐殺されましたが、これは「全体主義」として批判されます。戦後にフランクフルト学派が、これを分析します。また、哲学者ハンナ・アーレントも、全体主義を分析しました。全体主義が発生する大衆心理を知っておくと、これを予防できるかもしれません。

社会契約説と革命

><><><><><><><

機械論哲学から政治哲学へと展開

✳ 自然状態とはどのような状態だろう？

イングランドの哲学者ホッブズは、『**リヴァイアサン**』という書物を著しました。リヴァイアサンとは、『旧約聖書』「ヨブ記」第41章に記されている海の怪獣の名前です。ホッブズは国家という巨大な創造物を、この架空のモンスターで表現し、**社会契約説**を展開しました。

ホッブズはデカルトやスピノザと同じく、機械論的世界観 ☞P81 を根底においています。人間は自動機械のようなものだと説かれ、人間の知覚、感情、行動も機械的に説明されます。その意味で、人間は、心身の諸能力について生まれつき平等です（理性主義にもとづく平等思想）。

社会契約説は、**自然状態**（原始状態）を設定してから考えを進めます。実はこの自然状態というのは、歴史的に実際に存在した状態ではなく、思考実験としてスタート地点におく前提のことです。

この社会契約説の根拠としての原始状態を、20世紀の政治学者のロールズ ☞P218 は『正義論』の中で応用しています。現代の思想も、しばしば大昔の知識を前提にすることが多いので、哲学史・思想史を知っておけば、これからも最新の思想書などが読みやすくなるでしょう。

トマス・ホッブズ
1588年-1679年
イングランドの哲学者。17世紀の近世哲学において、機械論的世界観の先駆的の1人。人工的国家論の提唱と社会契約説を唱える。

ジャン・ジャック・ルソー
1712年-1778年
フランスの哲学者、フランス語圏ジュネーヴ共和国に生誕。主としてフランスで活動。著書『人間不平等起源論』『社会契約論』など。

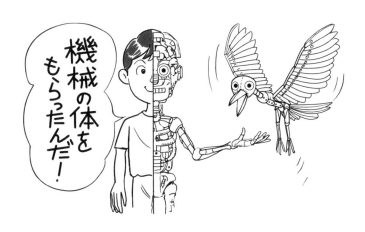

�֎ 闘争しているとマズいので国家が成立した？

　自然状態では、人間は自己保存の本能がありますし、自分の生命を守る**自然権**をもっています。ここでいう自然権とは自分の生命を守るために暴力を使ってもいい権利ということ。

　すると、「人間は人間に対して狼」であるため、「万人の万人に対する戦いの状態」が出現します。

　自然権を用いるあまり闘争が生じてしまうわけですが、人間もバカではないので、「このままではいけない！」と思いなおします。

　自分の命を守ろうとするあまり、死の恐怖に脅かされるのは、矛盾しているからです。そこで、各人の自然権をおさえていこうという**自然法（理性の命令）**が働きます。

　あえて、人々が自分のもつ自然権を１つの共通権力に譲り渡し、それを制限する協約を結ぶわけです。ホッブズは、ここに国家が成立したと考えました。

　ホッブズは政治哲学の創始者と言われることもあるほどで、政治の原理を明快に説明したのでした。

　この後、イギリス経験論のロック ☞ P86 が再び登場します。ロックもまた、自然状態について考えますが、これはホッブズの唱えたような戦争状態とはまったく違うものでした。

日本国憲法の内容に関係がある思想

✳ 所有権がわかると現代の政治哲学がわかる

　ロックによると、自然状態では、人間は各個人の権利を害されることなく互いに平和・平等に暮らしていました。ロックにおける自然権は、**生命・自由・財産**を意味します。

　しかし、貨幣の発明により、人々の間に財産の差が生じることとなり、ときたま他人の所有権を侵す者が出てきました。けれども自然状態では、それを処罰する共通の権力がなかったので、さまざまな不便が生じます。

　そこで、各自がそれぞれの財産を守ったり奪ったりのトラブルが生じる中で、安全が確保された状態へと移行するためには、相互の不可侵を約束する契約が必要であるとされました。

　ロックによると、各人は同意に基づいて合議体に自然権を信託し、これを通じて政治的社会を形成しました。ロックの認識論では、人間は生まれつき白紙（タブラ・ラサ）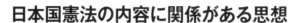P86 だと主張されていましたが、これは、平等観につながります。

　ロックは、**所有権**を強調します。まず、各個人が身体を所有します。身体は個人の所有物です。その所有物である身体を用いて行う労働はその人のものです。よって、生産手段である土地や道具、労働の成果である生産物、そして財産は各自に帰属します。

　なにかを「所有する」とは、そのものを排他的に使用し（使用権）、占有し（占有権）、自由に処分しうる（可処分権）ことを意味します。

　ロックは政治体制に対する**抵抗権・革命権**を認めました。もし立法部や執行部が人々の生命・自由・財産（自然権）を侵害するならば、人民はこれに抵抗する権利をもちます。最高の権力は人々にあり、議会や政府は人々から権力を信託（委託）されているだけだからです。

✳「主権在民」「基本的人権の尊重」の起源がわかるルソーの思想

フランスの政治哲学者ルソーは、人間の本性は善良であり、自然状態における人間は「自己保存の欲求」と、**憐れみ（憐憫）**の情をもっていたと考えました。ところが、私有財産が発生して貧富の差が生じ、不平等が発生しました。そこでルソーは、本来の社会状態に戻すには、個人の自由を保証する最良の政府をつくるしか道はないと考えたのです。

ルソーによれば、政府とは主権者である人民の意志の執行機関にすぎませんので、自由な社会契約によって形成されます。

新しい自由な国家においては、「人民は主権者」とされます。また、国家の主権は、全人民の共通の利益を目指す**一般意志**です。

たとえば、友達がみんなでお昼をとるときに、食べたいものがハンバーガー、カレー、ラーメンに分かれたとします。この場合はバラバラなので、**特殊意志**と呼ばれます。

そこで、「ハンバーガー・カレー・ラーメンセット」なるものがある店が存在するとすれば、それにすれば一般意志が成立します。このように一般意志とは、誰もが正しいと判断するような善なる意志です。一般意志は、譲渡することも分割することもできない絶対的なものなので、政府や法はこれに依存します。

一般意志は人民自身の意志ですから、それに服従することは、自分自身に従うことになります（自分たちでセットに決めたのだから文句は言えない）。人民は、みずからが制定した法に従うことによって、権利を保証され自由を獲得することになります。

また、一般意志にもとづいた政治なので、ルソーは「間接民主制（代議制）」を批判し、「**直接民主制**」を唱えました。基本的人権、主権在民、自由平等などの思想は、近代市民社会の原理として、フランス革命などに大きな影響を与えました。マルクスの思想 ☞ **P275** にもつながっていきます。

哲学と経済学の関係

✳✕✕✕✕✕✕✕✳

経済学の背景には、人間の感情がある

✳ 重商主義を批判したアダム・スミス

　私たちは**市場経済**の中で生きています。これは、16世紀以降のヨーロッパに成立した資本主義経済とほぼ同時期に展開されました。市場経済が成立するには、土地や労働などの生産要素が、市場で交換されるようになることが前提でした。この条件を整えたのが**重商主義**の政策です。

　歴史的に有名なイギリスの東インド会社などの植民地政策は、重商主義によるものです。しかし、重商主義の政策を進めると、他の国も負けじと同じやり方で対抗してきます。そして、互いに関税障壁を設けて輸入を抑制するので、全体的に外国貿易がとどこおります。

　そこで、イギリスの哲学者・経済学者のアダム・スミスは『国富論』でこれを批判しました。重商主義では、富を代表するものは金銀または「財宝」でした。これは金銀貨幣に最大の価値をおき、これらの増大を重視する経済政策です。金銀を獲得する手段は海外貿易なので、富の獲得される場所は海外市場になります。また、低コストで低価格の商品を輸出します。すると労働者の賃金は低く抑えられることになり、長時間労働で苦しくなってしまいました。

アダム・スミス
1723年 -1790年
イギリスの哲学者、倫理学者、経済学者。スコットランド出身。重商主義を批判し、自由主義経済を主張。著書『道徳感情論』『国富論』など。

デイヴィッド・リカード
1772年 -1823年
イギリスの経済学者。「比較生産費説」を主張。マルクス、ケインズと並ぶ経済学者。著書『経済学および課税の原理』など。

✳ 神の「見えざる手」によって富が生まれる

　アダム・スミスは、これを批判し、富とは特権階級（金銀を重視する階級）ではなく、諸階層の人々にとっての「生活の**必需品と便益品**」を増すことであると主張しました。

　多くの人が豊かになるには、「国を富ませる」必要があります。そのためには、自国の労働により、生産力を高めれば、富の量は増大することになります。「だが、こうすることによって、彼は、他の多くの場合と同じく、この場合にも**見えざる手**に導かれて、みずからは意図してもいなかった目的を促進することになる」（『国富論』）。

　ところで、アダム・スミスの著作『道徳感情論（道徳情操論）』は、1759 年に出版されました。こちらは哲学（特に倫理学）について著されたものです。ここでいう感情とは**同感**（共感、シンパシー）のことです。人間は同感を通じて他者から評価されること、承認されることを求めます。でも現実にはそれぞれが主張をもつので利害関係が生じます。そこで人間は、利己心・相互愛・慈悲心などの感情を「公平な観察者」の立場から基準を決める必要があります。

　この経済学とは一見関係のないような哲学の主張が、『国富論』の「利己心」、「（神の）見えざる手」（現代の需要供給の均衡理論）につながっていったと考えられます。

古典経済学の基本的な流れをみてみよう

✳ 哲学と経済学の関係とは？

スミスの哲学では、神は人間にいったん**利己心**という本能を与え、後は人間にまかせているとされます。神は人間を創造した後は、「自由にやりなさい」と言っているらしいので、人間はその本能をどんどん活用すればよいことになります。

むしろ、人間はせっかく神からいただいた利己心を十分に発揮させた方がいい。これぞ神の意図にかなうものだというわけです。

スミスの『国富論』によると、利己心は一般的には悪徳だとみなされています。しかし、この悪徳と思われるものが、知らず知らずのうちに社会公益の福祉を進めます。神が人間に埋め込んだ「利己心」が自動的に働いていると言うわけです。

「利己心」を発揮すると、「**節約**」「**勤勉**」などの徳が生まれます。特に、健康や財産、社会的地位や名誉について配慮するという態度が生じるとされています（「**慎慮**」の徳）。

さらに、市場価格も自由競争で決まるので、商人たちの利潤と人々の需要によって、自動的に決定します。市場の商品に対する需要と供給が食い違っていても、価格をシグナルとする市場の自由な競争によって、自動的に**均衡価格**（スミスは自然価格と呼んでいた）におさまるという理論です。ただし、これが成立する条件は「**完全競争**」のもとにおいてであるとされます。

売り手と買い手が、それぞれが自由に価格や供給量を決定し、商品はすべて同じ品質で、価格は１つだけ、また、誰でも自由に市場に参入や撤退ができるという条件です。現実的に検証するにはなかなか難しい条件です。

✳「セイの法則」では、現代の経済は説明できない？

　産業革命での貧富の差は、私有財産制度と専制政治にあると主張される中で、マルサス ☞P196 は貧富の差の原因を人口法則に求めました。

　イギリスの古典経済学者デイヴィッド・リカードは、人口法則を受け入れつつも、マルサスの『利潤論』を批判して、穀物の自由貿易を主張しました。

　リカードは、地主・労働者・資本家の３大階級へ、地代・賃金・利潤が分配される原理を明らかにしました。また、資本蓄積に伴う３大階級の分配の変化を解明し、さらに『経済学と課税の原理』（1817）で**労働価値説**を基礎とする分配論として体系化します。国際分業論（比較生産説）も展開しています。

　労働価値説とは、商品の価値は、その商品を生産するために社会において必要な労働時間によって決定されるという説です。イギリスでは、スミス、リカードらに代表される説で、この説はフランスでも発展し、後にマルクスによって完成しました。

　ところで、フランスの経済学者ジャン・バチスト・セイ（1767〜1832）は、貨幣は交換の媒介手段にすぎないと主張しました。生産物は生産物によって支払われるものと同じ価値なので、社会全体で生産と消費（販売と購買）はつねに等しくなります。

　ということから、セイは、全般的な過剰生産が起こることはありえないという「販路説」を主張しました。これは、「供給は自らの需要を作り出す」という定式で、ケインズによって**セイの法則**と呼ばれました。これは、作っておけば最後は売れるということです（ちょっとおかしい…）。

　その後、古典経済学者の中で、セイやリカードの説が中心となりましたが、リカードの没後は、J.S.ミルの経済学 ☞P153 が展開されます。

　20世紀になってからはケインズによって、販路説が全面的に批判されることになりました。

マルクスの唯物史観

✖✖✖✖✖✖✖✖✖

働く気力がなくなってくるのはなぜだろう？

✳ 資本主義の中では労働者はやる気をなくす

　ドイツの哲学者・経済学者マルクスは、ヘーゲルの観念論を**唯物論**へとシフトし、弁証法によって歴史の科学的な法則性を説きました。ヘーゲルは、労働を弁証法 ☞P96 で説明しました。人は内側にあるものをいったん自分から引き離し（**疎外**）、客観化してもう一度、自己を自覚するという形で成長していきます。

　本来、労働とは自分自身を表現する楽しい自己実現です。ウキウキして労働するのが、真の姿だったわけです。しかし、私たちは、なぜか労働は苦しいもの、できれば避けたいものと考えます。

　マルクスによると、資本主義社会において生産物は商品となり、労働力までもが商品化されています。マルクスとエンゲルスに影響を与えたドイツの哲学者フォイエルバッハは、人間が「**類的存在**」であるとします。類的存在とは、物質の生産と交換によって互いに助け合っていく存在であるということ。資本主義社会では、その理想が実現していないようです。マルクスは、このような現象が生じるのは、資本主義社会そのものに問題があるからだと考えました。

カール・マルクス
1818年–1883年

ドイツ・プロイセン王国出身の哲学者、思想家、革命家、経済学者。科学的社会主義を確立。31歳以降はイギリスを拠点として活動。友人エンゲルスとともに『資本論』を著す。20世紀以降の国際政治・革命運動に多大な影響を与えた。

✳ 労働疎外に陥ると、自分が自分でないような気分になる

　ヘーゲルが説いたように、人間は自分自身を他人に**承認** ☞ P95 してもらいたいという意欲のもとに労働します。

　でも資本主義社会の「分業」の中では、自分の個性が消え去り、匿名性の生産物をつくっていることになります。そんな状態で働いていると、自分が機械の部品のような気分になるかもしれません。

　このような中では、生産物がよそよそしく自分の手を離れていき（疎外が生じ）、「労働から疎外されている（**労働疎外**）」状態に陥ります。これは、本来の自己実現を目指す人間の姿ではありません。

　さらに、資本主義では、人間と人間の社会関係がゆがめられて、物と物との関係が中心になります。様々な商品が交換されていく中で、金（ゴールド）が共通する商品となりました。これが**貨幣**です。

　人間と人間の社会関係がゆがめられて、物と物との関係が重要になると（物神化）、貨幣そのものが価値を持つかのような錯覚が生じるとされます（物神崇拝）。お金・物を万能なるものとして崇拝する態度は、**物神的性格（フェチシズム的性格）**と呼ばれます。フェチな性格をもつ資本家の場合、自分の金を貯めるために、労働者をこきつかうことになります。

　では、どうしたら労働者は本来的な自己を回復することができるのでしょうか。

生き生きと働く場を見つけるにはどうすればいい?

✳ ある一定段階の生産関係に入ると人は暴動を起こす

マルクスによると、商品には、それが役立つ価値（**使用価値**）と交換の値打ち（**交換価値**）がありますが、交換される物に共通するのは「労働」です。つまり、どれだけの労働が費やされたかでその物の価値が決定します（**労働価値説**）。

マルクスによると、労働者の労働力もまた商品であり、労働力と交換されるものが「賃金」ということになります。賃金は労働者が働けるように最低限の衣食住の費用が支払われます。

資本家は労働者を多めに働かせて「剰余価値」を生み出し「搾取」をします。資本主義社会においては、「生産手段（土地・工場・機械など）の私有」と**労働者の労働力の商品化**が行われます。生産物は商品となり、労働力が商品化され、かつ、この生産物は資本家に属しています。

マルクスは、「一定の成熟の段階に達すれば、特定の歴史的形態は脱ぎ捨てられ、より高い一形態に席を譲る」と説いています。歴史を深く研究していたマルクスは、資本主義が未来においてどうなっていくのかを予測したのでした。

会社と会社が戦えば、会社が淘汰されていきます。これが世界全体に広がっていけば、資本主義は必然的に崩壊すると考えられています（諸説あり）。

社会の物質的生産諸力が発展していくと、一定の段階にある生産諸関係および財産所有関係と矛盾するようになります。つまり、生産性がアップしてくると貧富の差は大きく開くわけですから、ある程度のところまでいくと、こき使われている方も頭にきて暴れ出します。これは**階級闘争**と呼ばれています。

✳ マルクスの理論はまだまだこれから？

　マルクスは、人々が生活に必要な物資を社会的に生産することによって、ある生産関係（資本家・労働者）を形成し、それが社会全体のあり方の**下部構造**（土台）となって、その上に法律制度や政治制度（イデオロギー）が**上部構造**として成り立つと考えました。まず、経済的土台があるからこそ、それにみあった政治・法律・文化などが成立すると言えます。

　ところが、ここに、生産力と生産関係の矛盾をテコとする弁証法的発展をみてとることができます。というのは、生産力は常に変化・発展するものであるのに、生産関係つまり使う側と使われる側の関係は固定的でなかなか変化しません。こうなると、革命が始まるしかありません。

　経済的基礎が変革されると、それにともなって上部構造全体が変革されることになり、歴史的な革命として現れます。これは、**唯物論**をもとにした科学的な法則として理解されていました。

　資本主義が弁証法的に破壊された後は、社会主義制（共産主義制への過渡期）の段階に入るとされます。この段階では、資本家がいませんから労働者は搾取されることはありません。生き生きと働けて、かつ「働きに応じて報酬を受け取る」という理想の状態になります。

　社会主義制はさらに、「必要に応じて受け取る」という歴史のゴールとしての共産主義へと移行します（みんなが、いつも焼肉食い放題のような理想社会です）。

　実際には、社会主義制に移行しても、ソ連の崩壊（1991）があったように、理論通りには進みませんでした。中華人民共和国の場合は、共産党政権のもとに資本主義政策が進んでいます（一国二制度）。

　しかし、哲学的に頭をやわらかくして、「世界大恐慌が起こったら、マルクス主義が復活するのでは？」など、様々なシナリオについて考えてみることは自由です。

ケインズの経済学

⬦⬧⬦⬧⬦⬧⬦⬧

世界恐慌がきたらどのような対策をとるのか

✳ この世に失業者が発生する理由とは？

古典経済学 ☞ P140 では大量失業の発生は高すぎる賃金率に原因があると考えられていました。賃金率の下落をおさえようとする動き（労働組合の行動）なども関係があるとされます。

この説によると、失業は**自発的失業**ということになっていました。

自発的失業とは、働く意欲はあるのですが、現在の賃金が低いことを不満に思って失業している状態です。

だから、政府はできるだけ経済に介入せずに（小さな政府）、どんどん自由放任しておけば、そのうち働く者が増えるというのです。セイの法則 ☞ P141 とともに、これらの考え方は正しいとされていました。

しかし、1929 年の世界恐慌により、大量の失業者が発生し、働きたいのに働けないという**非自発的失業者**が大量発生しました。

ケインズは、非自発的失業を解消する力が市場にないとするなら、何らかの刺激を加えなければならないと考えました。

つまり、労働者の数が余っているわけですから、労働需要を高める必要があると考えたのです。

J.M. ケインズ
1883 年 –1946 年

イギリスの経済学者。『雇用・利子および貨幣の一般理論』において、有効需要論・乗数理論・流動性選好説を展開。失業と不況の原因を明らかにして完全雇用達成の理論を提示した。この理論にもとづき政府による経済への積極的介入が行われた。

✳ 富や所得が不公平なのはなぜ？

　ケインズによると、私たちが生活している経済社会の悪いところは、完全雇用が実現していないこと、また、富および所得が不公平な分配であることです。

　ケインズの**マクロ経済学**は、古典経済学の自由放任主義を批判することで経済学に大きな転換を促しました。マクロ経済学は、産出高、消費、投資、利子率などの相互依存関係として表されるものです。

　ケインズは、投資が増加すれば仕事も増えるので所得も増加するという理論（乗数理論）を唱えました。それには減税が必要だとされます。また、公共投資などの政策により投資を増大するように誘引すれば、**有効需要**（貨幣を使って買うこと）が増えます。

　失業の原因は、有効需要の不足であり、労働者の数が余っている理由は、生産物の需要（消費と投資）が足りないということです。そこで、ケインズは、政府による有効需要の創出、つまり仕事を増やすことによる不況克服と完全雇用の実現をはかるべきだと主張しました。

　ケインズによれば、景気が悪くなったときは、あえて**利子率**を下げてしまえば、自然に人々が新たな事業に投資するので、景気は良くなります。そのためには従来の均衡財政を気にせず、あえて国が**国債を発行**します。そのことで、事業が活発化するのです。

日本の財政危機はある？　ない？

✳ 株をやる人は少なくて、貯金しておく人が多い理由

投資とは、将来の収益を見込んで行われる現時点での意思決定といえます。将来の収益を得るためには、多額の借金をして、不確実な将来へ向けて事業を開始します。だから、投資は将来の収益と費用に対する人々の**予想（期待）**に左右されます。ケインズによると、主観性の強い現象が投資の本性とされています。

また、利子率が決まれば投資が決まり、投資が決まれば有効需要が決まります。有効需要が決まれば生産量が決まるので、その生産に必要な雇用量が決定されます。この利子率とは公定歩合ではなく、企業が設備投資資金を金融市場から借り入れる際に提示される平均的な長期金利のことです。

伝統的な経済学では、利子率を、現在の消費をがまんしたときの報酬という意味で解釈していました（待忍説）。

ケインズはこれを批判しました。なぜかというと、私たちは所得を得ると、そのうちのいくらぐらいを消費に回して、いくらぐらいを貯蓄に回すかをまず決めます。これは、**消費性向**と呼ばれます。ケインズによると、利子率が上がったからといって、消費と貯蓄の割り振りは習慣ですから、買うのをがまんして蓄財でがんばる人はあまりいません。

消費性向によって貯蓄額が決まったら、どうやって貯蓄するかを考えます。タンス預金にするか、半分は定額預金で半分は投資信託にするか、あるいは、おもいきって株や債券に投資するかを決めます。そこで意思決定に使われる材料が利子率です。つまり、利子率は貯蓄形態の内容選択を左右するわけです。ケインズの前提する世界は、未来が**不確実性**に満たされた世界です。だから、資産形態の一種として、利子を生まない貨幣を選好することが多いのです。

✳ 日本に財政危機が起こるのかどうかを考えるヒント

このように、貨幣が選好されることを、ケインズは、**流動性選好**と表現しました。金利が高いときに流動性選好を示す人は少なく、逆に、現行金利が低いときには、金利が上がったら恐ろしいので、今投資はやめておこうと判断して流動性を選好する人（貨幣を選ぶ人）が多くなります。

これらは、**心理的**なものが大きいので、政府高官の一言が、大きく影響し、働く人々の雇用を揺り動かすわけです。

さて、利子率が決まると、これと資本の限界効率（予想される利潤率）を予想して投資が決まります。投資が決まる過程で有効需要が発生し、その有効需要が吸収しうるだけの財・サービスが生産されます。そして、その生産に必要なだけの仕事が増えます。しかし、それが完全雇用になるかどうかはわかりません。多くの人の需要が完全雇用を超えれば、賃金・物価ともに上昇してインフレーションになります。完全雇用に届かなければ、**デフレーション**となり非自発的失業が発生します。

デフレになったら、景気に刺激を与える必要があります。金融政策では、失業者対策として金融緩和をします。公開市場操作では、中央銀行が引き受け手となって債券等を買い取りますので、その代金で貨幣供給が増えます。ケインズが金本位制離脱、現在の**管理通貨制**を主張した理由です。デフレが止まらず、金融政策がうまくいかないときは、**財政政策**により政府の支出を増やします。「○○政権、□□兆円の予算案」といった感じです。これをケチらずにどんどんやれば、景気は回復します。

ところで、政府の借金は黒字になったら返さなければなりませんが、これを行わずに、財源の余裕がみえた途端に、もっと景気刺激策に使ったりすると、財政問題が生じるとされます。はたして、国が借金をして積極的な財政政策をしたほうがいいのか。あるいは、財政収支（プライマリーバランス）を保った方がいいのかは、今も議論されています。

功利主義の思想、その他

✖✖✖✖✖✖✖✖✖✖✖

「最大多数の最大幸福」をめざそう！

✳ 功利主義は現代まで絶大な影響を与えている

イギリスの哲学者・経済学者ベンサムは功利主義を体系化して社会に大きな影響を与えました。ベンサムによると、自然は人類を、「**快楽（pleasure）**」と「**苦痛（pain）**」という2人の君主の支配下におきました。

ベンサムが新しかった点は、道徳的な善悪の基準も快楽と苦痛によるとしたところです。ベンサムは、快を増す行為は善であり、苦をもたらす行為は悪であると断言したのです（**功利の原理**）。

このことから考えると、道徳や宗教によってすすめられる禁欲は間違っていることになります。「禁欲＝道徳的善」の根拠が薄くなりますので、今までの道徳哲学と正反対となります。

功利主義では、行為の善悪は、行為そのものの本質によって決まるのではなく、行為から生じる「結果」がどれだけ多くの快楽を含んでいるかによって決まるのです。このような考えは**帰結主義（結果説）**と呼ばれます。カントの動機主義 ☞ **P93** と比較するといいでしょう。

従って、利害関係者の快楽を増進させるか減少させるかによって、いっさいの行動の是非を決定する必要が出てきます。

ジェレミー・ベンサム

1748年–1832年

イギリスの功利主義哲学者、法学者。富裕な弁護士の家に産まれる。12歳でオックスフォード大学に入学。著書『道徳と立法の諸原理序説』。

ジョン・スチュアート・ミル

1806年–1873年

イギリスの政治哲学者、経済思想家、科学哲学者。著書、『経済学原理』など。『論理学体系』では因果関係と真理性の問題を扱う。

✳ 快楽計算をしてみよう！

　そこで、ベンサムは、ある行為の結果が、どれだけの量の快楽または苦痛を生むかを知り、その大小を比較しなければならないと主張します。その方法が**快楽計算**です。

　快楽計算は以下の７つの快楽基準をもとに計算します。①その快がどれほど強いか（強度）、②その快がどれほど持続するか（持続性）、③その快がどれほどの確実さをもって生じるか（確実性）、④その快がどれほど速やかに得られるか（近接度）、⑤その快が他の快をどれほど生む可能性があるか（多産性）、⑥その快が苦痛の混入からどれほど免れているか（純粋性）、⑦その快はどれほど多くの人に行き渡るか（範囲）。これらによって快楽と苦痛の総量が決定されるのです。

　功利主義では、快楽は幸福という語に置き換えてよいのです。そうなると、社会は多くの個人によって構成されていますので、できるだけ多くの人が苦痛を避けて快楽を得られるようにすれば幸福が増えます。よって、ベンサムは、個々人の幸福の総和が最大になるときに**最大多数の最大幸福**が達成される考えました。

　社会全体の幸福は、功利の原理を**立法・行政の原理**にまで拡大することによって実現するのです。ベンサムの**政治哲学**は、現代にも大きな影響を与えています。

J.S.ミルの哲学・社会学・経済学

✳ がむしゃらに快楽を増やせばいいというものではない

　イギリスの哲学者・経済学者のJ.S.ミルは、ベンサムから功利主義を学びましたが、これを批判して発展させました。ミルは、ベンサムの「最大多数の最大幸福」を引き継ぎましたが、快楽の質的な違いについて考えたのです。快楽計算では、結果だけが重視されます。

　ミルは、快楽にも高級なものと下劣なものがあるのではないかと疑問をもち「満足した豚であるよりも、不満足な人間の方がよい。満足した愚者であるよりも、不満足なソクラテスの方がよい」（『功利主義』）と説いて、**質的功利主義**を主張しました。

　豚には人間がもつような悩みはないけれども、やっぱり豚にはなりたくはありません。ミルの考えでは、質のよい快楽を増やせば、功利主義の成果が実現します。また、社会すべての人たちが良質な幸福を求めるならば、理想の社会が生まれるはずです。

　ミルの質的功利主義を、現代政治学者のサンデル 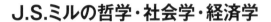 P220 は、日本でも有名になった『ハーバード白熱教室』の授業で、ユニークな方法で実験しています。

　ところで、個人の幸福（快楽）と社会の幸福（快楽）はいつも一致するとは限りません。よって、利己心を自制心によって克服し、**利他主義**を拡大する必要があります。

　個人が社会一般の幸福のために、自分の幸福を犠牲にしなければならないこともあるので、真の快楽・幸福は献身であるとされます。

　これを実現するには「他人から自分にしてもらいたいと思うような行為を人に対してせよ」というイエスの**黄金律**が大切であると説かれています。

✳ 日本の今と未来に関係のある話

ミルは、個人の思想や行動に自由な判断をゆだねて、社会的な規制を最小限に抑えるべきであるとする『自由論』を著しました。

ここでは、社会が個人に対して行使してよい権力の限界について示されます。ミルは自分にだけ関わる領域が、人間の自由の本来の分野であるとします。ここには、①思想と良心の自由、②趣味及び探求の自由、③団結の自由の3つの自由が示されています。個性の自由・完全な発達こそが人間の目的なので、これらが尊重されます。

また、個人の自由を干渉できるのは、他人への**危害の防止**の場合だけだとされました（危害防止原理）。

ミルは、経済学者でもあります。私有財産制度と競争が永遠不変のものではなく1つの歴史的制度であると考えました。時代が進めば、人々の幸福のために、社会を改善することができます。これは社会主義の歴史の発展段階に影響を受けています。

生産の法則は物理的なものなので、変更するのは難しいでしょう。しかし、人々への分配の制度は社会の法律や慣習に依存しています。人為的だから変更可能です。

ミルは、生産論において、労働の生産力を増やすことについても考察しています。その要素には、「勤労」「技能と知識」「単純な協業と分業に基づく協業」「大規模生産」などをあげています。

ところで、生産の増加が制約されるのは、マルサス ☞P197 とリカード ☞P141 以降に共通認識となった人口法則と**土地収穫逓減の法則**がありました。土地収穫逓減の法則とは、農業生産量を増やすためのコストに対して、人口増加で農業生産が追いつかなくなるという予測説です。

ミルは、社会制度を変えてもこれらの生産の法則は変えられないので労働者の生活改善をするためには、産児制限による人口の抑制が必要であると考えました。これは現代日本の少子化問題とも関係があります。

全体主義と倫理思想

✖✖✖✖✖✖✖✖✖

なぜ、ナチスのユダヤ人虐殺が生じたのか

✳ 国家に危機が生じると悪者をつくりだしていじめが起こる

　ドイツ出身のユダヤ人哲学者・思想家であるハンナ・アーレントは、ヒトラーが政権を握ると、1933 年にパリに亡命しました。1940 年にフランスがドイツに降伏したので脱出し、1941 年にニューヨークに亡命します。そして、1951 年に『**全体主義の起原**』を著しました。

　これは、帰属意識を失って孤立した大衆が、ナチスの人種的イデオロギーに所在感をもとめていく過程を分析した内容です。

　アーレントによると、19 世紀のヨーロッパは文化的な連帯によって結びついた**国民国家**となっていました。国民国家とは、文化を共有している人々の集合体・国民と国家の統一を目指す国家です。

　ところが、当時の国民は富裕層と貧困層に分かれていましたので、「文化的に 1 つだ」と主張しても理想通りにはなりません。

　また、ユダヤ人はユダヤ教で結びついています。これは、階級社会から別のグループとして離れているという側面がありました。国家の中で不満が起こると、人々はユダヤ人に八つ当たりするようになったのです。

ハンナ・アーレント
1906 年 –1975 年
ドイツ生まれのユダヤ人政治哲学者・思想家。『イェルサレムのアイヒマン』などの著作が社会に大きな影響を与えた。

エマニュエル・レヴィナス
1906 年 –1995 年
フランスの哲学者。フッサールやハイデガーの現象学に影響を受け、独自の倫理学で他者論を唱える。著書『全体性と無限』など。

✳ プロパガンダで頭が染められる

　この典型例がドレフュス事件でした。フランス軍の参謀本部に勤める
ユダヤ系将校のアルフレッド・ドレフュスは、スパイ容疑で逮捕され、
ユダヤ人であるがゆえに、強い嫌疑をかけられ終身流刑に処せられまし
た。

　資本主義が**帝国主義** 🔍 P304 に移行することは、資本の輸出を進める
政府が他国支配を強めることを意味します。

　国民国家は領土、人民、国家を歴史的に共有するはずですが、帝国主
義の段階では異質な住民を同化し、「同意」を強制するしかありません。

　危機感が高まると、個人は帰属意識を失って流されやすい大衆の１人
となります。

　すると、人は孤立して無力感にとらわれ、所属感を与えてくれる空想
的なフィクションにひかれてしまいます。

　こうして、**ナチスのプロパガンダ**により、支配人種と奴隷人種、白色
民族と有色民族、高貴な血統と下等な血統という区別が生まれ（優生思
想も関連します）、これに大衆は惹かれていったのです。

　結果として国民国家はドイツ人＝アーリア人という図式になってしま
いました。ヒトラーはユダヤ人をドイツ人とは認めず、合法的にユダヤ
人排除を進めていきました。

他者とわかりあえる社会をつくろう

❊ いろんな意見を自由に言えるのが理想だが…

　この地上に生きる人は１人ではなく、多数の人々です。そのひとりひとりはユニークであって、ひとつの枠でくくることはできません(**複数性**)。

　ところが、このように人間が他の人々とともに生きるという公共性をもつ社会において、それぞれの生き方がバラバラになり、公共性の歯止めが失われるときに全体主義が進みます。

　アーレントは『人間の条件』の中で、古代ギリシアを例にとり、人間の基本的活動を「労働（labor）」「仕事（work）」「活動（action）」に区分しました。「労働（labor）」とは生活の資を得るための生命維持活動です。「仕事（work）」とは、道具製作などの文化的活動を意味します。また、「活動（action）」とは、人間が「労働」「仕事」以外の時間を利用して政治について語り合う自由な言語活動のことです。

　この市民による自由な「活動」こそ、公共的な政治空間としての役割（**公共性**）を担うものであるとアーレントは主張しました。

　けれども、私的な共同体の根底にあるのは、食欲などの生存本能です（共通の本性）。よって世の中がパニックに陥ると、物事を他人まかせにしてしまいがちです。ヒトラーのような独裁者が登場する要因です。

　アーレントによると、大衆が独裁者に物事をまかせきることは、「大衆自らが悪をおかしている」ことになります。

　アーレントは、複数の意見があることが大切であり、自由に話し合い、共同の活動に参加する自由な行為においてこそ、人間の個性や能力が発揮されるという公共性を強調しました。

　全体主義が再び発生しないようにするヒントがここにかくされているのかもしれません。

✳ 他者がいるからこそ私がいる？

　ユダヤ人哲学者のレヴィナスは、ナチスの捕虜収容所に捕らえられ、家族はほぼ全員殺されました。生き残ったレヴィナスは、現象学 ☞ P116 により、**他者**や殺人についての倫理学を展開しました。

　レヴィナスによると、私も他者もない「匿名性」において、「ただ存在する」状態を「**イリヤ（ilya）**」と呼びます。「イリヤ（ilya）」から出現する「私」は、「絶対的に孤独」です。

　孤独な「私」が「他者」と出会いますが、「他者」は「私」とは絶対的に交わることのない存在です。「他者」の意識に入り込むことはできません。現象学者のフッサールは、「他者」への感情移入 ☞ P267 で、他者問題を説明しようとしました。これは、他者も自分の意識の一部であることを意味しますので、うまく解決がなされていませんでした。

　レヴィナスの場合、他者はまったく理解不能（**超越的**）な存在で、他者の内面的な経験は自分には絶対に伝わってきません。

　私はその他者の「**顔**」と直面して、その背後に超越的な他者の存在を感じます。「他者」は世界の中にいないのですが（世界を超えているところにいるから）、「顔」を通じて「他者」を知ることになります。

　「この無限なものは殺人よりも強いのであって、〈他者〉の顔としてすでに私たちに抵抗している。この無限なものが〈他者〉の顔であり本源的な表出であって、『**あなたは殺してはならない**』という最初のことばなのである」（『**全体性と無限**』）

　さらに、「他者の存在そのものが倫理」です。「他者」は自分の思うようにならない存在ですが、このことが勢い余って殺人へと発展します。殺すと「他者」は「他」ではなくなります。これが殺人です。

　「顔」は、「あなたは殺してはならない」というメッセージを持っています。レヴィナスは、他者の無限の応答への責任を果たすことが倫理であると考えました。

フランクフルト学派の思想

独裁者が現れないための予防の思想

✳ ユダヤ人虐殺はどうして起こったのか

　フランクフルト学派とは、1930年代に、ドイツのフランクフルトの**社会研究所**に集まって研究した人々のことをさします。ホルクハイマーが初代の所長です。その後、彼らはナチスに追われて外国に亡命し、戦後に帰国して、1950年に社会研究所を再開しました。第1世代はホルクハイマー、アドルノ、ベンヤミン ☞P202 、マルクーゼ、フロム、第2世代にはユルゲン・ハバーマス（1929〜）らがいます。

　ナチスのユダヤ人虐殺が代表的な例ですが、国家に危機的なことが起こると、大衆は組織の命令で残虐な行為を平気で行う場合があります。

　アドルノは、『否定弁証法』のなかで、人はなぜ**本来（固有）の自分**といったことを求めるのかを明らかにしました。

　それは、人が同一であり続けたいという思考に縛られているからだといいます。同一性によって同一でないものは排除されるので、民族の純粋性が強調され、ナチスによるユダヤ人のホロコーストにつながったのであると主張されました。

テオドール・アドルノ
1903年-1969年
ドイツの哲学者、社会学者。ナチスに追われ、アメリカに亡命。著書『権威主義的パーソナリティ』など。

マックス・ホルクハイマー
1895年-1973年
フランクフルト学派の代表。アドルノとともに社会研究所を開設。著書に『啓蒙の弁証法』（アドルノとの共著）などがある。

エーリッヒ・フロム
1900〜1980年
ドイツの社会心理学者、精神分析学者、哲学者。ユダヤ系。マルクス主義とフロイトの精神分析を融合。著書『自由からの逃走』など。

✳ 理性的かと思ったら野蛮に逆戻りするから注意！

　ドイツの哲学者、社会学者ホルクハイマーは、フランクフルト学派の創立者で、アドルノとともに『啓蒙の弁証法』を著しました。

　もともと近代的な理性は、世界を神話的な魔術から解放して、自由な文明社会を築くはずでした。

　ところが、理性をもっているはずの人類が、神話時代へと逆戻りして、残虐な行動を起こし始めたのです。

　アドルノやホルクハイマーは、「なぜ人類は真に人間らしい状態へ進む代わりに、一種の新しい野蛮状態に落ち込んでいくのか」と問いました。

　その理由は、理性が、なんらかの目的を効率的・合理的に実現するための形式的で技術的な**道具的理性**に成り下がったからだとします。

　道具的理性は、人間自身も道具的な存在として扱います。だから、ナチスのユダヤ人虐殺の野蛮が生まれたと言うのです。

　ここには、「野蛮」から「啓蒙」、そしてまた「野蛮」という弁証法が起こっているのです（**否定弁証法**）。

　理性の道具化は理性そのものの崩壊であるから、人生の価値などについて考える、本来の理性、つまり**批判的理性**を復権するべきであると主張されました。支配的思想の問題点・矛盾点を暴露する理性が、批判的理性であるとされました。

現代を先読みしたような『自由からの逃走』

✳ なぜ人は自由から逃げたくなってしまうのか？

　ドイツの社会学者フロムは、上位者の権威に盲従しつつも下位者に自らへの服従を求める、非合理的なナチズムの専横を支えた社会的性格を**権威主義的パーソナリティ**と呼びました。

　これは、もともと新フロイト学派を出発点とし、フロムをへて、フランクフルト学派に受け継がれていった概念です。

　フロムによれば、近代人は中世社会の封建的拘束から解放されて、自由を獲得しましたが、孤独感や無力感にさらされることになりました。

　フロムによると、近代人にとって自由は「二重の意味」をもっています。近代人は一方において、伝統的権威から開放されて、自分を自律的な「個人」として自覚するようになりました。

　他方において、近代人は「個人」であるがゆえに「孤独」となります。孤独は耐え難いものなので、「自由の重荷から逃れて新しい依存と従属を求める」か、「人間の独自性と個性にもとづいた積極的な自由の実現に進む」かの二者択一を迫られます。

　フロムによると「新しい形式の権威の服従」が孤独からの避難所となる場合があります。その典型がナチスの全体主義です。あまりに自由だと不安なので、独裁者に丸投げしてしまうという態度でしょう。

　ナチスはヒトラーという現存する指導者に対する「没我的献身」とユダヤ人などの無力者に対する「絶対的支配」を進めました。

　これは「**サディズム**的衝動と**マゾヒズム**的衝動の同時存在」であるとされます。

✳ ナチス政権家では、マゾとサドの満足が起こった？！

フロムは、ナチスの台頭はドイツの中産階級の社会的性格によると説明しました。

「おびえた個人は…自己をとりのぞくことによって、再び安定感を得ようとする。マゾヒズムはこの目標への１つの方法である。マゾヒズム的努力のさまざまな形は、結局１つのことを狙っている。個人的自己から逃れること、自分自身を失うこと、いいかえれば、**自由の重荷**から逃れることである」（『自由からの逃走』）

フロムによると、第一次世界大戦の敗戦により、国の制度や経済が崩壊し不安定な立場に陥った中産階級は、ナチスに服従することでマゾヒズム的欲望を満たしたとされます。また、一方でユダヤ人を支配することでサディズム的欲望を満たしたとされます。

また、高度に発達した資本主義諸国に見られるのが、以下のような状態です。これは現代そのままを表しています。

「…失業状態の苦しみは心理的に到底耐えられないものであり、失業の恐れは彼らの全生活を暗くしている。…失業はまた老人をいっそうおびやかすものとなった。多くの仕事では、たとえ未熟でも適応さえできれば、若い人間だけが喜ばれる。というのは、若いものはその特殊な持ち場の要求する小さな歯車に、たやすく作りかえることができるからである」（同前）

まるで、リアルタイムの現代社会を表現しているかのようです。

フロムは、人間が「パーソナリティ全体の実現」を目指して自発的に行動するのは**積極的自由**（〜への自由）であり、「愛情と創造的な仕事」が必要だとしました。

「誰もが愛に飢えている。…ところが、愛について学ばなければならないことがあるのだと考えている人はほとんどいない」（『愛するということ』）

生と生存の哲学

6章では、一般的に「哲学」＝生き方といった哲学における近代と現代の思想を紹介します。とはいえ、土台にカントの哲学やフッサールの現象学などを置く思想があるので、やはり「わけがわからない」と不満をもたれるところがあるのは仕方がないことです。

まず、アルトゥール・ショーペンハウアーはカントの認識論を引き継いでいます。カントの「現象と物自体」を「現象（表象）と意志」に置き換えます。ここが難しいところですが、現象は有限であるのに意志が無限に湧き出てくるから、人生は苦しみに満ちているという結論はわかりやすいと思います。

アンリ・ベルクソンの哲学もとてつもなく難しいのですが、ここは、デカルト哲学の心身問題と現代の脳科学の問題とをリンクするために節を割いています。

「純粋持続」という真の時間という概念が難関ですが、結論として、「脳と精神は関係があるのは間違いないが、精神のすべてが脳から生まれていると結論するのは早いのではないか？」という、現代の脳への還元主義に対する疑問を提示するものです。

セーレン・キルケゴールは、実存主義の哲学のさきがけとされることが多いようです。哲学の場合、哲学者の人生とその思想が密接に結びついている場合があります（ソクラテスの死刑、ニーチェの発狂など）。人生の流れそのものがその人の思想理解につながることがあります。キルケゴールもその1人

心の内側から直接わかること。それは、リアルに存在して生きている自分

で、家族の問題もさることながら、大衆社会からのバッシング、レギーネとの婚約と婚約破棄など怒濤の人生を送っています。それが『あれかこれか』で著したような人生の選択問題にまで絡んできます。

哲学史的には、近代の絶対的真理から自分にとっての真理、つまり主体的真理へシフトしたということで大きく評価されています。

ハイデガーは、難解な哲学のチャンピオンといえます。現象学によって、「存在する」とはどのようなことかというテーマが延々と説明されます。

また、古代ギリシアのアリストテレス、キリスト教の存在論、近代の認識論などをふまえての思想展開なので、ここからいきなり入るととんでもないことになります。注意が必要です。

現象学的な存在論が説かれた哲学ですが、なぜか「死」の分析のところが大ブレイクし、まるで、「死の哲学」だけを説いた実存主義者のように説明される時があります。「存在論」がややこしいので、敬遠されがちですが、科学万能の現代でも、科学が説明できない分野があることに気づかされます。

カール・ヤスパースの哲学も難解ですが、人間の限界状況について考えるというところが、私たちの人生を的確に捉えていて、ひしひしと伝わってきます。

アランの『幸福論』は気分転換に大変有効です。自己啓発的ですから、生き方を考えるのに最適でしょう。

ベルクソンの哲学

⋙⋘⋙⋘⋙⋘

脳科学全盛の今、心について考えてみる

✳ ホントウに脳で心のすべてを説明できるのだろうか

　フランスの哲学者アンリ・ベルクソンの哲学は、心の中に浮かんでくる記憶についてひとつの答えを提供します。ベルクソンは、著書『時間と自由』『物質と記憶』の中で、身体と精神との関係を説明しました。

　デカルト哲学では、精神と物質は独立した実体 ☞ P80 なので、心と体の関係（**心身問題**）を生みました。現代では、心と脳の問題に姿を変えて残っています。

　心が脳から生まれているという考え方は、大変に説得力があります。でも、脳が精巧なコンピュータであって、思い出を保存する複雑な仕組みをもっているとしても、「思い出は、脳の海馬に記憶されている」といった説明はあまりしっくりきません。「あなたの、味噌ラーメンがおいしいという刺激は、脳のどこそこにある…」という説明を聞いていても、味噌ラーメンのあの濃厚な風味とそのメカニズムの説明が結びつきません。これはつまり、**心と脳の並行状態**が続いているということです。

　たまには、学校で習った脳を中心とする記憶についての理論に惑わされることなく、自分の内面と語りあってみるとよいでしょう。

アンリ・ベルクソン
1859 年~1941 年

フランスの哲学者。パリ出身。1927 年ノーベル文学賞受賞、1930年レジオン・ドヌール最高勲章受勲。コレージュ・ド・フランス教授。「純粋持続」の時間を説く。「生」は創造的な進化の活動であるとした。著書『物質と記憶』『創造的進化』など。

✳ 真の時間は、純粋持続だという難解な説

　意識というのは、大きな流れです。音楽のメロディは全体でひとつなので、逆さにしたり、バラバラに音を取り出したりはしません。

　ベルクソンは、これを**純粋持続**と呼びました。純粋持続は時計の針と目盛りで空間的に表現されるものではありません。真の時間は全体として流れています。

　ところで、ベルクソンは物質を、直接視覚で捉えられた色、形などの、**イマージュ**（image、形象）の集合として捉えます。物質がイマージュの集合であるのに対して、精神とは過去のイマージュを保存した記憶そのものです。ベルクソンは複雑な思索の末、精神（記憶）と身体（物質）を「持続の**緊張と弛緩**の両極に位置するもの」と結論しました。

　精神は、持続の緊張した状態ですが、選択されたイマージュの集合としての物質は、持続が弛緩した状態であるとされます。

　大変にわかりくいのですが、過去の思い出にひたったり、目の前のコップを見たりなどを繰り返すと、精神と物質がつながっていて、行ったり来たりするのが感じられます。

　こうすれば、精神と物質は二元論で、ズバッと切り分ける必要はありません。純粋持続で統一されることになるわけです。

精神の記憶があって、それから物質がある

✱ 脳は電話会社のような仕事をしている？

ベルクソンによると、記憶は脳に保存されるのではありません。ここが、現代の脳科学と違うところです。ベルグソンは記憶が脳のデータのように局在しているのではないと考えました。

このことを、ベルクソンは、ラジオの電波と受信機に比べました。電波は受信機とは無関係に空間を流れていますが、音として再生されるためには受信機を必要とします。同じく、精神において保存され記憶されていた過去のイマージュが、現在の行動に対応して必要なものが取り出されて再現されるために、**脳の媒介**が必要となります。

だから、ベルクソンは、脳とは電話の交換手（今でいうとスマホのキャリア会社）のようにイマージュを選ぶ「選択の機関」であるとしました。

脳と心は密接な関係にありますが、心のすべてを脳に還元することはできないというわけです。

ベルクソンは新プラトン主義から大きな影響を受けていますし、神秘主義的な側面ももっていました。『精神のエネルギー』には、かなり神秘的なことが書かれています。

「もしも精神が脳の厳密な意識と身体と運命を共にし、身体といっしょに死ぬことを認めることができるとしても、あらゆるシステムとは無関係に事実を研究すると、われわれは逆に、**精神の生が脳の生よりもはるかに大きいものだと考えるようになります**」

もしかすると、精神が脳から出てくるのではなく、精神は物質としての脳をも包み込んでしまっているのかもしれません。現代哲学でもこの説に再びスポットが当てられています（マルクス・ガブリエルなど）。

✷ 生命の飛躍から愛の飛躍へ

マルセル・プルーストの作品『失われた時を求めて』には、紅茶に浸したマドレーヌの香りによって、幼い頃の記憶が突然呼び起こされたエピソードが記されています。

思い出とは、単にデータが再現されるのではなく、ジワジワーとよみがえるものです。それは単に物質から生まれたのだとはとても思えないような神秘的なものでしょう。

普通に自分で考えてみて、「脳の電気的な反応によって思い出に浸っている」という捉え方には何か違和感を感じるのではないでしょうか（ただ、現代ではコンピュータが意識をもつという説もあります ☞ P339）。

ベルクソンはさらに、宇宙全体を「生命の持続＝創造的進化」の世界として、『創造的進化』を著しています。これは、スペンサーの社会進化論から出発し、「持続」の考え方を生命の進化にまで広げて考えたとされています。生命の進化を推し進める根源的な力は、**エラン・ヴィタール（生の飛躍）**です。

また、『道徳と宗教の二源泉』では、その創造的進化の立場から、道徳説と社会説が説かれました。進化の途上において、人間が知性をそなえることにより、自己の死を知り、利己主義におちいります。その防御策として、権威的な道徳（静的道徳）、迷信的な宗教（静的宗教）が自然発生します。

このような道徳と宗教が支配する**閉じた社会**では、集団は内部的な生の停滞と排外的な抗争に陥ります。そこで聖人たちは、深く創造的生命に沈潜し、神と合一することによって、人類愛にもとづく「開いた道徳」「動的宗教」を実現し、**開いた社会**を実現しようとします。

ベルクソンの哲学は、「根本原理」→「自然の仕組み」→「生き方」という古典的な哲学のパターンをちゃんと踏んでいます。現代の脳と心の関係を、改めて考える際のヒントとなるでしょう。

キルケゴールの哲学

✖✖✖✖✖✖✖✖

今生きている「私」についての哲学が始まった

✳ キルケゴールの生きた時代

キルケゴールは、北欧の小国デンマークで活躍した 19 世紀の思想家です。彼はほとんど理解されないまま、42 歳で短い生涯を孤独に終えました。

本人は別に哲学を説いていたつもりではなかったらしく、キリスト教の著作を書いていたつもりだったそうです。

けれども、キリスト教徒ではなくても、その哲学思想が多くの人に影響を与えたのでした。キリスト教の話を抜きにしても、キルケゴールからは得ることは多いと言えます。

キルケゴールの生きた 19 世紀前半は、「デンマーク文化」の黄金時代といわれました。新聞・雑誌が大量に出版され、マスコミの発展が著しかった時期です。

また、「絶対王政の崩壊」「自由憲法の施行」などの社会的な転機もあり、自由が広がった時期でもありました。

キルケゴールはマスコミに叩かれたり、教会との意見が食い違ったりしていろいろと悩みました。家庭では父親が厳格すぎたうえ、母親も兄弟も次々と亡くなっていくという不幸にみまわれます。

セーレン・キルケゴール
1813 年 -1855 年

デンマークの思想家。実存哲学の先駆者とされる。コペンハーゲン大学神学部卒業後、1841 年 - 1842 年ベルリン大学でシェリングに学ぶ。匿名で多くの著書を残した。『あれかこれか』『不安の概念』『死に至る病』『キリスト教の修練』など。

✳ 客観的真理から主体的真理へ

　キルケゴールの哲学は**絶望**との闘いです。生き残ったキルケゴールと弟、父親は、ものすごく暗い生活に突入します。

　彼は、あるとき「大地震」と呼ばれる経験をします。「そのとき大地震が…、私の父が長生きしているのは、神の祝福ではなくて、むしろ神の呪いであったことを、私は予感した」（1835 年の日記）。

　この内容が具体的には何なのかはわかっていません。この意識変革のあとにキルケゴールは、レギーネ体験（後述）を経て、深い思索に入っていきます。

　彼はヘーゲル P233 の客観的精神ではなく、自分にとっての**主体的真理**を追究していきます。そのために、絶望についての徹底的な考察がなされていきます。

　「私の使命を理解することが問題なのだ。私にとって真理であるような真理を発見し、私がそれのために生きそして死ぬことを願うようなイデー（理想のこと）を発見することが必要なのだ。いわゆる客観的な真理などを探し出してみたところで、それが私になんの役に立つだろう」（『ギーレライエの手記』）

　ヘーゲルの場合は、世界の大きな動きを法則的に捉えていきましたが、キルケゴールは、**生きている私**（実存）について考えました。

絶望が人を成長させる

✳ 絶望とは死ぬこともできずに生きていく状態

　キルケゴールによると、どんな人でも「絶望」に陥るとされます。というのは、人間は一生、自分自身とつきあっていく存在だから、自分との関係が悪くなることがあるのです。あまり長いこと同居していると家族であってもときにケンカが起こるようなもの。

　ですから、自分との関係がうまくいかずに、自暴自棄になったり、投げやりになったときなどに「絶望」が始まります。キルケゴールは、この絶望こそが、人間にとって最も恐るべき**死に至る病**であるといいました。絶望して死んでしまうという意味ではありません。

　「絶望」とは死にたいけれども死ぬこともできずに生きていく状態のことです。肉体の死をも越えた苦悩が「絶望」です。生きる屍状態です。

　絶望といってもいろんな種類があり、最悪なのは自分は絶望しているのに、それに気が付かない状態だそうです。

　明るく生きていても、誰でもあるとき絶望に直面します。それは「自分が絶望状態にあることを自覚している絶望」の段階に入ることです。快楽や幸運に見放された自分に絶望して現実逃避する状態になることを**弱さの絶望**といいます。

　一方、**強さの絶望**というのがあります。世の中が理解してくれないのは自分が優れた人間だからだ、と頑固にヘ理屈をとなえて生きる絶望状態です。「誰もわかってくれない！」という感じです。

　罪としての絶望は神がいると思っていながら、絶望したままでいるという罪の状態です。正しいことがありながら、それに背を向けているからもう救われない、という見放されている状態なのでしょう。これは、「死に至る病」の極限状態とされます。

✳ 絶望するから前に進める

キルケゴールは、絶望を人生の成長として捉えることが大切だと考えました。実は絶望的な生き方をしているのに、それを知らない状態が危険なのだそうです。これは**知らないでいる絶望**とされます。人生楽しければそれでいいというように哲学的なことを全然考えないで生きていると、何か危機的なことが起こった時に対処できないので、大変な絶望に陥ってしまいます。

キルケゴールによると、絶望を乗り越えることによって本来の自己をとりもどすのが大事なので、「知らないでいる絶望」では自己生成の運動が生じていないことになります。

ところで、キルケゴールは24歳のとき、レギーネ・オルセンに一目惚れして、婚約にこぎつけました。レギーネも日に日にキルケゴールへの愛を深めていきました。ところがキルケゴールは、日記に実に暗いことを書き始めたのです。

「私自身が変わらないかぎり、私は彼女とともにある幸福よりも、彼女なき私の不幸においてこそ、いっそう幸福でありえる」

考えすぎなのか、キルケゴールは彼女を愛すれば愛するほど、彼女の幸福を願えば願うほど、自分がそれにふさわしくない人間だと思い始めたのです。神を信じようとしても信じられない罪悪感が生じたというのですが、これも個人の内面的なことなので、私たちが完全に理解することはできません。

彼はこの後、匿名で次々と本を出版します。それはすべてレギーネへのメッセージだったとされます。

キルケゴールの実存の3段階は有名です。①**美的実存**（享楽に溺れて挫折）、②**倫理的実存**（まじめに生きようとするがやっぱり挫折）、③**宗教的実存**（神の前に単独者として立つ）。そして、宗教的実存においてこそ、主体性が回復されるとしました。

ハイデガーの哲学

✖✖✖✖✖✖✖✖

存在について考えるのは人間だけ

❋ 「ある」とはどういうことなのかを考える

　ドイツの哲学者ハイデガーは、最初はキリスト教神学を研究していました。後にフッサールの現象学、キルケゴールやニーチェの思想に影響を受け、1927 年の主著『存在と時間』で存在論的な解釈学によって存在への問いを追究しました。

　「存在の意味」を問うこと、「存在とは何か」を問うことは、プラトンとアリストテレス ☞ P29 以来の西洋哲学の根本であるとされます。

　アリストテレスは、「存在とは何か」というこの根本的な問いを発する哲学の動機を「驚き」だと考えています。これは「何かがあることへの驚き」です。世界は無でもよかったのに、なぜあるのか？　そして、「ある」とは何なのか？

　ライプニッツ ☞ P84 も世界は無ではなくてなぜ存在しているのかという疑問を提示していました。ハイデガーは、あらゆる存在者のうち、ひとり人間だけが存在の声によって呼びかけられ、存在の驚異を経験すると説いています。

マルチン・ハイデガー
1889 年 -1976 年

ドイツの哲学者。フライブルク大学教授。フッサールの現象学を発展させ、「基礎的存在論」を展開した。1927 年、主著『存在と時間』第 1 部が発表された。ナチス政権下でフライブルク大学総長に就任。1950 年以降は後期思想と呼ばれる。

✳ 存在と存在者の違いはなに？

ハイデガーによると「存在者の存在は、それ自体、一種の存在者であるのではない」とされます（**存在論差異**）。この存在者とは人間のことだけではありません、コップも机も存在者です。

コップや机を存在させている作用ですから、「存在」自体はコップや机のように見たり手にとったりできるものではありません。

だから、「存在」をコップや机のあいだに探しもとめても見つかりません。ありとあらゆるものを「あらしめている」のが、「存在」です。

この存在作用の場となっているのは人間です。ハイデガーは、人間のことを**現存在**と呼びます。

どうして、わざわざ「現存在」と言いなおすのかというと、「人間」には、二足歩行する生物とか、創作する者とかいろんな定義がなされるからです。「存在について気にする存在」であるという意味で人間を現存在という言葉に絞り込んで表現したのです。

現存在は「存在」のことをどことなくわかっているから、現象学的 **☞ P116** に、自分で自分にインタヴューをしてみれば、「存在」がどういうことなのかがわかってくるわけです。

ハイデガーは、「存在」は現存在の中で働く存在作用なので、現存在の存在構造の分析を行いました。

死を先駆的に覚悟する哲学

✳ 自分が気づかっていることが、世界全体の姿？

ハイデガーによると、私たちの「平均的な日常性」に存在の秘密がかくされているらしいのです。

その基礎構造が**世界内存在**です。私たちは世界という箱の中に投げ入れられたボールのような存在ではありません。それだと、主観・客観図式に逆戻りしてしまいます（私は、私が取り去られても、箱が残る）。そこで、現象学的にシフトすると、私たちは最初から世界と密接に結びついて存在していることに気づきます。

たとえば、猫の世界であれば、猫が関わる猫だけの生活の場があります（これはきっと猫にしか理解できません）。現存在は、世界内存在を了解しているので、現存在と関わる世界を「私たちの世界」だと理解できます。この見方だと、科学的・客観的世界ではなくて、自分にとっての関わりある世界がありありと見えてきます。

ハイデガーは、道具のあり方を使って、この〈世界〉の分析を行っています。道具というものはそれだけで孤立して存在してはいません（**道具連関**）。

私たちの生活でたとえれば、充電器はスマホを充電するために、スマホはアプリを使うために、という連関をもっています。これは、現存在が自分の可能性について気がかりをもっているからであるとされます。スマホで写真をとって、それをアプリで加工して、その加工したものをSNSにアップして…。そこには気がかりが満ちています。つまり、世界は私たちの気がかりの集合体のようなものです。だから、道具連関からはずし、その使用価値を剥ぎとり、ただの物体として捉える今までの近代的な考え方はおかしいということになります。

✳ 死を覚悟することで主体的に生きられる

　現存在の自己自身の可能性に対する気づかいからはじまり、そこに収斂していく意味の網目が世界を理解するヒントになります。

　さらに、ハイデガーは、現存在の存在は**時間性**であることを明らかにします。これは時計で計れるような等質的な今の継起としての時間ではなく、現存在がリアルに生きている時間です。

　でも、日常性とは誕生と死とのあいだの不定の時間なので、そこには**真の全体性**が欠けているとされます。

　そこで、時間性を捉えるためにハイデガーは、そこより先にはもはやいかなる可能性もありえないという究極の可能性、つまり自分自身の「死」について考えます。「死」との関わりのうちで現存在を捉えれば、現存在の全体性と本来性がわかるというのです（全体が存在から死まで、セットでわかるというようなこと）。

　日常性での現存在は、「気づかい」をもってゴシップのネタなどを好奇心のなすがままに追いかけつつ、それについて友達とひたすら**おしゃべり**をしたりします。その時、人間は自分自身として生きているのではなく、自分を世間的なレベルにあわせて生きています（**ダスマン＝ひと**）。「ひと」は、「死への存在」であることを忘れようとしてこのような行動をとります。「ひと」は「死はとうぶんのあいだやってこない」と解釈しますが、それは「死」と向き合っていないからです。

　ハイデガーによると、本来的自己である現存在はその事実を受け入れ、死への**先駆的覚悟性**をもつことによって、全体的・本来的な自己にもどれるとされます。なぜなら、現存在が将来の可能性にかかわり、それに到達することができるからです。

　先駆的覚悟性とは、死を克服するための逃げ道ではなく、現存在が死を覚悟した上で、決意して**良心**の呼び声にこたえて、本来的自己として行動することをめざす生き方であるとされました。

サルトルの実存主義哲学

⬗⬗⬗⬗⬗⬗⬗⬗⬗

人間は自分で自分をつくっていく

✳ 人間は意識に亀裂をもっている

フランスの哲学者サルトルは、独自の現象学を展開しました。

石ころなどの事物は、ただそれ自体においてあるだけなので何も感じていない（**即自存在**）。それに対して人間は自分を反省（内省）する存在です（**対自存在**）。

デカルトは「私」を実体であるとしましたが、サルトルは、「私」もまた反省作用から生まれた一対象にすぎないと考えました。

「『わたしってなんだろう…って考えているわたし…』って考えているわたし」という感じで、どこまでいっても私にたどり着きません。

これは、自分が自分に同一化できないからでしょう。サルトルは「人間は常に己のうちに亀裂をもっている」と考えました。それは自分が何ものでもないという「**無の亀裂**」です。

意識は、自己への現前として、自己から距離をおいて存在します。サルトルによると、この何ものでもない距離が「無」です。この「無」によって、意識はつねに自己から引き離されているとされます。

ジャン゠ポール・サルトル
1905 年 –1980 年

フランスの哲学者、小説家、劇作家。パリに生まれる。シモーヌ・ド・ボーヴォワールと契約結婚をする。フッサール現象学とハイデッガーの存在論に影響を受けた。著書『存在と無』（副題・現象学的存在論の試み）『弁証法的理性批判』『嘔吐』『実存主義とは何か』など。

✳「実存は本質に先立つ」とはどういう意味？

　昔から人は「即自存在」（それ自身で完結している存在）かつ「対自存在」（意識のある存在）、つまり「神」 ☞**P245** を求めてきました。けれども、それは不可能なので、神の存在を求めるのは、虚しい努力ということになります。

　神が存在しないのなら、人間には、最初からなんら本質がないことになります。となると、人間はまず存在し、そののち、各人の自由意志によって自らをつくり上げるものとなるわけです。

　サルトルはこれを「**実存は本質に先立つ**」、また「主体性から出発せねばならぬ」と表現しています。

　サルトルによると、たとえば書物とかペーパー・ナイフのような物体は、「切る」という１つの概念を頭にえがいた職人によって造られたものです。

　ペーパー・ナイフを定義しうるための製法や性質の全体は、ペーパー・ナイフの「実存に先立つ」といえます。ところが、実存主義の考える人間は定義不可能です。人間は最初は何ものでもないからです。

　「人間はあとになってはじめて人間になるのであり、人間はみずからがつくったところのものになるのである」（『実存主義とは何か』）

実存主義とマルクス主義の合体

✳ 他者は私をフリーズさせてしまう？

サルトルのヒューマニズムは、悲劇的な印象を持っています。なぜなら、人間は何の拠りどころもなく、何の助けもなく、みずから自分を創り出し、世界に意味を与えなければならないからです。

人間にとって、それ以外の可能性は許されていません。また人間は何らの逃口上も許されず、自分の行ういっさいのことについて、全面的な責任を負わなければなりません。

ペーパー・ナイフのような物体ならば、何も悩まなくていいのですが、人間は意識に亀裂のある無ですから、常に自己を超克して、自己でないものへと脱自していかなければなりません。

サルトルの著書『存在と無』のテーマは、一言で表現するならば、**物と意識**ということです。

ところで、サルトルは他者問題についても独特な分析をしています。人間は常に他者に対してある存在ですが、その他者とは、「私に、まなざしを向けている者」のことです。

他者は、私に「まなざし」を向け、私に視線を注ぐことにより、私の秘密を握ろうとしている者として、私には実感されてくるとされます。その理由は、他者が自分と同じ意識をもっているからなのです。

「地獄とは、他人のことだ」（『出口なし』）

人間は「まなざし」を向けてくる他者が自由な意識をもっていて、「あの人も自分と同じように意識をもっているな」と感じます。

だから私たちは、他者の視線にさらされて、思わず身が堅くなるのを感じるとされています。サルトルの表現によれば、他者は、「私をそっくりそのまま凝固させる」敵です。

178

✳ 社会参加をすることで、世界が動く

　他者によってまなざしを向けられると、私は自由な「対自存在」を失い、対象化されて、物としての「即自存在」になってしまうのです。

　そこで、人は相手に「まなざし」を向け返し、自分も意識ある存在であると主張します。人間関係は、絶えず相互に「まなざし」を向け返し合う、自由な主体の「相剋」の状態ということになります。

　サルトルは、このような他者の「まなざし」にさらされながらも、自分の行為を**企投（投企）**してゆかねばならないと考えました。

　さらに、サルトルは、人間の実践的な社会参加を強調します。人間が行為するということは、その行為に「自分を拘束し投入する」ことです。同時にその行為に「全人類を拘束し巻き込む」ことにほかなりません。例えば一夫一婦制を支持したら、全人類を一夫一婦制に巻き込みます。

　「自己を選ぶ」ことは「全人類を選ぶ」ことになるので、あらゆる行為は、そのまま「社会参加（**アンガージュマン**〈engagement〉）」の行動にほかならないとされます。

　さらにサルトルは、自らも社会参加の活動をしつつ、歴史的状況に対する認識を深め、最終的にマルクス主義が「乗り越え不可能な思想」であると考えました。サルトルは、『弁証法的理性批判』において、実存主義（現象学的存在論）とマルクス主義の史的唯物論の融合をめざしました。

　サルトルの活動は、いろいろとユニークです。彼は、ボーヴォワールと契約結婚（2年更新）し、2人は生涯の伴侶同士となっています。

　ボーヴォワールは主著『第二の性』で、既成の女性像を否定し、「人は女に生まれるのではない、女になるのだ」と主張しました。彼女の女性解放の思想は、フェミニズム論、ジェンダー論に大きな影響を与えています。

ヤスパースの哲学

╳╳╳╳╳╳╳╳╳

取り替えのきかない自分について考える哲学

✳ 人間を内面から説明する実存主義

　ドイツの哲学者ヤスパースは、人間は客観的に対象化されるものではなく、あくまでも主体としての「私」であると主張しました。ヤスパースは、すべてを客観・主観の視点から対象化し、合理化する近代哲学の原理を拒否して、内面から「人間とは何だろう」と考えてみました。このように、**実存主義**は外側から見た私ではなく、内側から見た私について考える哲学です（キルケゴール、サルトルなど）。

　ヤスパースの場合は、実存（今生きている私）を探究するために、**存在そのもの**へと探究を深めていきます。

　人間は物と並んで同じ世界に存在しているので世界の一員といえます。けれども、人間を物理学が対象とする物質だけで説明することはできません。生物学が対象とする生命や、心理学が対象とする心だけで説明しようとするのも不十分です。

　ヤスパースは、そういった外側からの説明ではなく、他の何ものとも取り替えのきかない私自身としての実存をみずから解明し、解釈することが哲学の課題であると考えました。

カール・ヤスパース
1883年–1969年

ドイツの哲学者、精神科医。実存主義の代表者の1人。ハイデルベルクの精神病院で医師を務め、ハイデルベルク大学で精神医学を教える。1948年、スイスのバーゼル大学で哲学教授となる。著書『精神病理学総論』『哲学』『現代の精神的状況』など。

❖ 人生に立ちはだかる限界状況

　ヤスパースの実存哲学は客観的世界から実存（私）へ、そして実存からさらに**超越者（神）**へと進んでいくことになります。

　人間は誰でも限界状況の中で生きていかなければなりません。**限界状況**とは、人間が避けることのできない「死」 P255 「苦悩」「争い」「罪責」のことです。「死」は誰も避けることはできません。また人生に「苦悩」「罪責」はつきものです。「争い」はがんばれば避けられそうですが、実は無理だというのです。

　というのは、自分が生存することは、それだけですでに他者から何かを奪い取っていることになるからです。例えば、自分が会社のあるポストにつくことは、他の誰かかがその地位につけないことを意味しますし、逆に、自分のポストが他人に奪われることもあります。

　「われわれの現存在においては、われわれは限界状況の背後に、もはや限界状況以外の何物をも見ることがない。限界状況は、壁のようなものであって、われわれはそれにぶつかっては挫折するだけである」（『哲学』）

　限界状況は自分にしかわかりません。だから、自分の内面で引き受けることになります。人に相談しても根本からは解決しないのです。

　だから、自分の頭で考える哲学が必要になるわけです。

人と人との愛しながらの闘い

✳ 限界状況で、超越者の暗号を受け取る

　このように、人間は限界状況を避けることができないのですが、これが哲学的思惟を目覚めさせる契機となります。ヤスパースは、「私たちが限界状況を本当に把握するかぎり、絶望か回生によってそれに対処するかのいずれかである」と説きます。

　絶望してはダメなので、人生の「回生」をチョイスする必要があるでしょう。それには、私たちが、自分の意識を変える必要があります。この意識とは、自己が自己を超えるものによって包まれ、それにささえられているという感じ方です（すべてが包括者）。

　また、ヤスパースは、ヘーゲル以降の理性主義だけでは、人間を理解することはできないので、**理性と実存**の両方を重視します。

　「かくて理性と実存は、あらゆる様式の包括者において相互に出会いながら、われわれの存在の一大両極をなしている。この両極は離すことのできないものである。この両極の各々は、その一方の極が失われると、他の極も失われる。…実存は理性によってのみ明白になり、理性によってのみ内容を得る」（『理性と実存』）

　このように、理性を頼りとする実存は、理性に照らされてはじめて**超越者**（神）を知ることになるとされます。

　自己が自己以上の存在、すなわち超越者によって送られたものだという意識が生じてくるのです。すると、世界全体が超越者を指し示す**暗号**となります。暗号は超越者の言葉であり、それが普遍化されて神話や芸術などになります。さらに、哲学的伝達の可能な形而上学 P248 における思弁的な言葉で、暗号が伝わってくるとされます（哲学は暗号だらけなので、ちょっとややこしい）。

✳ とことん話し合うことでわかりあえる

　ヤスパースは、実存相互の人間関係において、腹を割ってありのままであろうとすることが必要だと考えました。これは、人間がたがいの根源に迫ろうとすることであり、そこから人間関係の確実な基礎が築かれていきます。

　「交わりを通して私は私自身に出会ったことを知るが、交わりにおいて他者はただこの他者である。すなわち唯一性こそは他者というこの存在の実体性の現象である。**実存的交わり**は…絶対的にそのつどの唯一回性のうちにある」（同前）

　限界状況の中で人は挫折しますが、そこからの超越の可能性を開くのが「実存的交わり」です。自己が他者と出会うとき、それは代替され得ないただ１回の、かけがえのない出会いです。

　２つの自己が出会い、相互的な承認のもとで交わることによって、お互いの本来の自己を発見して創造的に生きることができます。

　ヤスパースは、人間は愛し合うとき、特に**相手の本心**がどこにあるのかが気になるものだと言います。そして、それを相互に確かめ合おうとすることが、もうすでに争いなのだと説いています。

　ヤスパースは実存的交わりにおいて、愛を強調しました。人はできれば、他人の**深い問いかけ**から免れていたいと思います。また、他人に対してもあたりさわりなく接して、互いが無条件に是認していればいいよと思うかもしれません。でも、それは**内容の空虚**なつきあいだといえましょう。

　自分が吟味されたり、相手を吟味したりしながら、たがいの本心を確認し合います（これも１つの闘争）。

　ヤスパースは、人間相互の承認を権力の獲得や自己の優越性を主張する争いにはせずに、「**愛しながらの闘争**」を実践すべきであると主張しました。

アランの幸福論

✕✕✕✕✕✕✕✕✕✕

幸福になろうと決意しないと幸福になれない

✳ 悪い天気のときこそ、いい気分で！

　フランスの哲学者アランの本名はエミール゠オーギュスト・シャルティエです。アランは、パリの学校で教鞭をとりつつ、プロポ（哲学断章）と呼ばれる、短い断章から織りなされる文章を書きました。

　このプロポを集めた書が『幸福論』です（哲学的体系ではありません）。

　アランは、フランスの哲学者ベルクソン ☞ P164 とともに、20世紀前半フランスの思想に大きな影響を与えました。

　アランの『幸福論』は、感情や情念に振り回されないようにする様々な方法を紹介しています。

　雨が降ると誰だっていやな気分になります。でも、アランは「**幸福になる方法**」に悪い天気をうまく利用するアドバイスをしています。

　アランが『幸福論』を執筆中にちょうど雨が降っていました。そこでこう考えたそうです。「雨が降ると、瓦に雨の音がして、無数の雨どいから音が聞こえる」。こういう美しさをわかることが大切だそうです。

　天気の悪い時こそ、良い顔をしましょうというポジティブな思考法 ☞ P355 です。

アラン
1868年-1951年

本名はエミール゠オーギュスト・シャルティエ。フランスの哲学者。コルネイユ高等中学校などで教師を務めた。第一次世界大戦で志願兵として従軍。体系的な哲学を唱えず、デカルトなどの哲学者の説を用いて『幸福論』を著した。

✳ 不幸な気分は、実は体の不調からくる

　私たちは放っておくと、**不機嫌**になってしまうようにできているので、いつも気分を上げていなければいけません。

　そんなことを続けるのは疲れる、と感じる人も多いでしょう。しかし、アランによると、幸福になるには幸福になろうとする**努力**をしなければならないのだそうです。

　アランが言うには、みんな幸福になりたいのに、その達成に向けて積極的に動こうとしません。「不幸だったり不満だったりするのは、むずかしくない。人が楽しませてくれるのを待っている王子様のように座っていればよい」（『幸福論』）。

　では、どうやって幸せな気分にもっていけばいいのでしょう。アランが強調するには、不機嫌さの原因は、**身体の変調**に由来していることが多いというのです。

　これは、デカルトの『情念論』に由来します。デカルトは物心二元論 ☞P80 を唱えた後、二元論を克服しようとして『情念論』を著しました。デカルトは、体の中の動物精気が血中を通じて脳に到達することで情念が表れると考えました。体の動きが、逆に精神に影響するというのは、現代では心理学や脳科学で明らかになっています。よって、悩みは心だけではなく、体の状態も含めて解決が必要とされます。

気分を上げておかないと下がるようになっている

☀ いやな人に会ったら、それは修行だ

アランは**身体的な問題**が、精神に影響することを以下のように説明しています。

「誰かが苛立ったり不機嫌であったりするのは、往々にして、その人があまりにも長い間立ちどおしでいたことから生じる」のであり、そのときには「その人に椅子を差し出してあげよ」（同前）

また、いつもポジティブである努力をしないと幸福にはなれないといいます。

「どこに行ってもいやな顔をしてみせる」とか、「人のいやがることに専念しているくせに、気に入ってもらえないことに驚いている」、また「自分の気分から不機嫌になる」。これではダメなのです。

よって、「寒いな。身を切るような寒さだ。これが健康にいちばんいいんだ！」とわざと言う態度が大切だとされます。

アランによれば、落ち込んでいる人は、「自分に義務を課して、自分をしばりつけている。自分の苦痛を愛撫している」状態で、「かんしゃく虫のいる子供」のようになってしまうのです。

そんなときは、あんまり**自分の気分**の方に意識をもっていかない方がよいようです。「自分の気分」に意識を向けずに「無関心」になることで気分が落ち着くとされます。

「情念にとらわれ」「いらいらする」という状態になったら、そこからいったん離れればよいというわけです。

また、アランは、「いやな人間に会ったなら、まず笑顔を見せてあげることが必要」と言っています。優しさ、親切、快活さなどを心がけて、お辞儀したり微笑したりせよと言います。

✳ これをやっておけば幸福になれること間違いなし

「生きる秘訣は、自分のした決心や自分のやっている職業について決して自分自身とケンカしないこと」とも書いています。

アランは、悲しみは風邪と同じようなものだから、我慢していれば自然に治ると説きます。

「心の悲しみをおなかの痛みのように考えるのだ」。気分が落ち込んだら、それを責めないで、ただ耐えるということをすることがすすめられます。

さらに、人は、暇になるとあれこれ考えてしまうので、体を動かして忙しくした方がいいそうです。幸福になるには、不幸になるような癖をなくさなければいけません。悩んでいることの理由を追究するとよけいに悩みが深くなってしまいます。

人は、幸福になるとどうも居心地が悪くて、あえて不幸な気分に戻ってしまうという癖があるそうです。

また、人は自分の影に追いつくことはできません。だから、幸福も自分の影のように逃げてしまうとあきらめる人が多いものです。でも、アランは、現実的に幸福を手に入れることを求めれば、それは得られると言っています。

さらに、アランは**上機嫌法**をすすめます。これは、『幸福論』の中でも重要な修行法となります。まず、ネガティブなことを言ってくる人がいたら、心が鍛えられると思って、それを受け入れます。嫌味を言われたり、非難されたりしても、心を鍛える機会と考えます。

応用編では、わざと自分にとってネガティブなことを言う人のそばに近づいて、その話を聞きます。そして、「今日は強烈な一発が来るな」と考えて、ウキウキするのだそうです。心の筋トレのようなものでしょう。最近は、誹謗中傷やいじめが多いので、この考え方は大いに役立つことだと思います。

ショーペンハウアーの哲学

観念論の立場だと違う世界が見える

✳ 現象と物自体を復習しよう

ドイツの哲学者ショーペンハウアーは、主著『意志と表象としての世界』を著しました。この書は、ニーチェの人生を変えました。また、フロイトにも影響を与えているとされます。

ショーペンハウアーは自らを、カントの**認識論 ☞P91** の正当な継承者であると主張しています（ヘーゲルには批判的でした）。

現象と物自体 ☞P92 の関係は、コンピュータ・ゲームのたとえで考えるとよくわかります。現象とはゲームの世界にあたります。その意味で仮想現実（仮象）です。しかし、他人と対戦できるということは、ゲームの土台にはプログラムがあるわけです。これが物自体に相当するでしょう。

ゲームの世界でマシンガンを撃ったり、それを購入したり、友達とチームを組んで交信したりはできますが、決してその奥にあるプログラムを知ることはできません。

このように、カントの哲学では、私たちは現象の世界に生きていますが、決してその根源である物自体を知ることはできません。ところが、ショーペンハウアーは、それを**知る方法**があると主張したのです。

A. ショーペンハウアー
1788 年 -1860 年

ドイツの哲学者。古代インド哲学に影響を受ける。1819 年、31 歳の時に、『意志と表象としての世界』を刊行。音楽家のワーグナーやニーチェに大きな影響を与えた。

✳ 自分の体を観察すれば、宇宙の根源がわかる？

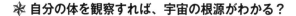

　ショーペンハウアーによると、**自分の身体**を観察すれば、現象と物自体が同時に明らかになるのです。

　身体は現象世界にありますから外部から観察されます。でも、私たちは、自分の身体の内部からも観察ができます。手は客観的な対象ですが、手を握ると内部から「握ろうとする**意志**」とシンクロしているのがわかります。

　つまり、身体の中に「意志」があることがありありとわかるわけです。ということは、身体という現象の奥に、意志という物自体が確認できますので身体を通して**物自体＝意志**であることが明らかになります。

　たとえば、「眼」とは「見たい」という意志が**現象化（客観化）**したものです。「嗅ぎたい」という意志が現象化（客観化）すると「鼻」、「食べたい」は「口」、「歩きたい」は「足」となります。

　さらにこれを類推すると、世界の奥底に根源的な「意志」が存在すると考えられます。動植物にも「意志」があり、それが現象化しているわけです。植物は葉っぱを広げて光合成をしたいわけですし、クモは網を張ってえさを捕まえたいのです。猫は猫なりに「意志」をもっています（食べたい、眠たいなど）。

人生がこれほどまでに苦悩に満ちているわけは?

✣ この世界は最悪の中の最悪だから消えたほうがいい?

　ここから、ショーペンハウアーの説は、急に暗くなります。この意志は「**生きんとする盲目的な意志**」です。なんら目的・ゴールはありません。すべての存在は「〜したい」からそうしているだけだということ。動物も人間も同じです。となると、**人生は何の意味もない**ということになります（ニーチェのニヒリズム **P100** と関連があります）。

　ところで、ショーペンハウアーによると「生きんとする盲目的な意志」は、無限の欲望です。そして、欲望と欲望がこの現象世界でぶつかり合えば、**戦争**となります。だから、この世から戦争は決してなくならないそうです。

　意志は限りなく飢えた存在ですが、現象界は物理的な制約のある世界ですから、欲望は永遠に満たされないことになります。

　よって、人生は苦悩以外のなにものでもなく、すべての努力は虚しいものです。ここから追求と不安と苦悩が生じます。飢えた意志は決して満たされることのない欲望の塊です。つねに欠乏の苦痛にさいなまれ、現象の中で自己自身に対してはげしく荒れ狂うというわけです。

　また、意識が鮮明になるにつれて苦悩も増大し、人間において頂点に達します。この世界は考えうるかぎり**最悪の世界**なので、もし、これ以上ほんの少しでも悪かったならば、もはや存在することすらできないと主張しています。

　ショーペンハウアーは、人生は**生きるに値せず**、こんな人生には存在よりも非存在のほうがはるかに望ましいと説いています。

　ここまで世界のあり方をメチャクチャ悪く言われると、逆に爽快感があるから不思議です。

✳ 苦しみの一時的な対処法は芸術と人への同情

とはいえ、ここで終わってしまうと救いがありません。でも、『意志と表象としての世界』の後半に、**芸術的観照**と**同情（同苦）**と**禁欲**という３つの解決法が記されています。

ショーペンハウアーは、私たちは、個々の事物の認識から**イデア**の認識へ高まることによって、意志に奉仕することから解放されると考えました。プラトンは、芸術がイデア ☞P24 のコピーである世界の個物のそのまたコピーであると考えて、芸術を嫌っていました。しかし、ショーペンハウアーによると、天才の芸術作品は純粋な観照によってとらえられた永遠のイデア、世界のあらゆる現象の本質的な変わらない原型を表現しています。

ショーペンハウアーは、芸術のうちとくに音楽を高く評価しています。音楽は、イデアのコピーではなく、意志そのものの表現であるとされました（この思想が、ニーチェと音楽家ワーグナーに好まれました）。

また、苦悩の世界で心を休めるには、同情をすることが必要となります。人が見知らぬ他人の苦しみを目撃するときにすぐに生じる感情が「同情」です。けれども、ショーペンハウアーによると、芸術的観照や同情は一時的な**苦の鎮静剤**にすぎないとされます。

そこで、これらとは異なる究極の苦しみからの脱出法が禁欲です。禁欲は意志そのものの否定を目指します。

こうして、禁欲によって、欲望へ人間を駆り立てる不安がなくなり、完全な平安が訪れるとされました。

ニーチェはこの思想を受け継いで、意志の否定から、**意志の肯定**へと高めていきました。

それが、のちにすべての苦しみを受け入れる「運命愛」 ☞P257 や、ニヒリズムを乗り越える「超人」 ☞P249 の思想につながっていきます。

未来へつながる思想

Ⅰ部の最終章は、現代を読み解くために、特に役立ちそうな思想をチョイスしています。

5章の古典経済学とリンクしているマルサスの『人口論』は、的中しているところと、もう古いと言われている部分があります。しかし、人口問題はいまもまだ続いていますので、これを取り上げました。

戦争論でよく比較されるのは19世紀のカール・フォン・クラウゼヴィッツの『戦争論』と古代中国の『孫子』です。この2書は時代が離れすぎているのですが、東西の戦争観の違いがよくわかります。

現代の構造主義の後にポスト構造主義が展開します。ジャン゠フランソワ・リオタールは『ポスト・モダンの条件』を著し、ポストモダンを流行語にしました。ポスト構造主義とは言わずに、ポストモダンの思想で大きく括るようです。

ニーチェの哲学以後、欲望の観点から世界を眺める思想が展開しました。理性的な哲学について批判する「反哲学」の思想が現れます。これも哲学のおもしろいところで、「『哲学はダメだ』という哲学」が出現するのです。

ジル・ドゥルーズとフェリックス・ガタリの共著『アンチ・オイディプス』は激しく難解で、「欲望機械」という章題から始まって、分裂症とマルクスと資本主義について、これまた常人の言説ではないような言葉の連結が進んでいきます。これは多様な解釈を生んだ哲学書です。

ジャン・ボードリヤールは、『消費社会の神話と構造』を著して、ポストモダンの代表的な思想家となりました。ボードリヤールの著書『シミュラークルとシミュレーション』（1981）は、映画『マトリックス』の思想的根拠となっています。

ロラン・バルトは、エクリチュールについて独特な思想を展開します。これにも私たちが何かを読む際に、大きなヒントを得られるでしょう。

メディア思想では、マーシャル・マクルーハンを取り上げています。メディアそれ自体がある種のメッセージ（情報、命令など）を既に含んでいるという思想は、現代でもいたるところに見られるようになりました。媒体の多様化について今後も目が離せないようです。

アメリカのジョン・ロールズが『正義論』を著して、政治哲学の人気に火がついたのも最近のことです。マイケル・サンデルの政治哲学も展開されています。政治哲学は私たちの生活と深い関係があります。

古代と近代の哲学は、世界の原理から生き方を説明するという形式がありましたが、現代は科学の時代ですので、世界の原理は、科学が担当するようになりました。哲学の対象とする分野は、科学を含め社会や文化、政治、言語などに大きく広がり、さらに複雑さを増しています。科学哲学など、理系とも文系とも言えないような分野も発展しています。この総合学がまさに「哲学」と呼べるものでしょう。

HISTORY 43

人口論と食糧問題

人口問題は今も大きな課題

食欲と性欲があるから必ず人口が増えて困る

イギリスの経済学者マルサス（古典経済学者）の『人口論』では、現代にも関係の深い人口問題が提起されています。

日本は少子化による人口減少のみならず、食料自給率も低いという問題があります。食料の半分以上を輸入に頼っているので、世界的に様々な災害や戦争など頻発すれば、日本の食料事情にも影響が及ぶかもしれません。

産業革命は、1760年代から農業と工業の両部門で進行しました。農業では議会の法案による土地囲い込みによって、資本主義的大農経営が普及しました。

すると、土地を追われた農民たちは浮浪者となって都市に流入して、賃金労働者になりました。

また工業では、紡績業における機械制工業が確立したことで、生産が効率化し大量の職人が失業しました。

しかし、マルサスは、貧困や悪徳は社会制度から生ずるものではなく、人類の人口法則の結果であると主張しました。

トマス.R.マルサス
1766年–1834年

イギリスの経済学者。古典派経済学を代表する経済学者。1805年、東インド・カレッジ教授。1798年、匿名で『人口論』を著した。産児制限で最貧困層を救済する考え方は「マルサス主義」と呼ばれた。

✳ 農業生産物を増やさないと大変なことになる

　人間は食欲と性欲という本能を持っています。けれども、人口は、1・
2・4・8・16…と**等比数列的**に増加し、食料は1・2・3・4・5…
と等差数列的に増加する傾向があります。それに従うと、生活資源は必
ず不足することになります。繁殖がまったく抑制されなければ、人口増
は現実の人口状況より大きいものになるわけです。

　マルサスによると、生活水準を低下させないために行われる結婚の抑
制（**予防的抑制**）、貧民の子供の死亡率を高める乏しい食料、不健康な
住居、激しい労働や、疫病、飢饉（**積極的制限**）という装置が働いて人
口が減っていきます。そして、この波を繰り返すということになります。

　この人口法則から、2つの重要な政治的主張が導かれます。1つ目は、
救貧制度は食料を増やさずに貧民の人口を増やすだけなので、貧困をな
くすことはできません。よって、貧民を救済する救貧法は有害無益であ
るから廃止すべきという主張です。

　もう1つは、他の経済学者が主張する平等社会は実現不可能であると
いうこと。

　もし、平等社会が実現しても、人口が急増して食料不足となればこれ
は崩壊します。この主張は、政策や平等な分配をめざす社会改革の試み
に対立する考え方でしたので批判もされています。

195

食料自給率が少ない国はヤバい

✳ 人口増加は抑制されるはずだったのだが…

　マルサスによると、まず農業生産物を増大させる政策を優先しなければなりません。さらに多くの穀物の輸入は、**食料自給率**が減るのでよくありません。

　「財産はなるべく平準化することが長期的には絶対に有利である。所有者の数が多くなれば、当然、労働者の数は少なくなる。つまり、社会の大多数が財産の所有者となり、幸福になる。自分の労働以外に財産をもたない不幸な人間は少数になる」（『人口論』）

　また、マルサスは、1814年の「穀物法論」で、穀物の自由貿易によって安価な穀物を輸入できるという利点があることを認めてはいます。でも、その弊害としては、戦争や不作で輸入が突然停止する危険性があります。

　食料の外国依存が国家の安全を脅かし、また国内の農業の衰退と工業への過度の集中をもたらします。結局、工業製品の輸出先である外国市場への依存が経済の不安定要因となるわけです。

　さらに、マルサスは、「穀物輸入制限論」では穀物法を支持する立場をいっそう明確にして、高い穀物価格が地主にもたらす地代が工業製品への有効需要になると主張しました。また彼は、恐慌の原因を地主の過少消費にあるとし、地主の有効需要を増やすべきであるとも主張しています。

　それにしても、「人口の増加力と土地の生産力とのあいだには自然の不均衡があり、そして、やはり自然の大法則により両者は結果的に均衡するように保たれる」（『人口論』）というマルサスの主張は、人口が増えても、抑制装置が働いて結局は減少するということを意味します。

✴ 必ずしも危機が到来するわけではない

では、人口問題をどうやって解決したら良いのでしょう。マルサス自身は「すべての生き物を支配するこの法則の重圧から、どうすれば人間は逃れられるか、私は知らない」（同前）と説いています。

マルサスは、アメリカ合衆国の例をあげます。アメリカは自由で早婚の抑制も少ない国なので、「人口がわずか25年で2倍になった」とされます。この増加率を基準とすれば、人口は抑制されない場合、25年ごとに2倍になります。

農業生産物が足りないなら牛や豚を大量に飼って牧畜をすればよいと思いがちです。でも、家畜は農業生産物を飼料としますので、やはり**農業生産物**が必要となります。

マルサスは、「ご存じのとおり、牧畜の国は農耕の国ほど多くの住民を養えない」（同前）と説いています。

工業生産物の量は生産性の高い工場が増加すれば、ある程度比例的に上昇します。でも、土地生産物量を増やすには農機具の改良、土地の改良、土地の広さの確保、肥料の散布などの方法がありますが、それは難しいのでなかなか広まらないというのが当時の理論でした。

これは、いまでは科学技術の進歩で補えるので、必ずしも予測が当たってはいません。マルサスが論じた時点では肥料は伝統的な有機質肥料が中心でした。化学肥料が発明されるのは後のことです。

マルサスは、人口が増えると、様々な要因でまたそれが減少するという波が繰り返されると考えていました。人口を抑制するための議論は、マルサス以降に展開することになります。1900年に、世界人口はおよそ16億人でした。1950年におよそ25億人となり、20世紀末の1998年にはおよそ60億人にまで急増しました（現在77億人）。この人口問題は、人口抑制と科学技術の発達により、未来において解決されていくかもしれません。

東西の古典的戦争論

※※※※※※※※※

クラウゼウィッツの戦争論

✳ 初めて戦争の本質論を展開した人、クラウゼウィッツ

クラウゼウィッツは、プロイセン王国の軍人で軍事学者です。彼は、ナポレオン戦争にロシア軍の将校として参加し、戦後は研究と著述に専念しました。

彼の死後、1832年に発表された『戦争論』は、戦略、戦闘、戦術の研究領域において重要な業績を残しました。『戦争論』においては「真実・本質」から目を背けてはいけないという徹底した戦略論が展開されます。

クラウゼウィッツによると、戦争は他の手段をもってする政治の継続にすぎないとされます。また、政治は目的をきめ、戦争はこれを達成すると説いています。

戦時に軍事を誘導し戦果を収穫するものは政治・外交であると主張されています。

また、人間活動の中では偶然が作用しますが、「戦争ほど偶然の働く余地の大きいものはない」ので、「予想外のことが現れる」と説いています。

カール・フォン・クラウゼウィッツ
1780年–1831年
プロイセン王国の軍人で軍事学者。ナポレオン戦争でロシア軍の将校として活躍。『戦争論』は死後に発表された。

孫武
紀元前6世紀頃？
中国古代の春秋時代の武将、軍事思想家。斉国出身。兵法書の『孫子』を著した人物とされている。、毛沢東などにも影響を与えている。

✳ 軍事指導者はこういうことを考えているからビックリ！

　クラウゼヴィッツによると戦争の目的は「敵の完全な打倒」です。また、敵国の国境付近において敵国土の幾ばくかを略取し、地域をそのまま**永久に領有**するか、それとも講和の際の有利な引き換え物件とするかは、勝利した側の選択の自由となります。

　クラウゼヴィッツは、政治活動は平時戦時を通じ一貫して行われるのであり、戦争を理解するにはまずそれを産んだ政治の状態を考えなければならないとします。そして、政治が行き詰まったら、戦争は必ず起こるものであると言っています。

　『戦争論』では、戦争は**拡大された決闘**にほかならないとされます。

　「戦争の目標は敵の防御を完全に無力ならしめるにある」（これは、絶対戦争と呼ばれます）、「敵の戦闘力は撃滅せられねばならない、換言すれば我々は敵戦闘力をもはや戦争を継続し得ないほどの状態に追い込まねばならない」

　要するに、中途半端な攻撃は許されず、相手が完全にやる気を失うような作戦をとれというのです。また、本書によると「防御は攻撃よりも堅固な戦闘方式」であり、「防御して反撃しないものは滅びる」とも説かれています。

仕事にも役に立つ『孫子』の兵法

✳ リーダーのあり方をわかりやすく説く

　『孫子』は、紀元前500年頃に、中国春秋時代の**孫武**が書いたとされる兵法書です。『孫子』にいう「彼を知り、己を知れば百戦あやうからず」（「謀攻篇」）などは、あまりにも有名です。

　『孫子』は、戦争はすでに戦う前に勝敗の条件が決まっていると考えます。勝つ場合は勝つ理由が、負ける場合は負ける理由があるとされます。『孫子』の「軍形篇」には「まず勝って、後に戦う」とあります。

　「百戦連勝は最上とは言えない。戦わずに敵を屈服させるのが最善の道である」（「謀攻篇」）。

　これは、戦うことによって、味方の兵がかならず傷つくからです。戦争では、全軍を無傷のまま保つのが得策であり、自軍に損失を与えるのは得策とは言えないのです。理想は、戦わずして相手を屈服させることだと説いています。

　勝利を得ようとする組織なのですから、やはり古いと言われても上下の関係をしっかりと維持し、命令系統を明確にしておかなければ勝ち目はないでしょう。

　『孫子』は、「戦いの際の合図を決めても誰も聞いていないし、号令しても誰も守ってくれないというのは、将軍の責任である」、また「しっかりと説明したのに合図や号令に従わないというのは兵士に責任がある」としています。

　「兵士は赤子や子供のようであり、戦でいっしょに死ぬくらいの気持ちでかわいがること」（「地形篇」）とも記されています。

　このように、リーダーが部下を大切にするという思想も表現されているのです。

✳ ダラダラと戦っていると損失は大きい

　戦上手は、戦いの態勢の中で勝利のきっかけをつかみ、個々の兵士の失敗を追求しないそうです。また、適材適所の人選を行って、戦いに有利な態勢を作るとあります。

　「先延ばし ☞ P361 」は、私たちの日常での悩みの１つですが、これは戦争でいえば、長期戦にもちこまれているということになるでしょう。

　「戦いはすばやく一気に決するべきで、引き延ばすと勝ち目はない」（「作戦篇」）

　正攻法ばかりで攻めないで、たまには普段やったこともない奇策を実行に移してみるということも説かれています。

　「総じて戦いは正攻法で戦う。そして、戦況の変化に応じた奇策によって勝利をおさめる」（「兵勢篇」）

　「行動する時は疾風のように駆け抜け、制止するときは林のように静まりかえる。攻撃するときは野原に放った火のごとく襲いかかり、隠れるときは黒雲が天をさえぎるように跡をくらます。防御するときは山のごとく微動だにせず、現れる時は、雷鳴のように襲いかかるのである」（「軍争篇」）

　また、「戦いの法則は実をさけて虚をうつことだ。水は地形により流れの方向を変える。戦いも敵情の変化に順応できれば勝利をものにすることができる」（「虚実篇」）とあります。

　リーダーに対する教訓が多いのも『孫子』の特徴です。現代のビジネス・パーソンも『孫子』を参考にしている人が多いようです。『孫子』では、単に戦争に勝つことだけに終始していません。できれば戦争をせずに国家間の調和をめざしているところに価値があります。

　人間の情の厚さが表現されている『孫子』と徹底的に敵の戦意を失わせる合理的な方法を説くクラウゼヴィッツの『戦争論』を比較してみると、東西のさまざまな考え方の違いがわかるかもしれません。

メディア論と現代社会

※※※※※※※※※

1回限りの出来事がすごい!

✳ 1回限りの「アウラ」がなくなっていく

　ベンヤミンは、フランクフルト学派の1人であり、ドイツの文芸批評家、思想家です。ベンヤミンの『複製技術時代の芸術』が出版されたのは1936年です。写真や映画の歴史の浅い時代から「複製」という問題を論じています。

　ベンヤミンによると、古代では硬貨の絵やブロンズ像などが芸術作品にあたりますが、19世紀には印刷による複製技術で大量生産ができるようになりました。さらにカメラ、トーキー映画（声の出る映画）という写真と音の複製が20世紀に広まります。

　ベンヤミンは、**アウラ**（オーラ）という言葉を用います。「アウラ」は1回限りの現象です。作品のアウラは、複製技術のすすんだ時代のなかで滅びていく、とされます。「アウラ」とは芸術理論上の概念で、宗教上の儀礼の対象がもっていた絶対的な荘厳さのことです。ベンヤミンによると、ある夏の日の午後、ねそべったまま山並みや木の枝を目で追うなどのことが「アウラ」を呼吸することだと言います。これは1回限りのもので、2度と戻ってこないから価値があります。

ヴァルター・ベンヤミン
1892年-1940年
ドイツの文芸批評家、哲学者、思想家。フランクフルト学派。第二次世界大戦中、ナチスの追跡から逃亡、ピレネーの山中で服毒自殺したとされる。

マーシャル・マクルーハン
1911年-1980年
カナダ出身の英文学者、文明批評家。映画にも出演。著書『グーテンベルクの銀河系』『メディア論』など。

✳ 共産主義社会と自由なメディアが結合する未来？

　もちろん、複製が氾濫することは、必ずしも悪い方向だけで捉えられてはいません。新聞やニュースの映像が提供する情報はどんどん変わるので、「**無限の射程**」が広がるという動きがあります。

　アウラは、俳優が「いま」「ここに」いるという１回性と結びついています。

　また、複製技術が政治と結びつくと大きな動きにつながると考えられます。絵入り新聞の読者は、写真の解説によってその受けとりかたを一定の方向に規定されてしまう可能性があるとされます。

　さらに、複製の文化の中では、一般の市民が参加できるようになります。努力すれば映画に出ることもできるでしょう。

　現在では YouTuber やリアルタイムの動画配信者など、新しい形式が見られます。

　ベンヤミンは、ナチスのようなファシズムがマスコミの仕組みを征服して、礼拝的価値をつくりだすためにそれを利用すると考えました。

　それに対して共産主義社会では「アウラ」なき複製化可能な新しいメディアに、自由な表現と政治がつながるとしました。

　ベンヤミンの『パサージュ論』では、19世紀から20世紀におけるパリの町並みの変遷や歴史についての考察がなされています。

「メディアはメッセージである」とは?

✳ 活版印刷技術のいいところとよくないところ

マクルーハンは、カナダ出身の英文学者、文明批評家です。マクルーハンのメディア論は1962年に発表された『グーテンベルクの銀河系──活字人間の形成』から始まるとされます。

マクルーハンは、人類がもともと声で認識していた時期から、文字や記号に移していった過程を様々な引用をつうじて説明します。中世文化は朗読と吟遊詩人が主流でした。けれども、情報量の増大によって、知識の視覚による組織化が刺激されて、透視画法的な視座が生まれたとされます。

さらに、活版印刷の出現は世界に大きな変化をもたらしました。**活版印刷物**は「史上初の大量生産物」であり、最初の「反復可能な〈商品〉」でもあります。マクルーハンによると、印刷文化によって視覚による経験の均質化が生じました。これによって聴覚をはじめとする五感が混ざりあった感覚複合が弱まってしまったとされます。すなわち活版印刷技術という印刷文化が、経験を視覚という単一感覚へ還元してしまったのです。

また、本が持ち運びできるようになったことは、個人主義の確立に大いに貢献することとなります。

これは活版印刷技術の経験であり、感覚がバラバラに専門化していくのです。活字文化が広がったから、有害だというわけではありません。

「この本の主題は印刷が良いか悪いかの問題にあるのではない。印刷であれ何であれ、ひとつの力がもつ効果に対する無意識状態は悲惨な結果を招きがちだ、ということである。とくにわれわれが自分で作った人工の力の場合にはそうだ」(同前)

✳ 身体の拡張からさらに新しいマシンが生まれる

　マクルーハンは、活版印刷で、固定された視点主義は終わり、そして今、新たなるメディアの再編成へとつながっていくとしました。

　また、マクルーハンは、人間の身体の直接的な技術的延長としての印刷が発明されたことで、人々は以前にはけっして手に入れることができなかったような力と興奮とを手に入れたと主張します。

　自動車や自転車は足の拡張、ラジオは耳の拡張であるというように、あるテクノロジーやメディア（媒体）は身体の特定の部分を「拡張」します。しかし、単純に拡張だけが行われるのではなく、「拡張」された必然的帰結として衰退や「切断」を伴うとされます。

　マクルーハンは、人間はかつて自分の身体で行っていた作業のほとんどすべてを拡張する技術を開発したとします。「武器の発達は、歯と拳骨からはじまって原子爆弾で終わる。着物と家屋は人間の生理的な体温調節の拡張であった」と言います。

　「電気器具、双眼鏡、テレビ、電話、書物などはすべて時空を超えて声を運ぶことで肉体の行為を拡張する道具の例といえる」などともいいます。確かにこのように考えると、これから作られる未来のマシーンも予測できるかもしれません。

　マクルーハンの「**メディアはメッセージである**」という主張は、特に有名です。普通、メディアとは「媒体」のことなので、それによる情報伝達の内容が注目されます。しかし、マクルーハンはメディアそれ自体がある種のメッセージ（情報、命令のようなメッセージ）をすでに含んでいると主張しました。

　これは、歴史的には、最近発明されたスマホで考えるといいかもしれません。この考えだとスマホのデザインも一つのメッセージだということになります。アップルの創立者スティーブ・ジョブズは、このことを念頭に置いていたのかもしれません。

リオタールの哲学

「大きな物語」は終わってしまった…

✳ 「ポストモダン」と明言している哲学者

　「この研究が対象とするのは、高度に発展した先進社会における知の現在の状況である。われわれはそれを《ポストモダン》と呼ぶことにした」（『ポスト・モダンの条件』）

　フランスの哲学者リオタールは、1979年に『ポスト・モダンの条件』を著しました。マルクス主義者として活動し、「大きな物語の終焉」「知識人の終焉」を唱えました。リオタールによって「ポストモダン」は流行語になりました。

　ポストモダンの思想の源流は、ニーチェ、フロイト、ハイデガー ☞P172 の思想と構造主義とされます。構造主義は西洋の理性主義を残していると批判して登場した思想をポスト構造主義と言いますが、ポストモダンの思想は、もう少し大きな範囲で、ジャック・デリダ、ドゥルーズ ☞P210 、ガタリなどを含みます（諸説あり）。

　リオタールによれば、マルクス主義のような壮大な体系は**大きな物語**と表現されます。この「大きな物語」は終わって、高度情報化社会でのメディアによる記号・象徴の大量消費が行われると考えました。

ジャン＝フランソワ・リオタール
1924年-1998年

フランスの哲学者。マルクス主義、フロイトの精神分析、現象学に影響を受ける。アルジェリアで哲学教師を務め、パリ第8大学教授などに就任。1968年のパリ五月革命に参加した。著書『ポスト・モダンの条件』など。

✳「大きな物語」への不信感

　『ポスト・モダンの条件』の序には、以下のような内容が記されています。

　ポストモダンという思想の特徴は**「大きな物語（メタ物語）」**への不信感からはじまります。「大きな物語」とは、近代の世界観を支配してきた人間や歴史についての考え方のことです。

　「大きな物語」とは、「自由」という物語、「革命」という物語、「人間の解放」という物語などのことです。これらの物語は、人間にとっての普遍的な価値の物語として、理論と実践とを「正当化」する役割を果たしてきました。

　しかし、リオタールによると、この正当化の根底には、人間性は普遍的であるという信用が横たわっていたと言います。誰にとっても正しい真実が、人間の中にあるということですから、これらは古い思想だということになります。

　たとえば、ヘーゲル ☞P272 の「歴史は理性的に進んでいく」やマルクスの「歴史は資本主義から社会主義・共産主義へと発展していく」（唯物史観）☞P275 といった進歩的な歴史観などです。ニーチェによって、ニヒリズムが説かれ、歴史に絶対的な目的や価値はないとされましたが、ポストモダンもその影響を大きく受けています。

ポストモダンが理解されづらい理由は？

✳ IBM のコンピュータ技術について言及

　「大きな物語」が終焉したのは、科学の進歩により、情報化社会における知が広まったからです。

　「IBM ☞P329 のような企業が、地球周回軌道のある帯を専有して、そこに通信衛星そしてまたデータ・バンク衛星を載せることが認められたとしてみよう。その場合、いったい誰がそれを利用するのか。いったい誰がチャンネルやデータに禁止制限を設けさせるのか。国家だろうか」（『ポスト・モダンの条件』）

　また、リオタールによると、テクノロジーが「為政者」によって「正当化」され、科学も政治も関連していることなどが示されます。

　「社会の制御機能つまり再生産機能は、将来にわたってますますいわゆる行政官の手を離れて、自動人形の手に委ねられることになるだろう」（同前）。だから、今までの国家・国民、党、職業、制度などが、人々を引きつける力を失っていくとされます。

　進歩史観やマルクス主義によると、歴史のコースがあらかじめ決まっていましたが、もはやそういった「大きな物語」は目標になりえず、「生活の目標は個人それぞれに委ねられ」ます。これは「小さな物語」と呼ばれます。

　「若かろうが老いていようが、豊かであろうが貧しかろうが、男であれ女であれ…コミュニケーションの回路の《結び目》のうえにつねに置かれている」。個人はかつてなかったほど複雑で流動的な諸関係の織物の中に捉えられているので、それぞれの「小さな物語」で世界が動きます。リオタールは、近代を正当化する物語がすでに無効になってしまい、新しい知の条件が現れているとします。

✹ ソーカル事件があってもポストモダンは大丈夫？

未来は、「大きな物語」の知的統合が失われ共通の尺度を持たない世界になるとされ、「異なる言語ゲームの和解は生ぜず、調停しがたい対立だけが残る」とされます。

ポストモダニズムとは、そのような状況の中で人がどう生きて行くのかということや、その中で、どうやって「新しい物語」を見出していくのか、あるいは、物語なんて必要なしに新しい道を模索するのかなど多様な方向に開いていく思想です。情報化が進むと**小さな物語**が拡散されるとしていますが、現在のネット社会 ☞ P333 を考えると、これは当たっているのかもしれません。

ところで、ポストモダンの思想に関して**ソーカル事件**がよく言及されます。ニューヨーク大学物理学教授だったアラン・ソーカルの論文が、1996 年に学術誌に掲載されました。ソーカルはポストモダン思想家の文体をまねて科学用語と数式をちりばめた無意味な疑似論文をつくり、これが学術誌に載ったのです。

その後、そのことを本人が暴露し、ポストモダン思想家が自分の疑似論文と同じく、数学・科学用語を権威付けのためにインチキで使っていると批判しました。

1998 年、ソーカルは『「知」の欺瞞』を発表し、ジャック・ラカン、ボードリヤール、ジル・ドゥルーズ、ガタリらの思想家の名をあげて、彼らの自然科学用語の使い方が、自分が作った疑似論文と同じくインチキで無内容だと批判しました。これに対して、ポストモダンの思想では自然科学用語が比喩として使われていて、ソーカルはその思想内容そのものを批判しているのではないのだから、ポストモダンの**思想的な価値**は揺るがないとする考え方もあります。

とにかく、それほどポストモダンの思想は難解ですが、ドゥルーズとガタリの思想の影響は大きく、現在でも多様な解釈を生んでいます。

ドゥルーズの哲学

⬥⬥⬥⬥⬥⬥

資本主義は「欲望する機械」

✳ 資本主義についての新しい分析

　フランスの哲学者ドゥルーズは、ジャック・デリダなどとともに、ポストモダンの思想を代表する哲学者です。

　ドゥルーズは、ヒューム、ベルクソン、ニーチェなどの哲学史の研究を行っています。そして、『差異と反復』で、西欧哲学のプラトン主義的伝統を「同一性」の哲学として排斥し、**差異の哲学**を提唱しました。

　1972 年に、ドゥルーズと精神分析家フェリックス・ガタリは、共著『アンチ・オイディプス』を発表します。これは、構造主義を背景に、フロイトのエディプス・コンプレックスなどの思想に批判を加えた哲学書です。

　エディプス・コンプレックス ☞P124 では家族という狭い範囲での欲望の動きが中心概念とされていました。『アンチ・オイディプス』は資本主義社会を分析したマルクスの思想と、その資本主義社会において生きている人間（個人）の分析を行ったフロイトの精神分析をともに捉えなおした書です。ここでは、諸科学の知見を取り入れて、現代資本主義社会の分析を試みています。

ジル・ドゥルーズ
1925 年 –1995 年

フランスの哲学者。パリで生まれる。パリ第 8 大学で哲学の教授を務めた。ベルクソン、ニーチェ、カントなど哲学史の見直しで独自の解釈を行った。『アンチ・オイディプス』『千のプラトー』はフェリックス・ガタリとの共著。

✴「欲望」が「機械」ってどういうこと？

　フロイトは、人間の成長過程で、欲望が抑圧されればされるほど、人間は大人となるし、社会は文明状態になると考えていました。

　『アンチ・オイディプス』は、『千のプラトー』（プラトーとは平原のこと）とあわせて、『資本主義と分裂症』という著作の第1部、第2部を構成しています。

　フロイトには、人間の本能領域のリビドーは、言い換えると欲望は実体として存在しているという考え方がもとにあります。

　これに対して、ドゥルーズとガタリは、欲望とはそれ自体で成立している実体ではなく、ある関係の中で存在するものとしました（構造主義が影響しています）。

　そうなると、エディプス・コンプレックスは、もともと人間に備わっている法則ではないことになります。

　『アンチ・オイディプス』では、フロイトとは異なり、欲望は実体のない「機械」として捉えられます。

　そして、自己増殖し続ける無意識的な欲望の連鎖を**欲望する機械**と呼びました。関係性のある全体が欲望という装置なので、無意識から一方的に欲望が流れる単純なイメージではないようです。

何を言っているのかわからない哲学?

❋「原始土地機械」という用語についていけない?

　私たちは様々な存在を有機物と無機物、植物と動物などに分類しますが、ドゥルーズとガタリは自然と人間を共通の地平で捉えようとします。さらに、彼らは、フロイトの無意識 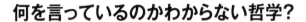 を、「心の背後にある存在」から「私たちの生きている世界全体」へと解釈しなおしました。その世界全体（無意識）に無数の「欲望する機械」が連結したり切断されたりしてうごめいているとされます。

　「欲望する機械」という無数の流動する「分子」が離合集散して、生物と物体、社会制度、生産物を生み出します。これは、単純に世界は機械仕掛けだという唯物論ではなく、「世界全体が無意識の世界なのだ」というブッとんだ理論です。無意識（ここでいう世界全体）は、無数の分子としての「欲望する機械」の巨大な総体とされます。さらに、「**器官なき身体**」は欲望の素みたいなもので、人間の身体器官に結びつくと、食欲や性欲などの具体的な欲望として現れます。

　ヘーゲルやマルクスの歴史区分に対して、ドゥルーズとガタリは歴史を３段階に分類します。①「**原始土地機械**」（原始共産制）、②「**専制君主機械**」（専制君主国家）、③「**文明資本主義機械**」（資本主義制）の、３大社会機械です。

　さらに、資本主義は、「欲望する機械」が行き着いた先なので、世の中の欲望を煽ってさらに新しい欲望を生み出します。

　私たちは、欲望というものは、「腹が減ったから食べる」のように一種の欠乏として捉えています。でも、彼らの理論では、満たされても新たな欲望が発生します。これは、資本主義を考える際のヒントになります。

✳ かつて流行った「パラノ」と「スキゾ」

ドゥルーズとガタリは、同一性にこだわる**偏執者・パラノ**に、同一性に固執しないで欲望の多様性をめざす**分裂者・スキゾ**を対置しました。

ドゥルーズとガタリによると、無意識を垣間見る働きが**スキゾフレニー（分裂症）**です。フーコー ☞P120 が説いたように、これは医学によって区切りをつけられた病名です。

けれども、スキゾフレニーが発症する前段階のスキゾの働きは、芸術や技術の創造活動など自由な活動として現れるとされます。このスキゾの働きによって、資本主義における新しい創造がなされるとされました（また、これによって共産主義革命は先延ばしになります）。

一方、**パラノイア（偏執狂）**は統合的に物事をとらえてこだわります。パラノ的だと必死に働きますので資本の蓄積が起こります。

このようにパラノイアは統合をめざしますが、それに対して、スキゾフレニーは、新たな**逃走線**（固定的なものにとらわれない線）を引くことによって、画一性から抜け出だすことができます（逃走とは、今いる場から逃げ出すことではなく、自由に世界に区切りを入れるというような意味でしょう）。

スキゾは定住的ではなく**遊牧的（ノマド的）**です。そうなると、資本主義が「欲望する機械」です。画一的でパラノ的な頭では適応できない資本主義社会でも、スキゾ的・ノマド的に世界を様々な角度から眺めることで自由度が高まります。また、資本主義はノマド（遊牧民）的なので（開発・再開発など）、さらに欲望が煽られて資本主義が発達します。

ドゥルーズとガタリは、西洋の形而上学は、デカルト哲学の演繹法 ☞P78 のように、絶対的な１つのものからツリーモデルで世界を解釈してきたとしました。どうやら、ノマド的なリゾーム（根茎）のモデルで、柔らかい頭をもつことができるようです。

クーンのパラダイムシフト

✖✖✖◇✖◇✖✖✖

科学史を研究すると進歩に飛躍があることがわかる

✳ 科学の進歩は、根本からすげ替えられる

クーンは、アメリカの科学者で哲学者です。

クーンは、1962年に発表された主著『科学革命の構造』で、科学の歴史がつねに累積的なものではなく、断続的に革命的変化が生じるとしました。これはパラダイムシフト（転換）と呼ばれます。

一般に、科学というのは過去の科学的発見から、だんだんと積み重なっていって、現代の科学につながっているような印象を受けます。

けれども、クーンによると科学は連続的に発展していくのではなく、ある段階で科学理論が根本からすげ替えられて、今までの科学現象をも含めて説明できる新しい理論が構築されると考えられます。

クーンによると、科学者は、すでにできあがっているパラダイムの範囲内で試行錯誤します。ところが、そのパラダイムでは今まで通りの科学現象を理解・説明できないことがわかると、新しいパラダイムシフトが起こります。科学の世界では、たとえば、階段で一歩一歩進むとは限らず、突然、エレベーターで2～4階を飛び越して、いきなり隣のビルの5階にいるというようなことが起きます。

トーマス・クーン
1922年-1996年

アメリカの哲学者、科学者。科学史、科学哲学の専門家。ハーバード大学で物理学を専攻。カリフォルニア大学バークレー校教授となり、科学史と科学哲学を教える。「パラダイムシフト」の概念は社会科学や人文科学にも影響を与えた。

✳ 天動説から地動説、ニュートン力学から相対性理論など

　ニュートン力学がアインシュタインの相対性理論に包括されていくように、土台そのものが大きく変更する場合などが、その例です。

　クーンは、『科学革命の構造』で、アリストテレスの自然学から近代の機械論的自然学への変遷は「**累積**」による発展ではないとしています。プトレマイオスの天動説では説明がつかず、コペルニクスの地動説にとって代わったのもその例だとされます。

　クーンは、光の性質についても説明しています。

　「今世紀のはじめに、プランク、アインシュタインなどによって光量子説が展開される前には、物理学の教科書には、光とは横波の運動である、と書かれてあった。この考えは、究極的には19世紀初めのヤングやフレネルの光学に関する著述から得られたパラダイムに根ざすものである」（『科学革命の構造』）

　イギリスの自然哲学者ロバート・フック（1635 ～ 1703）は、デカルトが説く空間には微細物質エーテルが満ちていると考えました。ニュートンは光は粒子であるとしました。イギリスの物理学者トマス・ヤング（1773 ～ 1829）は、光の干渉実験で、光は波だとします。

　19世紀末頃に、マックスウェルの理論が検証され、**光の波動説**は確立されました。

215

常識はずれの仮説がホントウだったりする

✳「異常科学」が認められると「通常科学」になる

光の波動説を裏付けるためエーテル P344 の実在を検証しようとして実験が行われましたが、どうにもエーテルは発見されません。

一方、1905年に、アインシュタインは、光電効果により金属表面から飛び出してくる電子のエネルギーを正しく説明し、光の波動説を支持しつつ、光量子仮説を唱えました。

クーンの『科学革命の構造』では、ここでパラダイムシフトが起こったとされます。光が波動なのか粒子なのかという問題は、20世紀に量子力学が確立していく中で「光は〈粒子性〉と〈波動性〉を併せ持つ」という結論に至りました。

「もし、光がニュートンの法則によって支配される力学的エーテル中を伝播する波動であるとすれば…そこで光行差測定によるエーテル波の検出は、通常科学の世紀の問題となった」（同前）

クーンによれば、科学には2種類あります。「**通常科学**」（「規範的科学」）と「**異常科学**」（「革命的科学」）です。「通常科学」は、すでに正しいとされている権威をもった科学者集団によって支持されています。大学の研究生らは、この「通常科学」で研究を進めます。

しかし、時に、このような科学の規範力が及ばない変則的事例が見出されることがあるとされます。普通はそのような事例は「通常科学」の枠内で場当たり的な処方で解決しようとします。

たとえば、先程の光の例でいえば、波を媒体とするエーテルの存在といった補足説明を加えて、従来の考え方を守ります。ところが、従来の「通常科学」とは異質な理論を提示する者が現れることがあり、これが異常科学と呼ばれます。

✳ 未来にもパラダイムシフトがまた起こるかもしれない

「異常科学」というのは、従来のパラダイムに合わない科学です。まだ、本当かどうかもわからない段階です。

「異常科学」が本当に間違っていて「異常」であるときもあるし、これが抜本的に新しく受け入れられれば、それが「正常」であるとされ、また新たな「通常科学」として制度化されていくことになります（相対性理論や量子力学などの例）。

このように、科学理論の変遷を理論自体の単純な**累積的発展**として見るのではなく、**飛躍的な観点**を考慮する見方が、パラダイムシフトです。

「どの場合にも革新的な理論というものは、通常の問題を解く仕事がうまくゆかないことがはっきりするようになって、はじめて出現したのである」

クーンによると、ニュートン力学、粒子光学などのパラダイムを学んでいる学生は「将来仲間入りをして仕事をしようと思う特定の科学者集団のメンバーになる準備をする」をしますので、異常科学的な変則事項（例：絶対の時空間が存在せず相対的であるなど）が現れても、思考の切り替えをしづらいと言います。

また、クーンは、偶然的・変則的要素や社会的要素の影響を重視すべきであると考えます。「通常科学」の中で、パラダイムシフトとしての「科学革命」が生じるのは、より正しいことを理由に生じるだけではないからです。例えば、ガリレオがカトリック教会の権威による宗教裁判によって自説の撤回を迫られたように、政治的な力がパラダイムシフトを阻む要因になることがあるとされます。なんであれ、たとえトンデモ理論に見えるような説が出てきても、頭ごなしに否定するのではなく、公平に検証するべきだということでしょう。クーンの理論は、自然科学分野のみでなく、人文・社会科学分野においてもパラダイム論が議論される契機となりました。

現代の政治哲学

〚〛〛〛〛〛〛〛

「無知のヴェール」をかぶせると平等を選ぶ

✳ 正義を見出すための思考実験とは？

アメリカの政治哲学者ジョン・ロールズは、1971年に『正義論』を著しました。これには、**貧富の格差**を縮めるための斬新な思想が述べられています。

従来、貧富の格差を縮めるには社会主義的な富の再分配などの考え方がありました。しかし、ロールズの考え方は、資本主義経済の中で、「自由を認めながらも格差を縮めていく」という方法論でした。

彼はロックやルソーの説いた、社会契約説 🖙 **P134** に大きな影響を受けつつ、独自の**リベラリズム**を展開したのです。ロールズによると、個人は様々な立場にあるので、完全に意見の一致をみるのはほぼ不可能です。

様々な立場とは、富裕層や貧困層、人種、民族、宗教などの違い、利害関係や社会的地位などを意味しています。

その中で共通の「正義」を見出すために、ロールズはある思考実験を提唱しました。これは「正義の諸原理は、**無知のヴェール**の背後で選択される」と表現されています。

ジョン・ロールズ
1921年–2002年
アメリカの政治哲学者。リベラリズムと社会契約論の再興に貢献。『正義論』は大きな反響をえて、政治哲学が盛んになった。

マイケル・サンデル
1953年–
アメリカの政治哲学者。ハーバード大学教授。コミュニタリアニズム（共同体主義）の代表者。著書『自由主義と正義の限界』など。

✳ 公正な分配をするための原理とは？

　競争の社会は認めるが、貧しい人にも分配することで、社会契約説の「**原始状態（original position）**」 ☞ P134 を応用します。金持ちか貧乏か、人種が何か、性差など自分の今の立ち位置がわかっていると、人それぞれの価値観が変わってしまいますので、これらをすべて架空の「無知のヴェール」で隠した状態を考えてみます。

　「無知のヴェール」をかぶせるという**思考実験**をすると、自分がどんな社会的地位にあるのかが不明になります。ヴェールをはずしてみたところ、もし、ビル・ゲイツのような大金持ちだったらいいのですが、場合によってはホームレスかもしれないからです。ですから、ロールズによると、「無知のヴェール」をかぶせると、誰もが平等主義を選ぶことになります。

　こうして、ロールズは自らの正義を「公正としての正義」と呼び、2種類の正義の原理をあげました。第1原理は、「公正な機会均等原理」です。すべての人は平等に、最大限の基本的自由（言論の自由や信教の自由など）をもつべきだという内容です。

　第2原理は、「**格差原理**」というものです。これは、社会・経済的な資源配分に関しての正義のことで、「公正な配分をする」ということです。

ロールズを批判したサンデルの政治哲学

✲ サンデルのコミュニタリアニズム（共同体主義）

　ロールズは、リベラリズム（自由主義）の立場をとるので、ある程度の格差は認めます。ただしその格差は、社会内の「最も恵まれない人々の最大限の利益となること」が条件となります。

　これに対して、アメリカのハーバード大学教授である政治哲学者サンデルは、ロールズのリベラリズムを批判しつつ、**コミュニタリアニズム（共同体主義）**を提唱しました。

　現代社会の問題点として、生まれや条件による偶然的なめぐりあわせによって、一部の人々が優遇されるという傾向があります。

　よって社会正義を実現するには、本人の力ではどうすることもできない差別を取り除く必要があります。本人の努力による功績に応じて地位が向上するのは理想の社会です。しかし、それには、功績を得られる平等な機会が前提とならなければならないとされます。

　ところが、リベラリズムが進みすぎると、**リバタリアン**（自由至上主義者）の立場が台頭します。リバタリアンは、私的財産権や私有財産制は個人の自由を確保する上で必要不可欠な制度原理と考え、国家の介入を抑えるべきことを主張しています。

　サンデルは、これらリベラリズムやリバタリアニズムの思想を批判しました。リベラリズムは、財産の「配分」を重要視しますが、サンデルは「配分」よりも「**美徳**」について考えなければならないというのです。人間は単に金が儲かって豊かになれば幸せというわけではありません。サンデルは、社会は「美徳を養う」こと、つまり私たちがよりよい人間になることのためにあると主張します。これは、ギリシアの哲学者アリストテレス P26 の考え方を、サンデルが受け継いでいるからです。

✳ 共同体メンバーが共有する共通善が大事

アリストテレスはものごとに「**目的（テロス）**」 ☞ P29 があると考えました。

『ハーバード白熱教室』でも取り上げられた例ですが、「最高の笛はどのような人間が使うべきか？」という問いがなされます。普通は「最高の笛であっても誰もが平等にそれを使うべきだ」との平等主義的な答えをしてしまいそうです。

また、「最高の笛は上手な奏者が使うことで多くの人を楽しませることができる」と答えると、「最大の効用」を生み出すという功利主義の答えになります。

サンデルの答えは、アリストテレスの「**目的論**」に基づくので、「最高の笛は最も最上の笛吹きが手にする」。すなわち、笛の形相論的な目的論からすれば、笛は最高の奏者が吹き、その「美徳を実現するという目的」のために存在しているとします。

つまり、量的な面だけではなく質的な面、「よさ」＝徳というギリシアの価値観を強調しているのです。現代の資本主義に生きる私たちにとっては奇妙な説に思えるこの「目的論」から、サンデルは様々な角度でロールズのリベラリズムを批判します。

ロールズの「無知のヴェール」では、個人がどのような地域共同体にいるのかがわからないので、自我も決定づけられません。

サンデルは、そもそも人間の自我のあり方を理解するには、その個人がどのような家族や地域共同体の中に置かれているのかがわからなければ自我も決定づけられないと考えました。

サンデルは、コミュニタリアンの立場から、共同体メンバーが共有する**共通善**（common good）を考えなければならないとしました。

現代の消費とファッション

※※※※※※※※※※

ブランド品を集めてもキリがない理由

✳ 現代では「もの」の価値が変わってきた

フランスの哲学者・思想家のボードリヤールは、『消費社会の神話と構造』（1970）で、消費社会について分析しました。ボードリヤールは、ポストモダンの思想家とされています。彼は、現代の消費社会では、人々は商品を記号として消費しているという分析をしました。

「洗濯機、冷蔵庫、食器洗い機等は、道具としてのそれぞれの意味とは別の意味をもっている」（『消費社会の神話と構造』）

本来、服は体を寒暖や衝撃から守るものですし、カバンは物を運ぶという意味を持っていました。ところが、デザインや色が豊富になり、形も多様化してきました。使用の仕方以外の判断基準が混ざってきたのです。そうなると、使えるかどうかよりも流行が重視されてきます（使えるスマホをなんとなく機種変更することなどもそうかもしれません）。

「もの」は使用価値や達成可能な持続性のために生産されるのではなく、「ものの死滅」のために生産されます。商品はものではなく記号となり、「もの」の効用よりも他の商品との差異が重視されるようになるわけです。

ジャン・ボードリヤール
1929 年 –2007 年
フランスの哲学者、思想家。ポストモダンの代表とされる。パリ大学ナンテール校教授。著書『消費社会の神話と構造』など。

ロラン・バルト
1915 年 –1980 年
フランスの哲学者、批評家。コレージュ・ド・フランス教授。ソシュール、サルトルの影響を受けて、エクリチュールの思想を展開した。

✳ 世の中はどんどん記号化していく

近代の生産の時代と異なり、現代の消費社会においては商品のブランド的な魅力が重視されます。これは、他の商品との差をつける働きをしています。

ボードリヤールは、生活の必要物を求める**欲求**と、社会的地位と差異を求める**欲望**を区別しました。食事をするのは「欲求」ですが、着飾ったり、いい車に乗ったりするのは「欲望」です。「欲望」は他人との区別を表現するために、記号の象徴を消費すると考えられました。ボードリヤールによると、「消費財」は「**機能財**」と「**記号財**」の結合に転換します。

「暖かさを保つ」「身を守る」ということから着る服は「機能財」とされ、他人と差をつけるために着ている服は記号財です。

さらに、消費欲望がより多く記号財に向かうのに比例して、財はますます記号化していき、消費社会は記号の体系になると説かれています。この行動様式を体現するのは上昇志向をもつ中間階層（意識高い系？）なので、この階層は他人とのごく小さい差異を求めて行動します。最後はその差異を相互に解消して、同一性を生むでしょう。常に新しいものを目指していかなければならないようです。

「表徴の帝国」日本とテクスト

✳ 「作者の死」で「テクスト」が一人歩きをする

　ロラン・バルトは、フランスの哲学者・批評家です。文芸批評を中心に、神話、モード、映画、写真など文化全体で多岐にわたる活動をしました。バルトは、ソシュールの構造言語学を基礎とし、記号学によって世界を読み解きます。「テクスト」、「エクリチュール」、「ディスクール」などの現代思想の基本用語の流行はバルトによるものです。

　バルトの『物語の構造分析』の中に「**作者の死**」という概念があります。私たちは文学作品を読むとき、その作品が作者の思想を表現していると考えています。過去に作者が心に思い描いたことを理解すべきであると考えます。

　ところが、バルトはこれを近代の古い発想であるとしました。「作者の死」によって残るのは「作品」ではなく**テクスト**であるとされます。テクストは作者の手を離れていき、読者が読み込むことで深みがでてきます。

　テクストには作者の心の中にあった真実が表現されているのではなく、読まれることで新しく生まれ、加工されているというのです。こうなると読む側に積極性がでてきます。テクストは読み手を通じて一人歩きしていくというわけです。

　「テクスト」には織物という意味があり、まるでどんどん新しく編まれていく織物のようだとされます。この発想は文学だけにとどまりません。

　バルトは写真論を展開しています。写真の本質は「それはかつてあった」ということです。私たちが知ることができるのは、今そこにある写真だけです。ここにも作者と作品の解体がみられます。

✳ 日本ってそんなに不思議なの？

バルトによると、織物のようなあり方をしているのは、文学だけではなく、文化のすべてに言えることです。

ファッションを分析した『モードの体系』ではデザイナーの自由な発想から生まれるモード（服装）が、どのような記号なのかという観点から分析しています。

また、バルトは日本に滞在したことがあり、日本について『表徴の帝国（記号の帝国）』という本を著しています。これは、西洋世界が「意味の帝国」であるのに対し、日本は「表徴（記号）の帝国」だと規定する内容です。

記号論では、記号そのものよりも、記号があらわしている意味の方が重要でした。たとえば、信号機の赤は、赤であることよりも、その意味内容の「ストップ！」が重要です。トイレの女子と男子の記号も、それ自体ではなく「女子トイレ」「男子トイレ」の意味内容が優先されます。逆に意味のないものはどうでもいいわけです。

ところがバルトが日本に来てびっくりしたのは、記号が意味と切り離されて自由気ままにつくられていることでした。歌舞伎の女形は女であって女ではないし、隈取の意味も不可解。東京という大都会なのに、中心に皇居という非都会的な空間がある。記号とその意味は全然つながっていません。

天ぷらは衣の編み物であり、その隙間は食べられるためだけにある。すき焼きは、皿がスタートで鍋は絵画。パチンコなども考察されています。確かに日本人は記号的には意味のないことを普通に行っているのかもしれません。

石庭などになってくると、禅の悟りとからんでくるので、現代人の私たちにも意味がわからないことがあります。西洋からするとなおさらのことだったのかもしれません。

テーマ別

― 編 ―

現代の問題を
テーマ別に分けて、
思考ツールで問題解決へと導く

1 哲学・思想の応用編

Ⅱ部1章では、Ⅰ部の哲学史を縦割りにして、テーマごとに人生の問題に応用していくという内容になっています。Ⅰ部の知識を活用しつつ、自分の力で考えながら、人生の問題を哲学的に解いていきましょう。

「考えることで壁を乗り越える」では、哲学の始まりから、近代の認識論の流れを解説しています。これは、外側で起っている出来事と自分の主観的な捉え方が、果たして本当に一致しているのか、という認識への問いかけに答えるものです。

日常生活では、そういう非常識なことを考えませんが、哲学ではあえて自分の考えが妄想ではないかという疑問から始まって、主観と客観の正確な一致を目指します。妄想が受け入れがたければ「勘違い」と言い換えるとよいでしょう（勘違いはプチ妄想です。例：骨なしチキンと思っていたら［プチ妄想］、骨がついていた［主観と客観の一致］など）。

この思考法を身につけると、自分の人生が勘違い・思い込みの連続であることに気づきます。でも、勘違い・思い込みを修正するのが、思考の発展運動の一部なのだから、人生全体が学びなのだということがわかります。

「どうやったら幸福になれるの？」では、悩み相談的な題材を取り上げていますので、意志力を高めたり、幸福感を増したりするのに役立ちます。そのうえで、「幸福を求めるのは間違っている」という哲学もあるということを知っておけば、「哲学＝幸

福論」という単純な思い込みが打破されます。哲学とはもっとバラエティにとんでいる学問だということを再認識できるでしょう。

「動機と責任について考える」は、Ⅰ部で紹介できなかった基本事項をもう少しかみくだいて説明してあります。これはⅡ部の5章の自己啓発につながります。

「宗教哲学はややこしい」は自分は宗教などに興味はないと言っている人も、実は宗教的な発想をしていることがあると気づくためのものです。宗派に関係なく、人間の有限性を自覚すると自然に超越的な神について考えてしまう人間の性（さが）についての説明です。

さらに、哲学レベルがパワーアップしてくると「存在論」というよりややこしい哲学のステージに入ります。「世界が存在していることの不思議」では、ギリシア時代から現代までの「存在論」を概観します。

「存在」の話になると「非存在」の話になって、どうしても「死」という事実に直面せざるを得ません。

「生きることと死ぬこと」はあまりに暗すぎるので、「さらに死について考える」「生きる意味とはなにか」でなんとか明るい方向を示しておきました。

このように、哲学は現実の背景にある「真の世界」を追究するので、最後は自分の終わりを見届けるということをシミュレーションします。死について徹底的に考えると、なぜか、今生きている瞬間が輝いてくるので、不思議です。

考えることで壁を乗り越える

〈✕✕✕✕✕〉

人間を考えると世界もわかってくる

✳ 知を求めることで人間学が始まる

　幕末から明治初頭にかけて、日本は多くの西洋文化を導入しました。当初は「フィロソフィー（philosophy）」は、「希哲学」「窮理学」などと訳されていました。その後西周（1829 ～ 1897）が『百一新論』（1874）の中で「哲学」と訳して今にいたっています。これは、諸学の統一原理についての学問という意味でした。

　愛知の学としての哲学が求める知は、一見役に立ちそうにない包括知・根源知です。これはソクラテス ☞P18 の立場を考えるとよくわかります。ソフィストにとっての知は、政治の場で役立つ言論に関しての技術知でしたが、これに対してソクラテスの求めた知は、何かのために有益な知ではなく、「知のための知」「知そのものが真理の性格を持つ知」というものでした。

　ソクラテスは、あらゆる人間に当てはまる基本的な善い生き方としての「徳」を問題にし、魂を徳のある善いものにしようと気づかうことを**魂への配慮**（よく生きること）と言いました。これは、知識を求めている当の人間そのものについて考えるということです。

　ところが、哲学は人間のことだけを考えるところでは終わりませんでした。紀元前 3 世紀初め、ゼノンのストア学派 ☞P32 では、哲学が、**論理学、倫理学、自然学**の 3 つに区分されたのでした。

✳ 人間学は認識論へと発展した

　論理学は、推論の妥当性をまとめたアリストテレス以来の形式論理学
だけではなく、外界の実在について私たちの表象がどのように成立する
かという認識論も含むものでした。ストア派が力を入れた倫理学では、
理性で感情や衝動、意志や欲望を抑えたり、公共の生活における各人の
義務や社会を規制する法について説かれました。これは、ソクラテスの
魂の配慮の課題を発展させたものだと言えます。

　これら論理学と認識論、倫理学が人間を論じるものであるのに対して、
自然学はソクラテス以前の自然哲学 P14 を受け継ぐものです。現代の
自然科学は自然の諸事象を個別に深く掘り下げて研究しますが、自然哲
学では自然を総体として考え、個々の自然学を超えた自然そのものの土
台を考えます。いわば「メタ自然学」＝形而上学（メタフィジックス）
が研究されます。これは、物理学・化学・生物学などあらゆる自然科学
の土台となる「存在」 P28 について考えるということなので、存在論
へと発展し、今でもそれは続いています。これが「生と死」に関わって
くることとなります。

外側のわからないことを取り込む

✳ ずっとわからないのか、いつかわかるのか？

　カントは現象と物自体とを区別して、**理論理性**（感性と悟性）の及ぶ範囲を現象に限りました。カントの認識論では、客観が物自体を含むものではありませんでした（ペットボトルは現象世界にあるけれど、その本当の姿の物自体は認識できない）。

　けれども私たちが生きている現象世界の奥にわからないところ（物自体）があるというカントの考え方を批判する哲学者が出てきました。

　ゴットリープ・フィヒテ（1762 〜 1814）は、人間にとって対象となる客観を物自体の世界にまで拡張しました。フィヒテは、人間を「自我」、世界を「非我」と呼んで、人間の精神の働きは、「自我」が「非我」を自らになじみのあるものへと変えていく努力に他ならないと考えました。

　「自我」「非我」という用語はわかりにくいのですが、例えれば、パソコンの使い方がわからなかったら、そのパソコンは自分ではないもの、「非我」で終わってしまいます。でも、いじくって試行錯誤していけば、それは、新しい知識として「自我」の一部になっていきます。

　これを繰り返していけば、わからない領域（物自体）がわかってくるということになります。実際に科学の世界でわからなかった素粒子などの領域に踏み込んで、物質の謎が人間の知に取り込まれるということが起こっています（ただ、最後の最後はわからないことが残るとすれば、「物自体」はあることになります）。

　フリードリヒ・シェリング（1775 〜 1854）は、フィヒテの自我と非我の関係を「精神（Geist）」・「自然（Natur）」と読み替えました。精神と自然は別なものではなく、量的な違いであって、すべては同じ存在、つまり「汎神論」になります。

✳ 矛盾が生じると進歩する

　ヘーゲル P94 は、フィヒテの「自我」「非我」の説とシェリングの「汎神論」の説を総合して、主観と客観が対立しつつも知が発展し拡大していくプロセスで捉えました。精神が、心や意識など個人的精神として現れる場合は「主観的精神」、法や国家などは「客観的精神」と呼んで、個人的な主観的な見方から「普遍的客観的」な形へと精神が高まっていく過程も**弁証法**で説明しました。

　自分一人でごちゃごちゃ考えて煮詰まってしまったときは、様々な情報を取り入れます。けれども、その情報を鵜呑みにしてしまうと、そこで精神の活動は止まってしまいます。そこで、さらに新たな情報を取り入れて吟味をします。

　これは弁証法的な活動が自分のなかに起こっていることを意味します。つまり、主観と客観がだんだんと一致していって、最終的には普遍的に正しいこと（絶対知）に近づいていくことになります。

　これは、ソクラテス以来の問答法の形式に似ています。ある思考を止めてしまうのではなく、対立的な自分の中になかった情報を受け入れて、それを咀嚼していく。そうすることで、新たな知が芽生えていくというやり方でした（弁証法 P274）。

　この世界は常に変化していますので、対立・矛盾・障害が発生しないということはありえません。動くということは、何かの壁を克服していくということです。生きている限り何かの壁が立ちはだかってきます。勉強も筋トレも負荷をかけることで、外部の、自分ではなかったものが自分のものとして取り込まれるという運動が起こります。

　生きている以上、ソクラテス以来の人間学で明らかになったこの法則から逃れることはできません。したがって、むしろ、障害を乗り越えて成長するという前向きな気持ちで、哲学を使って生きていくのがよいのです。

どうやったら幸福になれるの？

❖❖❖❖❖❖

幸福論にもいろいろある

✳ 習慣によって徳が身につく

　アリストテレス ☞ **P283** は、史上初の倫理学書『ニコマコス倫理学』を著しました。この書においてアリストテレスは、知性と意志とを区別しました。そして、徳を実現するには意志による行為の選択が大切だと考えました。

　人間は快苦をともなう感情に動かされます。これは、人間の自然的本性ですから、良いこととも悪いこととも言えません。重要なのは、これら快苦をともなう感情に対して、私たちがどのような態度をとるかということになります。

　アリストテレスによると、魂の「**アレテー（徳）**」は感情に対する態度に依存します。善い態度とは感情に対して流されないことであり、強くも弱くも反応しないで、その**中庸**をとることです。

　例えば名誉について言えば、過剰は「虚栄」になるし、不足では「卑屈」となりますが、中庸は「高邁」になります。

　ユーモアの場合、過剰はスベりすぎて「道化」になりますし、不足はつまらない「野暮」になりますから、「中庸」は「機知（ウィット）」ということになります。このように徳は中庸を習慣化することによって実現するとされました。徳は習慣によって身につくので、これは**習性的徳**と呼ばれました。

✳ 功利主義は影響力のある幸福論

　今日では、倫理学は、実践哲学、道徳哲学などと呼ばれることもあります。だから、倫理学はしばしば「幸福論」の形式をとることもあります。

　アリストテレスも、万人の求める最高善は幸福であると考え、「中庸」の生き方を真の幸福とみなしました。

　エピクロス派を創始したエピクロス ☞ P30 は、幸福な生活の基準を快楽に求め、快楽を善、苦痛を悪と考え、苦痛を伴わない至高の快楽を「心の平静（アタラクシア）」に求めました（快楽主義）。

　これに対して、快楽に振り回されず禁欲の精神で「不動心（アパティア）」にこそ幸福を見出そうとしたのがストア派でした（禁欲主義）。

　ストア派のセネカは皇帝ネロから死を命じられて自決していますが、死すべき運命に心を乱さないことが幸福である、と説いていました。

　功利主義 ☞ P150 の倫理学も、幸福論の１つです。

　ベンサムの『道徳と立法の諸原理序説』では、「最大多数の最大幸福」が説かれています。

幸福論を否定する哲学もある

❋ ラッセル、ヒルティ、アランの三大幸福論

　バートランド・ラッセル（1872 ～ 1970）の『幸福論』も、幸福を善とみる立場から書かれました。ラッセルの場合は**不幸の原因**は、情熱や関心を自分のことばかりに向けることにあると説いています。

　ラッセルは、幸福を得るために好奇心を旺盛にして、外部へと関心を振り向け、他人と友好的に交わることをすすめます。また、仕事に喜びを見出し、愛情や気晴らしを活用して、快活に生きるよう努めることで、幸福になれると説いています。

　カール・ヒルティ（1833 ～ 1909）の『幸福論』では、人間は根本的に非力な存在であり、自力ではどうにもならない苦難や悲惨を前にして、神の力に頼らざるを得ない者だと説かれます。よって、真の幸福を求めるには、この現実を直視して、超越的な神の救いを信じ、神とともにある生活を送るべきだと説かれます。

　このように様々な幸福論がありますが（アランの幸福論 ☞P184 ）、哲学では「幸福論」そのものを批判することもあります。

　20 世紀に入り、言語や概念の分析を通じた分析哲学の方法が広まるとともに、この方法が倫理学の問題についても適用されていきました。

　イギリスの哲学者**ジョージ・ムーア**（1873 ～ 1958）は、快楽主義を批判しています。ムーアは、倫理的概念を非倫理的概念によって定義しようとする誤りは**自然主義的誤謬**であるとします。ムーアは、倫理的な善を自然科学や心理学でとりあつかうものと同一視してはならないと考えたのです。ムーアは、倫理学の課題を「善とは何であるか」に答えることと考え、手段としての善であれば目的に適うが、それ自体における善は単純観念であって、定義することができないとします。

✳ 快楽＝善とは限らない？

　メタ倫理学では、個々の事例における「○○が正しい」、「○○はどうあるべき」といった問題をあつかいません。「正しい」とか、「○○べきである」といった概念の意味や定義とは何か、というメタレベル（高次のレベル）で考えます。そこで、「○○は善である」などの述語の意味を解明することが先になります。

　しかし、「自己犠牲は善である」というように規定したとしても、それは善そのものではありません。なぜなら、「自己犠牲」という他の性質によって善を定義しただけですから不十分なのです。これでは、単に二義的なアプローチをしているだけということになります。だから、「善」を他の概念によって置き換えることができません。

　ムーアによると、善は経験科学の対象とされるような自然存在ではありません。

　また、善は神などを根拠とする超感覚的な形而上学的存在でもないとされます。善は**非自然的存在**なので、自然的性質や形而上学的性質を借りて定義しようとすれば、当然誤りが生じるとされます（これが自然主義的誤謬です）。美しい芸術作品についてあれこれと言葉をついやしても、感動をそのまま表現できないのと同じです。

　となると、「善」は証明や定義といった間接的な手続きを必要とせず、ただ、**直覚**によってのみ捉えることができます。それ以上、さかのぼることのできない直接的な明証性を、人間は誰でも直覚的把握によって捉えるのです。このような立場を**倫理的直覚主義**といいます。

　ムーアは、快楽主義は快を善としていますが、みんなが快を善という価値に結びつけているだけで、事実判断をそのまま価値判断にすり替えた誤りであるとしました。

　「善」は心にピーンとくるものなので、「快楽」とまぜこぜにしないようにすれば、善そのものがわかってくるのかもしれません。

動機と責任について考える

カントの道徳説を復習しよう

✳ 道徳的義務に基づいている？

カントの倫理学も幸福主義の倫理を否定しています。カントは人間の知性の働きに限界を設けて、その奥には知性で合理化して説明することのできない領域（**物自体**）☞P189 があるとしました。そうした領域の知的な論理を超えて働く意志の世界なので、ここが倫理の境域であるということになります。

カントは、**理論理性**が認識能力として感性形式（空間と時間）や悟性概念（カテゴリー）をもっているように、意志にも理性的に行為する実践的能力が法則的に存在すると考えました。

カントの場合は、「行為の動機が、道徳的義務に基づくかどうか」を重視します（**動機説**）。

よく比較されるベンサムの功利主義は、これとは逆で快楽の増大を重視しました（**結果説**、**帰結主義** ☞P150 ）。

カントの倫理学は、『道徳形而上学の基礎づけ』（1785）、『実践理性批判』（1788）によって展開され、「単に義務に適っているだけの行為」と「真に**義務からの行為**」とを区別しました。

「交通安全のためにスピード制限を守っている」なら道徳的義務に適ってはいると言えますが、「警察に捕まりたくないから守っている」なら真に義務からの行為であるとはいえないというようなことです。

✳ 自分で決めたルールを吟味する方法

　この観点から快楽主義や幸福論を考えると、これらは決して「義務からの行為」に道徳的価値を置くものとはいえません。カントは、義務を尊重し、義務からなされた行為にのみ道徳的価値を与えました。

　カントは、義務からの行為を行う意志を、無条件の善さをそなえた**善意志**と呼びます。善意志が義務として従うべき**道徳法則**が「汝の意志の**格率**が、常に同時に普遍的な立法の原理として妥当するように行為せよ」という定言命法に形式化されます。

　格率 ☞ P93 とは自分で決めた個人的準則（ルール）です。たとえば「コーヒーの空き缶を、駅前で他人の自転車のカゴに入れる」というのを自分の格率にしたとします。そしてこれが「常に同時に普遍的」であるとしてみます（すべての人が同じことをするということ）。

　すると、すべての自転車のカゴが空き缶だらけになって、もう捨てるカゴもなくなるので、そもそも自分で決めた格率が実行できなくなります。つまり、その格率が誤っていたとわかるわけです。この道徳法則は、人生の公式なので、実際に様々な場面で適用してみるとよいでしょう。

内面の形式　VS　外面の行動・結果

✳ 人生、楽しむためにあるんじゃない？

　カントは、各人が「善意志」をもっていれば、常に万人に妥当する普遍的な善に適ったよいルールで行動すると考えました。この道徳法則は、**定言命令**（「汝、無条件に〜せよ」） ☞P363 という道徳律の形をとります。

　これは、「善意志」を出発点としますので、快楽・幸福などの他の条件に規定されません（意志の自律）。

　ということは、「人生は楽しければそれでいい」という考え方が根本的に批判されることになるでしょう。

　「人生はそれ自体善いとされることをすればいい」となります。これは、快楽・苦痛、損失・利得、幸福・不幸といった他律的条件から自由になるということです。

　つまり、これは、端から見ると不幸そうに見える人が、内面的に満足できるということです。カント的に生きるのは、現代人にとっては至難の技といえるでしょう。

　なにしろ、現代は科学技術によってできるだけ快楽を増やして苦しみを減らすのがよいことだという考えが常識化しているからです（功利主義ではこれは正しい）。功利主義の結果説とカントの動機説は、**政治哲学**とも関連してきます。

　ところで、カントの哲学はすばらしいのですが、哲学の世界では批判によって新たな見地を打ち立てるという動きがありますので、カントの倫理学もまた、様々に批判されました。

　無条件に成り立つ道徳的規範という一種の公式のようなものをつくると、実生活は多様化していますので、抽象的な形式主義になってしまうという批判です。

✳ 自由があるから責任もある

　ドイツの哲学者マックス・シェーラー (1874 ～ 1928) は、感覚価値 (快適価値)、生命価値 (健康価値)、**精神価値** (文化価値)、**人格価値** (聖価値)の序列を立てました。たとえば、会社は利益をもとめる感覚価値をもっています。家族は生命価値、学問の世界では精神価値、教会では人格価値などをもっていて、これらが社会的に連帯していると説いています。

　シェーラーは「～せねばならない」という意志よりも、感情のもつ価値志向性に注目しました。愛の作用に人格性の根拠をおいて、人格の倫理学を示したのでした。

　ドイツの社会学者マックス・ウェーバー (1864 ～ 1920) は、倫理を**心情倫理**と**責任倫理**に分けました。心情倫理は、動機となる心情の純粋さが行為を正当化すると見る立場 (カント的な立場) です。一方、責任倫理は、行為によって予測し得る結果に責任をもつべきとする立場です。ウェーバーは現実の社会に機能している倫理は、「心情倫理」より「責任倫理」であるとしました。

　ウェーバーの影響を受けたヤスパース ☞P180 も責任倫理を説いています。ヤスパースは「実存」とは真の自己になることで、そのためには他の人々との「交わり」が大切であると説きました (愛しながらの闘い ☞P183)。なぜなら、他者との交わりをもつと、他者に対し責任を負い、行為の結果が責任として自分に返ってくるからです。

　サルトルもまた責任について強調します。サルトルは無神論的実存主義者なので、普遍道徳を否定しました。人間は自由 ☞P178 であるから、自分も他者も自由です。しかし、自由であるということは、それだけ他者への責任をもちます。サルトルは、責任をもって自己の行動の選択をして生きるべきだと説きました。

　自分の行動を動機・結果、また、心情・責任などで分類して考えてみると、頭の整理をする機会が得られるかもしれません。

宗教哲学はややこしい

〈✦✦✦✦〉

自分の卑小さに気づくと大きな存在がわかる

✳ 信仰における絶対的依存感情とはなにか？

ドイツの哲学者・宗教学者フリードリヒ・シュライエルマハー（1768〜1834）は近代神学の祖とも言われています。シュライエルマハーは、信仰心を、宇宙に対する人間の「直観と感情」と呼びました（**絶対的依存感情**＝敬虔さ）。

美に打たれる感情が芸術の根拠と考えられるように、宗教もまた何かに打たれる感情をもとに成立する文化であるとされます。

芸術の場合は美に打たれるわけですが、宗教の場合は人間の力や生命を超えているもの＝**神**（**無限者・絶対者・超越者**）📖P181 に打たれます。

これが宗教としての文化を生み出すとされます。これらの説によれば、「宗教を信じているのは論理的におかしい」と言う人は、「この絵が美しいというのは論理的ではない」と言っているのと同じだということになるでしょう。

シュライエルマハーは、この敬虔さを阻む働きを「**罪**」と名づけました。絶対的依存感情（敬虔さ）とは、自らに欠けているところがあるのを自覚する心情だとされます。

絶対的依存感情は大きなものに作られたという感覚であるとされています（**被造物感**とも言います）。「苦しいときの神頼み」ではなく、単に感動して信仰をもつ人もいるということです。

※ 自分の限界を知っておくと、慎重に生きられる

人間は、自分で爪を伸ばしたり、心臓を動かしたりしているとは思っていません。確かに、自分は何もしていないので、有限で卑小な存在なのかもしれません。つまり、絶対的依存感情とは、自身が自己の根拠ではないという感情のことです。

このように、宗教とは絶対者に対しては**相対者**に過ぎないこと、無限者に面しては**有限者**にとどまらざるを得ないとを自覚することです。

特に人間の有限性をありありと示すのが**人間の死**です。実存哲学者のヤスパースは、私たちが日常で科学的にとらえている主観的自我を超えて、誰とも取り替えが不可能なあり方を「**実存（Existenz）**」 P180 と呼びました。「実存」に覚醒するのは「限界状況」でした。これらに直面することで初めて、ただ祈るよりほかない自分の有限さに覚醒するとされます。

このような哲学的思考を普段から実践していれば、何かの危機に直面しても、そうそうパニックにならないという効果があります。深呼吸してちょっと落ち着いてから、考えなおすとよいかもしれません。

神の存在を論理的に証明できる?

✳ ギリシア哲学以来の魂不滅の論理

　プラトンの『パイドン』の中で、ソクラテスは哲学を「死の訓練」としています。プラトンによると、人間の本性は肉体から区別された霊魂にあり、霊魂は永遠の真理を知る不死なるものとされます。霊魂はこの世では肉体の中に閉じ込められているので、普段から霊魂を肉体から独立させるようにして、霊魂の浄化に努めるべきだといいます。

　『パイドン』では、日頃の生活で心がけてきたことがいわば完成されるのだ、自己の生命が本当に清められ、完全に解放されて、自己自身に帰るのだと考えられています。『パイドン』では、不死についての議論が哲学による証明という形になっています。

　私たちの生命のもとは、純粋な魂の形で考えられます。それは、その純粋性において、**イデア** ☞P24 の絶対的存在と同じく、感覚的把握を超えた永遠不死の性質をもつとされています。よって、イデアの存在を認めるということは、魂が生まれる以前にも存在したことの証明になります。

　魂の不死については、知性や理性がその本性により不滅であるとするプラトン以来のギリシア的な伝統と並んで、キリスト教が説く死後の復活の信仰も哲学に大きな影響を与えてきました。キリスト教では、死は罪の報いという意味があります。人間はイエス ☞P48 の説いた福音を信じることで、新しい生命に復活することができるとされました。

　古代のキリスト教では、アウグスティヌス（354 ～ 430）が「三位一体論」を説いてキリスト教哲学を展開し、11 世紀中葉にはスコラ哲学 ☞P55 の形成される時代を迎えました。

✸ 伝統的な神の存在証明の数々

　古来、神を論理的に証明する方法がいくつかありました。中世のスコラ学では、哲学者アンセルムス（1033 ～ 1109）が「神の存在論的証明」をおこなっています。神は可能な存在者の中で最大の存在者です。可能な存在者の中で最大の存在者は、論理的必然として実際に存在するという属性をもっています（最大の存在者が存在しないのは矛盾であるから）。ゆえに、神は私たちの思惟の中にあるだけでなく実際に存在する、というものです。デカルトもこれを使っています。

　13 世紀に至って中世スコラ哲学は最盛期を迎え、トマス・アクィナス（1225 頃～ 1274）が、アリストテレスの哲学を神学に導入しました。信仰にとっての真理は、知性にとっての真理とは異質のものであるとして、信仰と知性を調和させました。知性では「神の存在証明」がなされます。

　ここではアリストテレスの哲学が応用されています。まず、全ての事物や出来事には、必ず原因があり結果があります。そして、物体が運動するには、何か原因がなければなりません。しかし、原因となった出来事もまた原因がなければなりません。このように出来事の「原因」の序列は、より根本的な原因へと遡行して行きますが、これは「無限」に遂行するわけにはいきません。とすると、すべての運動には最初の要因があるはずですから、この原因はその前にはさかのぼりません。ゆえにこれが宇宙の**第一原因**であり、これこそ「神」である。ゆえに神は存在するというものです。これは**宇宙論的証明**と呼ばれています。カントは、神の存在や霊魂の不死の問題は、知的認識の外にあるとしています。しかし、神の存在は理性的な道徳法則を与え、善へと向かわせ、善悪の審判をくだす者として「要請」されるとしています。これは「神の道徳論的証明」と呼ばれるときがあります。

　これらは、現代では全体的に否定されていますが、数学者の一部は神の不在証明などを主張しています。

THINK 🎓 5

世界が存在していることの不思議

⬦⬦⬦⬦⬦

人間も物質もぜんぶひっくるめて考える存在論

✳「実体」を詳しく説明すると…

アリストテレスは、『形而上学』のなかで、哲学を「存在としての存在」の学であると言いました。

これは、存在を存在として一般的に考察する学ということです。哲学では**存在論**と呼ばれます。存在論の基本は、真に存在するものを考えるために、現象と本質を区別することです。

アリストテレスはプラトンのイデアを個物に内在するものとみなし、イデアを形相（エイドス）と言い換えました。

形相と質料の説は、アリストテレスの項目 ☞ P28 で解説しましたが、もう少し補足すると、現実態と可能態で説明されます。現象する個物はそのものの本質たる形相と無規定的な質料とからなります。無規定の質料は**可能態**であって真の実在ではありませんが、形相が質料を規定して生起した個物は、**現実態（エネルゲイア）**です。

アリストテレスは形相と質料から成るこの個物を真実在の**実体（ウーシア）**としました。

デカルト ☞ P80 の時代になると、実体は存在するために他のものを何も必要としない**自己原因**である、という考え方になります。神はそれ自体で存在するものなので、「無限実体」と呼ばれます。精神と物体は「有限実体」とされます。

✳ 実体が2つ、実体は1つ、いや実体は多元的？

　精神の属性は思考（思惟）で、物体の属性は延長（広がり）でした。このデカルトの存在論は、**物心二元論**と呼ばれていますが、心身二元論の問題（心身問題）📖**P80** が生じました。これは、「歩こうと思うと、歩ける」というように精神（心）と物体（身体）との関係があやふやになるという問題です。精神と物体は独立した実体ということになっているからです。この心身問題は、スピノザやライプニッツらの存在論によって克服されていきます。

　スピノザ📖**P82** の存在論は**汎神論**なので、精神と物体はもともと**神という実体**の必然的な産出にほかなりません。「観念の秩序との結合は、物の秩序との結合と同一である」、つまり「歩こう」という思惟と、「歩く」という身体は同じ物が違う形でシンクロしていることになるのです。

　ライプニッツ📖**P85** においては、すべては**モナド**なので、宇宙が生まれたときにすでに、すべてのモナドに全宇宙のプログラムのようなものが入っています。したがって、**予定調和**によって、心身も連動することになります。

やっぱり「存在」は不思議な存在

❋ 経験論と合理論から観念論、そしてニーチェがぶっ壊す

イギリス経験論のロックは、デカルトと同じく、心（mind）と物（matter）を実体としました。しかしバークリー ☞P88 は、「存在するとは知覚することである」として、存在論の根底をひっくりかえしました。また、ヒューム ☞P89 は、心を「**観念の束**（bundle of ideas）」とし、心とは経験の作り上げる知覚内容（観念）の劇場であるとして、心の実体性（存在性）も否定しました。

カントは、合理論と経験論を総合して、現象を物自体と主観の構成によって説明しました。

物自体は存在するけれども知ることができない領域なので、知ることの哲学（認識論）が主題となっていますが、カントの場合は、存在論から認識論への転換が見られます。

一方、ヘーゲル ☞P95 の場合は、絶対精神がその本質を現象させて自己認識をし、分裂から自己を取り戻し同一性を回復するという弁証法の生成の過程で、存在がダイナミックにこの世界に現れてくると考えました。

ここまでの存在論は、大きく捉えると、世界の根源には、恒常的な**普遍的真理**が土台として存在しているという考え方でした。

ところが、ニーチェ ☞P100 によって、普遍的真理の存在が全否定されます。ニーチェは、現実の世界を超えた彼岸にイデア界を想定するプラトン主義も、彼岸を求めるキリスト教も、**現実の生成**のなかで力強く生きられない人間が妄想的に捏造したものである、と批判しました。ニーチェの哲学によって、形而上学的な存在論は一気に初期化されてしまいました。そして、現実重視の現代哲学の流れが生まれていきます。

❋ ハイデガーによる存在の意味の問い直し

　ニーチェは現実の生成の中で力強く生きる**超人**を唱えました。超人はニヒリズムの世界を肯定します。

　古代から近代の哲学は、現実は生成変化するからこれにとらわれてはいけないし、現実を超えた真の存在を見つめようというのが主流でした。

　一方、ニーチェは存在を**永遠回帰**という時間の中で捉えました。絶えず流転するこの時間の中で、強く生きる人間を理想としました。

　こうなると、ギリシア以来の存在論が破壊されてしまったかのように思われました。

　ところが、ニーチェの影響を受けたハイデガー ☞ P172 は、この存在の**時間化**というニーチェの逆転的な発想に影響を受け、まったく新しい存在論をうちだしたのでした。

　ニーチェは「神は死んだ」と言いましたが、神はなくなったとしても、すくなくとも「存在」は間違いなくあります。だから、「存在」を問うことで、哲学を構築し直せば、ニーチェのニヒリズムも回復できるかもしれません。

　ハイデガーは、「存在」は自明のこととされてきたということを**存在忘却**と呼びました。そして、改めて存在の意味を問い直しました。

　ハイデガーは、人間が漠然とだけれど、存在に何らかの理解をもっていることに着目しました。そのうえで、それを現象学的な方法 ☞ P116 で解釈していきました。存在を時間的な意味から捉えて、その終局である「死の問題」を追究していきます。

　ハイデガーは、存在を本質や実体に還元して理解する従来の存在論から脱して、存在を存在そのものに即して考察するという新しい存在論を打ち立てたのでした。

　存在の不思議と、存在そのものが消える「死」とは、深くつながっていることになります。

生きることと死ぬこと

<<<<>>>>

一度は、死についてよく考えるのもいいかも？

✳ 人は自分は死なないと思っている

　死について考えると暗くなるから、できるだけ死については考えないようにするという態度があります。それはそれでよいのですが、いつかはその態度は挫折することがわかりきっています。どうあれ「私たちは最後に死ぬ」という揺るぎない事実があるからです。

　そこで、哲学では死の問題を先取りしておいて、**死の訓練**をするというソクラテスがしたような発想があります。

　また、死ねばすべてが終わるとか、万物はことごとく没落の運命をたどるとかいう話についても、たいていの人は、それを他人ごとのように捉えています。

　江戸時代中期（1716年頃）に書かれた書物『葉隠』は、肥前国佐賀鍋島藩士・山本常朝が武士としての心得を口述したものです。ここには「人は周りの人間が死んでから、最後に自分が死ぬと思っている」ということが説かれています。しかしむしろ、自分の死を先に考えておいたほうがいいのかもしれません（保険などについてもよく考えましょう）。

　死はどうにも抵抗することのできない、自己の消滅・自己の無化というぞっとするような孤独と絶望と恐怖と不安をかきたてます。だから逆に開きなおって対策をたてておけば、不安も和らぎます。それで長生きしたら、もうけものだと思えばいいわけです。

生まれて
よかった
ニャン

✷ やっぱり死について考えておいた方が無難

　死についてあれこれ考えても、いつかは死ぬのだからその時はその時だという考え方もあります。死ぬときに経過する時間が、人生全体の時間に比して短いと考えているからです。

　しかし一説によると、時間とは均一に流れているわけではなく**相対的**なものです。ある人の5分は、ある人にとって10年のように感じられるかもしれません。死ぬ間際には脳が過去の記憶を追体験するといわれますが、それが本人の時間感覚では数十年分ということも十分考えられます。よって、哲学をしておけば、そのときに対策がとれるのです（「あれ？時間は相対的だな」と考えられるから、少しパニックを抑えられる）。

　死はまったく理解不能ですし、死ぬときの意識状態もまたわかりません。生よりもむしろ死について考えておくことが、人生全体の大きな保障となるかもしれないのです。

　哲学・宗教で「死の訓練」をしておけば、悪いようにはならないかもしれません。それが、**哲学・宗教の役割**だと言えるのです。

251

『存在と時間』の死についての説明

✳ 生まれたということは死ぬと言うこと

ハイデガー ☞P172 によれば、私たちは他者の死そのものを純粋な意味では経験できません。ただ「その場に居合わせている」にすぎません。なぜなら、他者の死は客観的な死であり、当の死んでゆくその人自身の「**存在喪失**」を、私たちは経験することができないからです。他者の死の場面に居合わせて分かることは、誰も、他者からその死を取り除いてやることができないということだとされます。

現存在（＝人間）☞P173 が自分で自分に引き受けなければならない「死」は、本質的に私のものということになります。また、死は「代理可能性」つまり取り換えがききません。自分の代わりに誰かが死ぬのではなく、「死」は私自身が体験することです。「死」は人間において、特別な「存在可能性」ということになります。

ハイデガーによると「死」は、人間がそれにぶつかって崩れ去るほかはない、もはや自分が「存在」することが不可能となる可能性だといいます。「死」とは人間の端的な非力さで、「無の出現」にほかなりません。

「人間は生まれるや否や、ただちに十分死ぬ年齢になっている」とされ、人間は生まれた瞬間に、こうした「死」へと関わって生きざるをえない存在構造の中で、いやおうなく実存していると、言います。

ここで強調されているのは、私たちは「死」というものを身体の停止という医学的な見地で捉えて、それ以上は考えないことが一般的である、ということでしょう。ハイデガーにおいての、死はもはや、たんに観察される他者の死ではなく、生きている自分自身（実存）について問うていくという立場のものです。

✻ 死を先取りして覚悟するということ

ハイデガーは、死は不可避だが、まだ襲ってきてはいない、と言います。これは現存在（人間）が本質的に「**未完了**」であるからだとされます。けれども完了したときに何かが完成するのではなく、「終わり」を迎えるということです。ということから、現存在はどこまでもみずから「未完了」でありながら、みずからの終わりへと関わりつつ存在しているということになるのです。

「死」とは現存在が「みずからの終わりに関わっている」というあり方のことを言うのですから、自分が存在しなくなって無になってしまうことではありません。無になってしまったときは現存在していないので、すべての可能性はもはやありません。

しかし、私たちは今生きていて、終わりへと向かっていき、「死に関わりながら」存在しているのですから、むしろ、死ぬことそのもののうちに問題があるのではなく、死に差しかかっていく自分から目をそらさず、それについての態度をどうするかを考える方が重要だということになります。これは、自分の実存をどのように生きようかという問題にシフトするということです。

ハイデガーは、「死」という可能性の中に先駆して、その死の可能性を了解し、耐え抜くあり方の内から「覚悟」「決意」が発見されると言います。ハイデガーは、非力な存在としての自分を「死」を含めて全面的に引き受けて生きていくことを**先駆的覚悟性**と呼びました。

ハイデガーは、だれもがさけられない死という現実を直視し、それを前向きに引き受けることによって、本来の自己（実存）に立ち返ることを説いたのです。

これは、存在を時間☞P175として捉えていくということから導き出された哲学でした。

THINK 🎓 7

さらに死について考える

◇◇◇◇◇◇

```
人生の不条理と死への向き合い方
```

❋ **サルトルは、ハイデガーと真逆の捉え方？**

　実存主義者サルトル は、その『存在と無』で、死などに煩わされず、まっしぐらに生に突き進む自由の哲学を提唱しました。

　サルトルはハイデガーとは逆に、死は私の固有な可能性ではないといいます。むしろ、「死はひとつの**偶然的事実**」（『存在と無』）だというのです。

　「私の主体性のうちには、死にとって、いかなる場所も存在しない」「死は私を傷つけない」（『存在と無』）

　サルトルは、不条理な死に直面している人間を以下のように説明しています。人間は「死刑囚に例えられる。彼は、自分の処刑の日を知らないが、日ごとに自分の囚人仲間が処刑されるのを見ている。むしろ、毅然として処刑に対する心構えをなし、絞首台の上で取り乱さないようにあらゆる配慮をめぐらしている。1人の死刑囚が、そうこうするうちに、スペイン風邪によってぽっくり連れ去られるような例に、われわれをなぞらえる方が至当であろう」（同前）

　サルトルは、生まれたということは**不条理**であるし、私が死ぬということも不条理であると言います。人生は私自身の様々な可能性を追究しながら、自らの人生を生き抜くことに意味があります。よって人生は自由で限りない可能性に満ちていると言えます。

✳ 近しい人の死と私自身の死

　ヤスパースは限界状況 ☞P181 における様々な「死」の形について考えています。まず、死は「**最も身近な人の死**」という形で出現します。これは耐え難い体験です。

　しかし、ヤスパースは、亡くなった人が大切な人であればあるほど、その人との**交わり**を大切に心の奥にしまっておくものだと言います。そして、思い出を抱きつつ故人とともに生きます。このとき、故人の死は**新たな次元での現実**となると説きました。

　次に、「**私の死**」が根本的な問題とされます。自分の死を考えるとき、自分には未だやり遂げなければならないことがあり、そして、まだ自分自身が完成していないということを実感します。このとき、人は死に直面してはじめて、何が最も大事なことなのかはっきりと自覚できるようになるそうです。ヤスパースよると、些細なことに捉われている人は死の不安を取り除くことができません。一方、自分が何のために生きて何をなそうとしているのかを考えている**実存的な人**は、死の前でも冷静でいられると説いています。

死の受け入れ方にもいろいろある

✻ 外側からではなく内側から死を捉える

　ヤスパースによると、人間を**科学的・合理的**な対象として認識することはできますが、これには限界があります。人間の本質は科学的・合理的な認識を越えたその人自身の問題と関わらざるを得ないからです。よって、取り替えのきかない私自身としての実存をみずから解明し、解釈することが哲学の課題であるとされ、これを「**実存開明**」と言いました。

　ヤスパースによると、死について考えても実存開明しない人は、生きていても死んでいるのと同じだとされます。「とにかく食べて飲んで楽しくやろう」とか、「どうせ最後は死んでしまうんだから」などと言っている人は、ただ漫然と生きているだけの屍なのだそうです（これも1つの捉え方なので、必ずしも正しいわけではありません。快楽主義 **☞P151** でいいという人はそれをチョイスしてもかまいません）。

　ヤスパースは、死というものには完成が秘められていると考えて、日々を大切に生きることが必要だと言っています。そうすれば、屍としてだらだらと生きることを避け、自分のやるべきことをやりとげて満足に死んでいけるというわけです。

　死して生きるということは、死を通じて大きく生き返り、復活するという気持ちをもって生きることであると説かれています。

　また、死についての考え方は自分の変化にともなって育てられていくものです。つまり、自分が人格的に成長すれば、**死に対する態度**も変わってくるとヤスパースは言っています。こうして、自己の生死を超える意識の永遠性を理解できるようになり、人はここにおいて**超越者** **☞P242** を知るとされています。

✳ 死ぬも生きるも永遠に回帰する

　ニーチェは、人生は無目的であるという**ニヒリズム** ☞P103 を説きました。この立場ですと、すべてに意味がないのですから、生きるも死ぬも同じだと思えるでしょう。

　ニヒリズムにおいては、キリスト教のようなゴールは存在しません。しかし、同じことの繰り返しを消極的に捉えるか、むしろ**積極的に意味あるもの**としていくのかを人は選ぶことができます。ニーチェは、意味のない人生を肯定し、それが何度も繰り返される**永遠回帰** ☞P103 を受け入れるという立場をとります。

　ニーチェはもともと、物理的な意味で永遠回帰を語っていました。宇宙で無限の時間が経過すると、同じ状態がもう一度出現し、それは永遠に繰り返されるというものでした。

　これが、様々に解釈されていき、もし永遠回帰なのだとしたら、今の人生を肯定できるかどうか、何度繰り返されてもそれを受け入れるかどうか、という態度の問題に関わっていきました。

　ニーチェは『ツァラトゥストラはこう語った』という著作で、以下のように永遠回帰を表現しています。

　「見よ、われわれはあなたの教えることを知っている。それは、万物は永久に回帰し、われわれ自身もそれとともに回帰するということだ」

　「私は、永遠に繰り返して、同一のこの生に帰ってくるのだ。それは最大のことにおいても最小のことにおいても同一である。だから私はふたたびいっさいの事物の永劫の回帰を教えるのだ」

　永遠回帰では生も死も回帰しますので、大きい包括的な生を生きることになります。

　生死を受け入れた「**運命愛**」 ☞P191 をもって生きるというのがニーチェの理想である超人でした。ここには、「死」すらも何度でも繰り返すという積極性があります。

THINK 🎓 8

生きる意味とはなにか

パスカルの『パンセ』から

✳ 無と全体の中間者

　ブレーズ・パスカル（1623 ～ 1662）は、フランスの哲学者、自然哲学者、物理学者、思想家、数学者です。彼は、南フランスのクレルモンに税務法院長の長男として生まれ、早くから学問に天分を発揮しました。16 歳の時に『円錐曲線論』を書き、19 歳の時には計算機を考案しています。

　また、熱心なキリスト教信者で、その思想を書き綴ったのが『パンセ』です。パスカルは 2 つの精神について語っています。「**幾何学的精神**」と「**繊細の精神**」です。「幾何学的精神」とはデカルトの考え方です。簡単に言えば世界が機械仕掛けということです。

　一方、「繊細の精神」とは宗教的な心情をもった精神を意味します。パスカルはデカルトの**機械論的世界観** ☞ P134 を否定し「**愛の秩序**」を強調しています。

　『パンセ』は人間論と宗教論の 2 つの部分からなっています。パスカルによると、人間は 2 つの**無限の中間**におかれています。

　人間は広大な自然と比べると、その「片隅をさ迷う無にも等しい存在」です。けれども、「1 匹のダニと比べた場合は、人間の身体も巨大な世界」です。人間は無限に対しては無、無に対しては全体、すなわち無と全体の**中間者**です。

✳ 人間は考える葦である

　パスカルは、「宇宙は空間によって私を包むが、私は思惟によって宇宙を包む」と説きます。人間は**「考える葦」**であり、自分が小さく悲惨であることを知っている点において偉大です。パスカルは、このように人間は悲惨であると同時に偉大であると考えました。

　ところで、人間はどんなに悲惨でも自己を高めようとする気持ちがありますが、一方で思わず**気晴らし**にふけってしまいます。

　パスカルによると、自己の悲惨さを受け入れようとせずに、遊びや仕事に打ち込むことも「気晴らし」とされます。

　気晴らしをして考えることをしないで、そのまま死に至ることを彼は悲惨と捉えました。

　パスカルによると、人間は幸福を求めているのですが、「気晴らし」ではどうにもなりません。

　「人間はすべて幸福になろうとしている。これには例外がない。…これこそ、ありとあらゆる人間のありとあらゆる行動の動機であり、首を吊ろうとする人もまた例外ではない」(『パンセ』断章 425)

フランクルの『夜と霧』から

✳ 希望を失うことで死に至る

　精神科医ヴィクトール・フランクル（1905 ～ 1997）の著書『夜と霧』の原題は、「強制収容所におけるある心理学者の体験」です。

　1941 年、第二次世界大戦中に、ナチスドイツの**アウシュビッツ収容所（絶滅収容所）** での生活を体験しました。

　ここにはユダヤ人や捕虜など約 25 万人が常時収容され、強制労働を強いられました。収容者は、栄養失調や伝染病、銃殺や毒ガスなどにより、この場所だけで数百万人が虐殺されました。

　フランクルは、本人の体験を通じて、強制収容所という極限状態に置かれたとき、人間の精神はどのように変化し、どのような行動をとるようになるのかを分析しています。

　また、そうした状況の中で人は何に絶望し、何に希望を見いだすのかについても語られています。人間が極限状態に置かれた時に表れる精神の変化は、多くの人が何を見ても、何に触れても、何も感じない「無感動」「無感覚」「無関心」状態だとされます。これは「**心の装甲**」と呼ばれます。

　また、強制収容所での大量の死は、ナチスの行う処刑によるものだけではありませんでした。収容者は病気や自殺により亡くなっていったとされます。つまり、心の問題で死んでいったわけです。

　クリスマスから新年にかけての期間に、大量の死者が出ました。その理由は、クリスマスには休暇が出て、家に帰ることができるという思い込みを彼らは漠然と持っていたためです。その期待がみごとに裏切られた時に多くの死者が出たのです。

　つまり、希望を見失った人間はストレスに弱くなり、ときには死に至るのです。

✳ それでも人生に「イエス」という

　人間は、自分の人生にはもう何も期待できないという絶望の気持ちに陥ると、死んでしまうとされます。

　フランクルによれば、絶望した人間にも、これからの人生に「何か」が待っていると期待させることができれば、自殺を防ぐことができるといいます。

　その「何か」とは「**待っている人**」でも「**待っている仕事**」でもよいそうです。フランクルによれば、自らの責任を意識したとき、人間は生命を放棄することはできません。私たちは、自分がどうすれば幸せになれるのか、成功できるのかといったの私中心の人生観で生きています。この考え方だと、欲望が満たされても次なる渇望で追い詰められることになります。

　また、人は苦しいときに「なぜ私がこんな目に？」と人生に問いかけるものですが、フランクルはその質問を180度転換して、「**人生が私に問いかけている**」と考えるべきだと説いています。

　「私は何のために生まれてきたのか」「私の人生にはどのような意味と**使命（ミッション）**が与えられているか」と質問を180度転換することで、「生きる意味」の答えを求めれば、新たな光が見えてくると言います。

　フランクルによれば、人生の意味は、私たちがそれを問い求める前に、すでに人生の方から送り届けられています。私たち人間がなすべきことは、人生の様々な状況に直面しながら、自分を待っている「誰か」がいて、自分を待っている「何か」があると考えることです。それがあれば、投げやりにならずに生きられるのです。

　生に向かう人は「未来に希望を持つ」「家族を思う」「他人を思いやる気持ちをもつ」「**崇高な存在**（神など）とのつながりを大切にしている」などの特徴をもっていたとされます。フランクルは、このような態度をもっておけば、いつの日か**人生に「イエス」**と言うことのできる日が必ずやってくると説いています。

261

2 社会・政治の哲学

　人の悩みを大きく占めるのが人間関係です。人間関係は家族、友人、職場などが複雑に絡み合った糸のようなもの。その根本は、哲学のテーマ「自己と他者」があります。

　「自己と他者の哲学について考える」では、いわば、皮膚で完全に閉じられている自分という脱出不可能な領域と、そこに現れてくる自分と同じような感覚・思考・感情をもちあわせているはずなのに、それが直接的に自分には伝わってこない「他者」という存在の不思議さなどについて考えます。

　哲学では他者の存在も疑います。もしかしたら、他者は意識をもっていないのに、適当に自分に話を合わせているだけの空っぽな存在かもしれない、など（一般に「哲学的ゾンビ」といいます）。そういうことなら、自分はこの世界にただ1人の存在なのかもしれません（独我論）。

　そんな、自己と他者の境界をどうやって突き破っていくのか、あるいはこのまま守りに入って境界を保っていればいいのか。読者が自分で考えるヒントとなればよいと思います。

　さらに、人間は時間の中で生きる存在ですが、過去はどんどん積み重なっていき、それを振り返る時に過去は「歴史」となります。どんな個人にも歴史があります。それが大きなレベルで記述されていくと、日本史や世界史になっていきます。

　人間が時間性をもつ存在である以上、歴史と人生は切り離すことができません。また、歴史は客観的

なものとしてどこかの空間に保存されているわけではなく、今を生きる私たちの頭のフィルターを通じて解釈されるものなので、数学・科学の「正しさ」とはまた違った意味での「正しさ」が追究されます。歴史についての一面的な思い込みもまた哲学的思考で様々なバリエーションをもつことになります。

歴史の区分には、抽象化という操作でまとめあげるという方法が用いられますので、そこにはあたかも一定の法則があるように考えられます。これがマルクス主義などに関連していくので、哲学と歴史は表裏一体と言えます。

歴史は利害を調停・解決しつつ弁証法的な展開をみせますが、それは政治史として表されます。政治とは利害調整を行うことですが、国家権力と個人の自由のバランスで世の中は大きく変化します。

ここでは、強制的に個人の行動を抑えるのか、ある程度の自由を許すのかなどを考えます。

また、近年では、格差社会による富の分配の問題も政治の役割として重要で、これに興味を持つ人が増えています。それほど、目に見えて格差が広がっているからです。「自由主義思想の起源」「共同体主義は何か？」は、これらの問題に関係しています。

また、古代中国の思想である、儒家、墨家、道家なども取り上げました。もともと諸子百家の政治思想なので、西洋の政治思想と比較してみると面白いかもしれません（「儒教の政治哲学」「老荘思想の政治哲学」）。

THINK 🎓 9

自己と他者について考える

◇◇◇◇◇

相互承認の弁証法とは?

✳ 思い込みで行動する人とそれを批判する人

　自己と他者の関係のことを、一般に人間関係と言います。これについては近代以降、様々な哲学者が見解を述べています。ヘーゲル 🔗 P94 は『精神現象学』で、「**良心**」についての説明を試みました。ここで言う「良心」とはひとりよがりな思い込みという意味です。

　ヘーゲルによると、世の中には、自分が正しいこと（**絶対の真理**）を知っていると確信した人間がいるもので、その人はそれによって行動を起こします。そうした人物は、しっかり考えて慎重に行動しているわけではなく、自分の信念によって、都合のよいような振る舞いを選び取っています。これは「**行動する良心**」と呼ばれます。

　一方、「あなたは、もっと全体を見て行動するべきではないか」と指摘する人がいます。こちらは、個別的なことにこだわるのではなく、普遍的な大きなレベルでの動きを考えて「行動する良心」を批判します。これは、「**批評する良心**」と呼ばれます。ところが、この「批評する良心」の人は、個別的な信念がなく、行動しません。横からグチグチ言っているだけになります。

　思い込みで勝手に行動するのはダメですし、かといって、大きな視点に立ち行動をせずに批判しているのもダメです。これらは、互いに矛盾・対立に満ちた人間関係となるとされます。

✳ 意見が違うことはいいことだ

　ヘーゲルによると、これらは矛盾・対立していますが、最終的に**弁証法** ☞ **P96** によって解決していきます。弁証法とは、「存在および具体的な現実の運動・変化を支配する論理」でした。また、同時に「矛盾・対立およびその止揚を通して発展する運動・変化を捉える思考」であるとされます。

　これら「行動する良心」と「批評する良心」の絶対的事実としている「良心」を捨て去り、両者が「和解・宥和」し、その考え方と行動について互いのしこりをなくす必要があります。

　両者の自己の思い込みが、同じく他者の思い込みとしての「良心」とぶつかり合うことにより、客観的な「良心」へと**止揚**（アウフヘーベン）されていきます。ここにおいて、はじめて**相互承認**が実現します。ヘーゲルによると、相互承認は、各人が他人に相互に依存し、他人と助け合いながらも自立的である状態です。これは各人が他人の中に自分を見出すことであり、共同体における自由が実現されている状態であるとされます。最終的には対立しながらも、すべてが高まっていきます。

自己と他者の様々な考え方

✳ 大衆化していく仕組み

キルケゴール ☞ P168 は、いちはやく『現代の批判』（1846）で、大衆化していく現代の精神状況を痛烈に批判しました。現代人は、批評、ゴシップが好きで、熱中するのはギャンブルであると言っています。薄っぺらな**好奇心**を外側に向けて、いかに生きるべきかなど考えることもしないし、周囲の様子をうかがって付和雷同の行動をするとされます。

誰かが真剣に物事を考えて真面目に歩もうとするやいなや、世間体を気にする意識がそれを止めます。それでも前に進んでいこうとすると、今度は世間が足を引っ張り邪魔をします。世間は嫉妬し、傑出した人間を嫌って、大衆へと平均化していくそうです。

これは、何も日本人の特性を書いたものではありません。19 世紀中葉、**デンマークのコペンハーゲン**での話です。

また、ハイデガーも、現存在（人間）は、日常で不特定多数の誰か、大勢の中の誰かにすぎないと言います。これは **「ひと」「世人」**（ダス・マン）と訳されています。現存在は、「ひと」として平均的人間、公衆的人間のなかで、責任を回避しつつ群れて生きます。**「噂話」「おしゃべり」** ☞ P175 を好み、好奇心に操られ、すべてを曖昧にしながら過ごすとされます。

世の中で他者と違わないように、波風立たないように生きる。そのように**気遣う**ので、心地良いとわけです。

ハイデガーは、公共的な世界での生活に埋没し、気晴らしをして、時間をつぶしながら生きる現存在の「非本来的」なあり方を「**頽落**（たいらく）」と呼んでいます。

✳ 自己と他者の区切りを乗り越える

現象学者フッサール ☞P116 は、晩年の著作『デカルト的省察』(1931)で、「感情移入」による他者認識を説いて、自己と他者の共同世界を基礎づけようとしました。現象学的還元 ☞P117 をしたあとの世界は、私の意識上にのってしまいましたので、物体はそれでかまわないのですが、他者については問題がありました。

フッサールによると、他者が現れたとき、それが他我として捉えられるためには、まずもって、それが、私とよく似た身体をもったものとして捉えられると考えます（**類比的統覚**）。意識には、類似性にもとづいて１つのグループと捉える作用があるわけです。これによって「意味の転移」が働き、他者が自分とよく似た身体に即して現れる「心理的」な内実も浮かび上がってきます（他人にも、自分と同じ心があるとわかってくるということ）。しかし、この「感情移入」的な考え方には、他者の意識が消えてしまい、結局は他者が「第二の自我」になるのではないかという批判があります。

フランスの哲学者モーリス・メルロ゠ポンティ（1908〜1961）は、フッサールの現象学を発展させて、自己と他者とが連続した共通の身体性（間身体性）を生きている、としました。自分が自分の右手で自分の左手に触わるとき、逆にその左手が右手に触れそれを感じていると言えます。同じように、他者の手に触れたり、あるいは他者の手を見るだけでも、生きた他者がいるということになります。

このように、様々な**他者論**があるわけですが、自己という閉じた世界と、他者というまったく異質で、感覚を共有できない存在とともに普通に生きているということは、大変に不思議なことです（例：他人食べるラーメンの味は自分にはわからない）。こうした、自己と他者の関係を哲学的に考えることで、他人の痛みや思いやりなどについても、より深く理解できていくかもしれません。

歴史を学ぶと役に立つ

❀❀❀❀❀

人間を考えると世界もわかってくる

❉ 解釈学とはなんだろう？

近代哲学の認識論は、人間が世界を外から眺めるような仕方で認識する「**主観・客観の図式**」 ☞**P80** を使いました。これに対して、歴史の認識の場合は、この図式では少し問題が生じます。

主観・客観図式で歴史を観察する場合、知る主体（**認識主観**）は歴史という対象の中にあります。よって、すでに歴史に影響を受けつつあるので、歴史を外から客観視するのが難しくなります。

たとえば、日本史を日本人が客観視しているつもりでいても、中国・韓国の人からするとそうは映らないでしょう。

ドイツの哲学者ヴィルヘルム・ディルタイ（1833 ～ 1911）は、自然認識の説明の方法を検討する認識論とは異なる、歴史認識の理解の方法についての認識論を提唱しました。これを「**解釈学**」と呼びました。

ディルタイによれば、自然科学は「外的知覚」が基礎となります。そのため、精神的な「内的経験」に由来するものは、自然科学から締め出されるか、あるいは自然科学的認識によって置き換えられます。

つまり、人間が自由をもって自覚的に生を形成している精神的な生の事実は、科学では無視されます。

また、対象とされるときは、それは脳の電気的な反応に還元されてしまいます。

✳ 自然科学では理解できない人間像

　自然科学と精神科学は方法がもともと違うわけですから、ディルタイは、自然科学の「説明」に対して、精神科学の自己内省を「**了解**」（理解よりも上の次元で、すべての人に納得感がある感じ）という方法態度を説きました。

　こうしてディルタイは晩年に、人間が精神科学の対象となるのは、人間的な諸状態（生）が「体験され」、それが生の外化において「表現され」、これらの表現が「了解される」場合においてのみであると考えました。ディルタイは、「**生・体験**」、「**表現**」、「**了解**」の３つからなる方法的操作を確立しました。

　現代に生きる私たちも、あまりに科学的な世界に囲まれているので、物理的な自然の存在から、精神がおまけのように生まれたという発想をもってしまいます。ディルタイの内省の考え方は、発想の転換を迫ることでしょう。ディルタイは、精神科学は「測り知れぬほどに拡がっている人間的歴史的社会的現実を、それがそこから発した精神的生命性へと連れ戻す」としています。

これからの歴史はどうなっていくのだろう？

✳ 歴史と文化を学ぶ態度

　ディルタイによれば、歴史とは「人間の生」の表出なので、同じように生を営んでいることに基づく共感とされます。歴史に現れてくるものを理解する人が、すでに歴史に身を投じているその人そのものなので、主体的な解釈をするということになります。

　これは、歴史を理解することに際して、すでに何らかの**理解が先行**している（前理解がある）ことを意味しています。

　自然認識の場合には、歴史的先入見を極力排してかかることが求められますが、文化などを理解する側のほうがすでに、その解釈しようとする文化に本人がまみれているわけです。

　ドイツの新約聖書学者ルドルフ・ブルトマン（1884 ～ 1976）は、この前理解というのは、その人の「**主題関心**」であるとしました。

　前もって『聖書』に関心を抱いていれば、『聖書』から生きる糧を得られ、その関心が強ければ強いほど解釈の幅が広がって得ることが多いというわけです。『聖書』は信仰の関心による**非神話化**という解釈を通して読まれているわけです。

　このように、なにかの作品を理解する場合、その作品についての前理解をもって作品の解釈を行って、あらためて新たに追加された理解を得たなら、前理解より豊かで深い追理解が得られます。

　つまり、再解釈を試みていけば、前回とは違った地平が見渡せて、もっと豊かで深い追理解が得られることになります。

　テクストを理解するときは、部分から全体を理解し、全体から部分の正確な読みを行うという循環が生じるとされています。

✳ 歴史を学ぶことで人類の未来を変える

イギリスの歴史学者アーノルド・ジョゼフ・トインビー（1889～1975）は、紀元前6世紀に起こった「精神史の基軸時代」に、バビロニア、中国、ギリシア、インド、パレスチナなどで、ブッダ、イザヤ、孔子、ピタゴラス、ゾロアスターなどが出現して、「高次宗教」が興ったといいます。

それでは現象世界を越えた神性が樹立されて、自然や人間を超越した「最高の精神的存在者」が求められた時代でした。

そして、トインビーは、現代の「破壊的な自己中心性」を指摘しています。1960年代以降、世界は原子力による人類破滅の可能性があります。過去の戦争を思い出しつつ、「無意味」あるいは「不完全」な歴史にどうやって意味を見出すのかを問います。

トインビーは、かつていくつかの世界帝国が創られたときの「あらゆる人間は兄弟であり、人類は唯一の家族のように一緒に生きねばならない」という理念に大切さを見出します。イギリスの産業革命以降起こった急激な技術の発達は、ここ200年の出来事にすぎません。核兵器の技術は政治とこれらの技術が密接に結びついたものだとされます。彼は、このままでは、人類は「大量自殺」に追い込まれると危惧しています。

トインビーは、人間は古代の崇高な精神の面から離れて、やがて自分たちを崇拝するようになり、「自己中心性」が始まったとします。

「自己中心性」は、「集団的形式」によって**全体主義**になるといいます。トインビーによると、「人間の自己賛美への変わることなく続く傾向こそは、自己破壊の危険の最深の原因である」とされます。

歴史を学ぶことで、現代における平和の理念の大切さと、そのために必要な利己主義からの脱却の道が示されます。古代の人類愛の精神を失っていく人類の歴史は、もはやいつ終わっても不思議ではないのかもしれません。

歴史の法則性を考える

❖❖❖❖❖

無秩序にみえる歴史にも決まりがある

✳ 世界史は理性的に目的をもって発展する

　歴史は予測不可能な出来事のつながりに思えます。しかし、ヘーゲルは歴史の流れにある**一定の法則**があると考えました。

　ヘーゲルは、『法の哲学』で、「個人についていえば、誰でももともとその時代の息子であるが、哲学もまた、その時代を思想のうちに捉えたものである」と説いています。

　ヘーゲルによれば、歴史の発展の段階行程を示すものが**世界史**です。世界史の中のあらゆる「変化」は、「精神」の「発展と形成」の過程を示すことになります。よって、歴史とはこの絶対精神が自己の本質を実現していく過程（**自己展開**）にほかならないとされました。

　「哲学が提供する唯一の思想は、理性が世界を支配するということ、したがって世界史においてもまた一切は**理性的**に行われて来たという、単純な理性の思想である」

　「絶対的な究極目的であるとともに、またそれ自身その究極目的の実現でもあり、それ自身が**究極目的**をその内面から…世界史の中で…自然界、並びに精神界の現象の中に実現するところのものでもある」（『歴史哲学講義』序論）

　ヘーゲルは彼の生きている時代を、絶対精神が現在において立っている段階として把握しようとしました。

✶ 歴史とは自由の実現の過程である

　ヘーゲルによると、世界史とは、理性的自由が時間的に現象の世界に歴史として現れて、次第に**自由**が実現されていく過程です。よって、歴史の究極の目的は自由です。

　たしかに世界史を概観してみますと、民衆の自由が実現されていくことがわかります。これは偶然ではなく、ちゃんと法則にのっとった動きをしているということなのです。後にこれが、マルクスによって唯物史観として発展をみせます。

　歴史とは「自由の意識における進歩」であり、これをヘーゲルは３段階にまとめています。

　①王のみが自由な古代の段階。②共和国において一部の人々が自由になる段階。③ゲルマン諸国において人間の自由が実現していく段階。ゲルマン諸国における自由の自覚とは、ヘーゲルの生きていたリアルタイムの時代です。この自由の原理によって、国家の組織をつくりあげていくこと、それが歴史の到達すべき目標です。この世界の公式・ルールともいうべきものが「**弁証法**」です。

なぜ共産主義がゴールとされるの？

✳ 弁証法の３段階で歴史を考えるとよくわかる

　弁証法とは、**認識と存在**の根本原理なので、すべての存在は弁証法から漏れることなく、この法則に従って展開します。

　すなわち、すべてのものは**「即自」「対自」「即自かつ対自」**という３つの段階をへて弁証法的に展開していきます。

　弁証法は、次の３段階の形式になっています。

　①ある対象を規定して、固定化し固執する段階（例：植物がその全体を表現している）、②その規定されたものが一面的であったとわかる段階（例：植物が養分・水を必要とするなど新しいことがわかる）、③対立する２つの規定の総合によって、対象の理解が促進される段階（例：植物の全体の動きが理解される）。

　歴史もまたこの弁証法に従って展開します。つまり、①ある安定した段階で、②矛盾が生じ、③次の時代に入る（例：絶対王政に矛盾が生じて革命が起こり、民主的な思想が広がっていく、など）、という３段階で展開されます。

　また、ヘーゲルによると、歴史の発展段階をになっている代表的な偉人も、歴史の目的を実現するための手段（道具）として登場します。

　ナポレオンのような英雄は、一定の役割がすめば没落します。つまり、戦争や国の滅亡など、歴史は修羅場なので、一見それぞれの出来事に意味などないように思えますが、実は全体から眺めると、しっかりとした法則性があるという考え方です。

　「痛手を受けるのは［理性ではなくて］この情熱によって作り出されるものそのものだということを、われわれは**理性の狡智**と呼ぶ…だから、個人は犠牲に供され、捨て去られる」（『歴史哲学講義』）

✳ 資本主義国は共産主義国からみると「途中経過」なの？

マルクスは、人間社会にも自然と同じく客観的な法則が存在しているという**唯物史観**を唱えました。

人間は自分たちの「生活」のための必需品を社会的に生産していくときに、必然的な一定の諸関係（**生産関係**）の中に取り込まれます。歴史的には、王と奴隷、領主と農民、そして資本家と労働者などです。**資本主義段階**では、資本家と労働者が一定の生産関係になります。

人間社会における歴史的発展段階のそのつどに応じて、その社会の「物質的生産諸力」に見合った形成がなされます。この「生産諸関係の総体」が、「社会の経済的構造」という「現実的な土台」を形成します。この「土台」の上に、法律的・政治的な「**上部構造**」がそびえ立ちます。

「土台」に対しては、「一定の社会的な意識諸形態」（イデオロギー）が、「上部構造」として対応することになります。

マルクスによると、社会の物質的生産諸力は、その発展段階で、既存の生産諸関係と矛盾するようになります。

この諸関係は、生産諸力を縛りつけます。そこで、社会的革命が起こり、新たな上部構造が形成されます。

これは、物質的生活の諸矛盾（社会的生産諸力と生産諸関係との葛藤）から説明されます。歴史には科学的な法則性があり、次の５段階で完結するとされました。

①**原始共産制**…自然経済。貧富の差なし。

②**古代奴隷制**…生産経済。富の蓄積により、階級発生。奴隷・農奴を使役。

③**封建制**…支配階級は農奴から生産物地代を収納。商品流通が展開し、マニュファクチュア出現。資本の蓄積が生じる。

④**資本主義制**…産業資本の自由競争。恐慌により資本の集中が起こる。帝国主義へ移行（←マルクス・レーニン主義だと、今ここ？）。

⑤**社会主義制**…経済の人民管理。計画的に運営（**共産主義制へ**）。

自由主義思想の起源

❖❖❖❖❖

J.S.ミルの自由についての考え方

✳ リベラリズムとはなんだろう

　1980年代からロールズ ☞ P218 の『正義論』を中心に、**リベラリズム**についての議論が行われてきました。そして、リーマン・ショック以降、貧富の格差問題などから、さらに多くの人が政治哲学に注目するようになりました。

　リベラリズムは「自由主義」と訳されます。もちろん、思想史の時期において意味は変わってきます。イギリス経験論のロック ☞ P136 は、「古典的自由主義」と言えるでしょう。ロックは、**生命・自由・財産**という、人が生まれながらにして所有している、自然権に由来する諸権利を権力から守るべきだとを主張しました。その基本的精神は、19世紀のJ.S.ミル ☞ P152 の思想に引き継がれます。

　J.S.ミルは思想、趣味などは、「自分だけに関係する自由であり他人に害を及ぼさない限り絶対的なもの」（『自由論』）であるから、社会が干渉してはならないとしました。たとえ、「理性的でない愚かな行為」をしても自由です。個人はどんなアブない思想をもっていようとかまわないし、またどんな悪趣味をもってもよいと説かれています。

　ミルの考えでは、どんな行為でも、「社会に対して責を追わねばならないだだ1つのことは、**他人に関係すること**」（同前）だとされます。自分自身に関することで言えば、絶対に自由なのです。

✳ 生命倫理まで関係のある自由論

　ミルは人間の自由に固有の領域として、人間の生活と行為のうち個々の人間にだけ関係する部分をあげています。

　具体的には、①**思想と良心の自由**、②**趣味および探求の自由**、③**団結**の自由、となっています。

　各人の個性が自発的に成長することが、最終的に人類全体の進歩につながるという考え方が土台にあります（私益は公益につながる）。

　ミルによると、法律の中に「平等」と書かれていたとしても、それは全員に同じ考えを強要するための「平等」ではありません。

　少数者の意見であっても、自由な討論の場が保障されることが大切ですし、各自が他者からの批判や検証を受け入れる機会も必要となるわけです。

　また、ミルの自由論は生命倫理にも影響を与えました。末期状態にある患者が延命治療を行わない意思を示す「**リヴィング・ウィル**」☞ P323 は、他人に危害を及ぼさない限り、生命に関して本人の自己決定権が優先されるべきであるという考えを示します。

これが世界の自由主義の考え方だ

✳ 多数者のおせっかいな強制力

ミルによれば、**強制**というのは相手を幸福にするための手段としては認められません。強制が認められるのは、唯一、他の人の安全を守るのが目的の場合だけです。

現代でも、権力の根源である社会の多数者の意志が、少数者の利益または幸福を抑圧することがあります。世の中がパニックになると、多数者が権力をもって、少数者に圧迫を加えます。いくら、少数者が本当のことを言っても、多数者が一部の世論によって偏向した考えに陥ってしまうと、少数者の意見はつぶされてしまいます。

ミルは多数者の強制が働く2つの原因をあげています。

①不当な**政治権力**、②**社会的慣習**や**道徳律**です。特に②は政治的圧力よりも恐ろしいとミルは考えました。つまり、周りの人間集団のおしつけがましい道徳などです。

この力が強くなった状態は「多数者の暴政」と表現されています。最悪の場合は、自警団が出現し、正義の名のもとに一部の人間に圧力をかけるかもしれません。本人たちは正しいと思っているので手におえなくなるのでしょう。

ミルは、世論という形の権力を排撃しなければ、人は奴隷化してしまうと説いています。もちろん、自由だからといって、無制限に何をしてもいいということにはなりません。「**不快原理**」に従って、周りの人々に苦痛を生むような行動は控えなければならないとされます。

なんであれ、哲学で頭を柔らかくしておかないと、思い込みが激しくなって、すぐに情報操作をされてしまう場合があるので注意が必要でしょう。

✻ アメリカの自由度が高い理由とは？

　イギリスの思想家**ハーバード・スペンサー**（1820 ～ 1903）も、「すべての人は、他人の等しい自由を侵さない限り、望むことを何でもする自由がある」と説き、平等な自由こそが「正義の感情」であると考えました。

　スペンサーは社会それ自体が、生命を持った１つの有機体であるという「**社会有機体説**」を唱えています。人間社会も生命維持のために均衡を保ち、進化しますので、自然に任せた方がよいと考えました。

　よって、国家は社会によけいな介入をするべきではないと主張されますので、国家は産業を規制したり、貧民を救済するなどしてはならないということになります。なぜなら、救貧政策は社会の進化を妨げるからというわけです。

　彼は古典的なリベラリズムを社会進化論によって補強しましたが、この思想は、後にアメリカにおいて受け入れられ、現代アメリカの自由主義につながりました。

　リベラリズムがさらに自由度を増していくと、**リバタリアニズム**（libertarianism、自由至上主義）になります。アメリカの哲学者ロバート・ノージック（1938 ～ 2002）は、ロールズ ☞ P218 の福祉国家的な面を批判し、古典的な**夜警国家**（機能を安全保障や治安維持など最小限にとどめた国家）こそが正義にかなっていると考えました。

　ノージックは、福祉国家の政策を**拡張国家**と名づけ、「正義」から外れていると考えました。拡張国家による社会福祉によって、資産を富裕者から貧困層に分配することは、国家による財産権の侵害にほかならないというわけです。

　よって、リバタリアニズムでは、高額所得者への課税を抑えることが**正義**であると考えます。これは、現在の混迷を極めた世界の状況では、あまり流行らない思想と言えるかもしれません。**マイケル・サンデル**は、このリバタリアニズムを批判しています。

テーマ別編　社会・政治の哲学

279

共同体主義とは何か？

❁❁❁❁❁

サンデルの『これからの「正義」の話をしよう』

✳ 便乗値上げは善か悪か？

　アメリカの哲学者マイケル・サンデルは、『これからの「正義」の話をしよう：いまを生き延びるための哲学』で、正義について疑問を呈しています。

　「2004年にフロリダをハリケーン・チャーリーが襲った。それに便乗してガソリンスタンドでは1袋が通常2ドルの氷が10ドルで売られ、修理業者は屋根から2、3本の木を取り除くのに2万5000ドルを請求、宿屋の主人は宿泊料を4倍に引き上げた」

　本来、自由主義経済では需要が増えれば価格は急騰することになっているので、**便乗値上げ**は自然なことなのかもしれません。しかし、便乗値上げをした業者に対する人々の怒りは、サンデルによると「**不正義**」への怒りだといいます。

　サンデルはこれに対する説も並行して紹介しています。自由市場を信奉する経済学者のトマス・ソーウェルは、便乗値上げというのは「人々が慣れている価格よりかなり高い場合」であり、「人々がたまたま慣れている価格のレベル」が道徳的に不可侵であることはないと主張しました。その価格は**市場の条件**がもたらしたものに過ぎません。

　その他、様々な立場が論じられているのがこの本の面白いところです。

✳ リベラリズムのいろいろ

　アメリカのリベラリズムは、ヨーロッパ発祥の自由主義の流れをくんでいます。しかし、ヨーロッパの自由主義には、ジョン・ロックやJ.S. ミルのように、宗教的な哲学の基礎を持つ思想が含まれていますので、アメリカの**政治哲学**におけるリベラリズムとは意味が異なってきています。

　アメリカのリベラリズムは、政治的には福祉を擁護するなどのように進歩的な考え方を意味しますが、さらに、**ネオ・リベラリズム**と**リバタリアニズム**などに分かれます。

　ネオ・リベラリズムは、市場の効率を最大にして経済成長をめざすという議論を行いますので、その点では哲学的には功利主義・帰結主義となります。これに対してリバタリアニズムは自由型の正義論あるいは、義務・権利論の哲学的主張をしています。

　ロナルド・レーガン政権（1981 〜 1989）以降のアメリカでは、リバタリアニズムとネオ・リベラリズムは、共に**民営化・規制緩和**や減税・福祉削減といった政策を支持し、これを推進してきました。

アリストテレスの「正義」が現代に復活!

✳ サンデル教授、ロールズの「無知のヴェール」を批判

　リバタリアニズムは、自己所有に基づく正義を実現しようとします。この思想が極端になると様々な問題を生むことになります。

　究極的には自分の身体は自分の所有物であり、何をしても許されるという自由につながります。例えば、代理母 ☞ P320 の問題から、臓器移植 ☞ P323 まで自由度が広がっていきますので、慎重に考えることが必要になります。サンデルは、**コミュニタリアニズム（共同体主義）** の立場から、共同体メンバーが共有する「**共通善（common good）**」として捉えることで、「積極的是正策」などの国家の介入政策を理解することができると説明しています。

　サンデルは、ロールズの『正義論』においても見解を示します。「**無知のヴェール**」 ☞ P219 をかぶせた結果の選択が平等主義になるとされますが、それでは、人々が家族や地域共同体からいったん切り離されたところで、秩序ある社会を構想する手続きに入ることになります。しかしサンデルによれば、そもそも人間の自我のあり方を理解するには、その個人がどのような家族や地域共同体の中に置かれているのかがわからなければ、自我も決定づけられません。サンデルは、ロールズの無知のヴェールにつつまれた自我を「**負荷なき自我**」と批判しました。

　リベラリズムの正義は主に「配分」ですが、サンデルはアリストテレス的な「美徳」について考えなければならないといいます。サンデルは、真の正義が実現するためには、共同体メンバーが共有する共通善を前提とします。アリストテレスの哲学では、**目的（テロス）** からみて、**美徳** とされるものを持つことが名誉であり、正義とされました。サンデルは、この角度から現代の共同体について言及しました。

✳ 古い哲学が役に立つ理由

アリストテレスによれば、人間は本来、**ポリス（都市国家）**的存在であり、言語能力を活用し、同朋の市民たちと政治についても議論して、政治に関わることが大切だと考えました。

功利主義の幸福 ☞ **P150** とは、苦しみを抑えて快楽を最大限にするということでした。一方で、アリストテレスの幸福 ☞ **P235** とは、美徳に基づいた**魂の活動**のことでした。

よって、政治を学ぶすべての者は、魂をあつかう哲学を学ぶ必要があるわけです。また、美徳を身につけるためには、規則や指針を知るのではなく、それに慣れていくというように、「実践」することが必要だと主張されました。

サンデルは、アリストテレスの**目的論**を現代の政治哲学に応用して、共同体が目指すべき目的を強調しました。このように古代ギリシアの哲学が現代のアメリカ哲学に蘇ってくるようなことがあるので、哲学史を復習しておけば、これからもいろいろと役に立つでしょう。

アリストテレスの正義論には**「目的」**と**「名誉」**という２つの要素が存在し、「正義」は人々に適合する役割を与えて美徳にふさわしい名誉を与えるとしています。自由に経済活動をして、それを分配するのが「正義」であるとすれば、経済活動の質に歯止めが効かなくなってしまいます。しかし、サンデルが説くように「美徳を養う」社会という観点から、言い換えると私たちがよりよい人間になるための社会をつくっていくことを目指せば、共同体による「正義」が実現していきます。

自由と配分を重視するのか、**共同体と目的・美徳**を重視するのかという議論は、現代社会で様々な応用が効くことでしょう。例えば、さきほどの、便乗値上げなどは、自由主義経済的には間違ってはいませんが、その行為そのものに「美徳がないから不正義」であると考えれば、人々の怒りにも納得がいきます。

儒教の政治哲学

〈◇◇◇◇◇〉

愛を広げれば社会は安定する

✳ 社会秩序をたてなおすための倫理

　古代中国では、人々は血縁関係をとても重視していて、先祖崇拝を大切にしていました。戦乱の時代に始まった儒教は、周王朝が生み出した**礼**の世界を理想として、身近な家族に対する愛と道徳を、社会の普遍的なルールにまで高めました。

　人間と人間のあり方（人倫）を説いた儒教の教えは、中国を中心とし、日本・朝鮮・東南アジアなど東アジア世界全体に大きな影響を与えたのです。

　中国では、紀元前11世紀頃、殷にかわって周が政権を握りました。周の王は、**天命**（天の命令）を受けた天子として、封建的な社会秩序を確立します。

　しかし春秋時代の末期になると周の封建的秩序がくずれ、諸侯は富国強兵につとめ、有能な政治家や思想家をスカウトし始めました。これらが、諸子百家とよばれる思想家、つまり政治哲学者です。特に後世に影響を与えたのは、孔子を祖とする儒家と、老子が祖とされている道家の思想（老荘思想）☞ P288でした。

　孔子は、春秋時代の魯の国に生まれ、周王朝の封建秩序が崩壊し混乱する社会で、人間の普遍的な哲学的原理「**人倫の道**」を模索し、社会秩序をたてなおそうとしました。

✳ 肉親への愛から社会への愛へ

　ひと口に儒教と言ってもその教典は、『論語』から始まって、『孟子』『大学』『中庸』の四書を代表とし、その他、関連する書としては、『易経』『書経』『詩経』『礼記』『春秋』の五経あるいは儒教十三経などがあります。儒教の教えは「仁」に集約されます。

　「仁」はもともと肉親間に芽生える愛を意味します。孔子においては、自然に発生する**親兄弟への愛**を重視します。肉親間にまさる愛はないからです。日本でも親孝行というように、父母によく仕えるという慣れ親しんだ意味です。「孝は百行の本」（『孝経』）と言われるほどに、中国ではこの徳目が特に重視されました。孔子の弟子の孟子などは、地位や国家の規範より**親への孝行**の重要性を説いているほどです。

　「子游、孝を問う。子曰く、『今の孝は、これよく養うことを謂う。犬馬に至るまで、みなよく養うことあり、敬せずんば、何をもって別かたんや』」（近ごろでは、親に暮らしの不自由をさせないことが孝養だという風潮がある。だが、それだけなら家畜を大切にするのとなんの変わりがあろうか。敬愛の念こそ、孝養の根本だよ）（『論語』「為政」）

政治は人民の欲をコントロールする

✳ 徳治主義の政治へ

　孔子は「仁」（＝愛）こそが人間関係すべてにおける普遍的な原理であるとしましたが、「仁」は肉親間の愛のみにとどまるものではありません。「仁」は**内面的・主観的**な側面であり出発点です。

　「有子曰く、『その人となりや、孝弟にして上を犯すを好む者鮮なし。上を犯すを好まずして乱を作す者は、いまだこれあらざるなり』」（親兄弟にあたたかい気持ちを抱いている人間は、上司にさからったりしないであろう。上司にさからわない人間なら、集団の秩序を乱すこともない）（『論語』「学而」）

　さらに他人に対しては、仁は、**克己・忠・恕・信**という心のあり方になります。克己とは自分のわがままを抑えること、忠は自分を偽らない真心、恕は他人への思いやりの心です。恕は「己の欲せざるところは人に施すことなかれ」と表現されます。信は他人を欺かないことです。

　仁の実践にあたっては、**礼**という客観的な形式にかなうことが必要とされます。これについて孔子は、「己に克ちて礼に復る（**克己復礼**）を仁と為す」と語っています。これは、自分勝手な欲望を抑えていっさいの行為を社会的な規範としての礼に合致させることです。

　孔子は、もともと日常生活の教訓を述べることを目的としていたわけではなく、**政治改革**という大きな目標をもって立ち上がった人でした。**徳治主義**という考え方をうちだしています。刑罰で人を律すると人は法律の編み目をかいくぐって不正を犯そうとするが、心の中に徳が植えつけられていれば、自ずからよい行動をするというのです。

　だから、政治家自身が徳を身につけておかなければならないとされました。これは、江戸時代の**文治政治**に影響を与えています。

✳ 社会の規範を考え直す性善説と性悪説

　孔子の仁の教えを受け継ぎ、発展させたのが孟子です。孟子は人間が生まれつき善の心をもっていると考えます（**性善説**）。

　孟子は、人間は誰でも他人の悲しみに同情する心をもっていると説きます。今、仮に子供が井戸に落ちかけているのを見かけたら、人は誰でも驚きあわて、いたたまれない感情になると説きます。そして助けようとします。これは、助けることで子供の父母と懇意になろうとか、人命救助で名誉と評判を得たいという動機とは関係がありません。

　「惻隠の心」とは「人の不幸をみすごすことができない心」です。これが拡充すると「仁」になるとされます。「羞悪の心」とは「悪をみすごすことができない心」であり、これが拡充されると「義」の徳となります。「辞譲の心」は「礼」、「是非の心」は「智」の徳へと拡充されます。

　また、仁義の政治とは王道です。王道とは徳による政治、すなわち仁政であり、民衆を豊かにして安住させることです。よって、政治家としては民に一定の収入や財産をもたせてやるような積極的な政策を進めるのが「義」となります。これができないような為政者はすぐさま天命によって交代させられます（**易姓革命**）。

　一方、荀子は、孟子と対立した性悪説を唱えました。人間の本性は生まれながらにして悪であるとみたのです。

　「人間の本性は悪であり、善は人為・作為によるものである」（『荀子』「性悪篇」）

　荀子は、無制限に欲望を放任すると世の中は乱れてしまうので、これを制限する「礼」の遵守を強調しました。荀子は、古代の賢人の定めた礼儀に従えば、必ず人民は教化されて天下は治まるとしました（礼治主義）。儒家の思想は、古代中国の政治哲学なのですが、現代の政治のあり方を考え直すときに大変に役に立ちます。

老荘思想の政治哲学

⬦⬦⬦⬦⬦

政府が何にも介入しないほうがうまくいく

✳ あらゆるものが生まれてくる原理

儒家の思想は、**修己治人**を目標に政治の課題に取り組みました。一方、**老子**（生没年不詳）と**荘子**の思想は、仁義礼智のような人為を排除し、あるがままの自然な生き方をするという儒家批判の思想です（**老荘思想・道家思想**ともよばれます）。

『老子（道徳経）』には、「道の道とすべきは、常の道にあらず。名の名づくべきは、**常の名にあらず**。名無きは天地の始めにして、名有るは万物の母なり」とあります。まず、「道」は語りえないと言い、語りえないけれども、恒常不変で、永遠にあるものだとされます。それは名づけることもできないし、その名づけがたいものが天地の始めだというのです。ちょっと意味がわかりませんが、これは、宇宙の原理としての「**道（タオ）**」について説明している部分です。

「道」とは、天と地より先に存在した何ものかです。それがあらゆる物を生み出した母であり、その名は知られないが、仮に「道」という呼び名にするということです。それは「大」であると言えるもので、いかなる物よりも大きく、万物をおおい尽くすと言います。

これは、儒家の説く「道」とは異なります。宇宙の原理のことである「道（タオ）」の場合は、真の「道」（**形而上学な原理**）は、絶対的に何もなさないものであるとされています。

✳ 宇宙の原理から外れると、目立つ人がでてくる

「道」については語ることもできなければ、名づけることもできないので、仮に「道」と名づけるしかありません。この「道」があるからこそ万物が存在できます。老子によると、「道」は**完全な存在**ですから、万物もまた完全です。付け足すものも取り去るものも必要ありません。

老子は、人々が宇宙の原理から離れているから、仁や義といった人為的な徳がもてはやされると考えました。儒家の孝行が褒められるのは親不孝な者がいるからで、もともと、みんなが親孝行だったら、別に「孝」など説かなくてもよいという発想です。

『老子』もまた政治哲学の要素があり、人民が争わないようにするには、こざかしい知恵をすて、便利な道具をつくらせない方がよいとします。素朴な生活にかえれば、世の中は平和になります。そこでは船や車さえ不要となり、文字の使用もやめます。「鶏の鳴く声が聞こえるほど近い隣国へさえ、人民は行こうともしない」(『老子』)という**「小国寡民」**を説きました。かなり極端な説ですが、逆に現代は複雑すぎるので、『老子』で中和すれば、ちょうどよいかもしれません。

見えない波にのってゆうゆうと生きる

✳ すべては相対的である

　老子の思想を受け継いだ荘子（紀元前 369 頃～前 286 頃）は、世の中の人は、もとは１つであるもの（「道（タオ）」のこと）を知恵によって区別していると説きました。

　人間は自分の周囲に、是非、善悪、美醜、生死などの様々な対立を見出しますが、荘子によれば、これらは人間を離れて独立に存在するものではありません（すべては**相対的**）。

　たとえば、「ここ」と「そこ」という場所の対立についても、自分の体が少し動いただけで、「ここ」と「そこ」が入れ替わります。荘子は、**価値判断**についても同じことで、「絶世の美人と呼ばれる人が池に近づくと、魚はその姿に怖れて水深く沈み、鳥は驚いて空高く飛び去り、鹿の群れは肝をつぶして一目散に逃げ去る」と言います。美人というのは、人間に対してのみの価値観です。

　このように、人間の正義も自分の都合で決めたものですから、あらゆる価値判断が偏っているということになります。すべて人間が決めた相対的な判断でしかないので、人間の地位に上下はありませんし、あらゆる差別もありません。このような考え方を**万物斉同**と言います。

　荘子は、無為自然の人為による差別を離れ、ありのままの世界を見ました。ありのままの人間の姿では、生と死、貧困と富裕、汚辱と名声、寒暖など、すべては宇宙の原理に支配されているとします。

　「そこに**真宰（造化、造物者）**が存在するように思われるにもかかわらず、そのきざしさえ求めることはできない。わが身体を動かしている何ものかがあることは疑えない事実であるのに、その姿を目にすることはできない」（『荘子』「斉物論篇」）と説かれています。これは、自然そのもののことです。

✳ 分別を忘れてありのままの境地で生きる

荘子は人為が入ることのないあり方を、**運命**と呼んでいます。これは、別に決定論 ☞ **P83** ではなく、私たちは、人知を超えた存在に動かされているということです。

「死生は命なり。その夜旦の常あるは天なり」（「大宗師篇」）

荘子は、人力ではどうすることもできないと悟った場合には、**運命のままに従う**ことこそ、至上の徳であると考えました。また、すべて物事のなりゆきのままに従い、心をゆうゆうと自由に遊ばせ、無理によい結果を求めようとせず、天命のままに従うのがよいと説いています。

「万物斉同」においては、何ものにも束縛されることのない絶対的自由な逍遙遊の境地に入るとされます。この境地にはいった者は**真人**と呼ばれています。

「…たとえ失敗することがあっても後悔することがなく、成功することがあっても得意になることがない」

「生を喜ぶことを知らないし、死を憎むことも知らない。この世に生まれ出ることを喜ぶのでもなく、死の世界にはいることを拒むこともない。ただゆうぜんとして行き、ゆうぜんとして来るだけである」（同前）

また、逍遥遊の境地にあれば、心を労する仕事もなくなり、自分ひとりの簡素な生活をすれば暮らしやすくなるとされます。

「天地の自然は、自分を大地にのせるために身体を与え、自分を労働させるために生を与え、…もし、自分の労役である生をよしとするならば、当然自分の**休息である死**をよしとすることになるであろう」（同前）

このように、複雑な世間における悩みから解放されるには、ありのままの自然と一体化して分別を捨てるという境地になればよいことがわかります。

荘子の場合は、後期の思想になると、社会から離れるのではなく、社会の中で無為自然に行動することが説かれました。

地域・世界・未来

　私たちは、毎日の情報に翻弄されて、様々な不安をもちます。こういうときは、あえて客観的にいろいろな危機について考えてみると、人類が多くの困難な状況を乗り切っていることがわかり、気持ちが大きくなるはずです。

　3章では、家族問題、少子高齢化問題、格差社会問題、世界の経済問題、災害の問題、地域紛争の問題などを取り上げています。

　これらは、共通テストに出るような教科書的な内容なのです。ニュースを読む際に、一通り目を通しておいた方が無難です。大学ＡＯ受験での面接、論文、就職試験などにも役立つ内容です。

　まず、家族の崩壊の問題、少子化・高齢社会などの身近な基本的な問題を取り上げています。

　家族の機能が縮小するなかでの家庭のあり方が模索されていることなど、現代の状況から鑑みて、個人の具体的な家庭生活について考察してみるとよいでしょう。

　高齢社会の問題は、高齢者自身やその家族だけでは解決できないことが多く、身近な地域社会の新たな課題となってます。

　また、経済的な格差問題は世界的に深刻ですが、この問題に個人的に対処するために、キャリアアップ、業種形態の変更などが必要となる場合があります。これらは、5章「哲学と自己啓発」でくわしく解説していますので、そちらを参照するとヒントが得られるかもしれません。

　さらに取り上げるのは、グローバル化していく社会において、人種差別などの偏見を取り除くための哲学的な視点です。日本の場合、多くの人種や民族の共存がなく、複数の異なる言語が使われることはあまりありません。これを踏まえて、自民族中心主義に陥ることなく、多面的な世界理解を深めていくことが必要とされています。

　環境問題と災害の対策も重要事項となります。普段から、災害に備えて、備蓄食料や防災用品をそろえておくこと、避難場所の確保、停電の備えなども必要とされます。

　長い冷戦をへて1989年12月のマルタ会談で、米ソ首脳が「冷戦終結」を確認し合いました。しかし、今度は多極化の時代となり、地域紛争が増えていきました。貧困や経済格差は拡大し、問題はより大きくなっています。

　本章の最後では、世界各地に生じている地域紛争の中で、中東情勢を取り上げています。I部の「聖書」の項目と照らし合わせて考えるとよいでしょう。

　紙面の都合上、取り上げられなかったテーマを以下に列挙しておきます。

　①日本国憲法の成立過程、憲法改正、集団的自衛権、日米地位協定、様々な政党の憲法観など。②人権問題、性的少数者の権利、人種・民族差別、アイヌ民族の歴史など。③プライバシーの権利、個人情報の保護、著作権問題、知る権利と情報公開法など。

家族と少子化の問題

〈◇◇◇◇◇〉

家族の崩壊が起こっている?

✳ 家族の役割が減ってくる理由とは

　ヘーゲルの『法の哲学』には「家族－市民社会－国家」の人倫 ☞ P97 が示されています。家族には「身体と性」による「愛情」の結びつきがあると説かれています。

　このように、家族は自然的な出発点となる**共同体**ですが、現代の問題として、家族の崩壊が起こっています。

　科学技術の進歩と資本主義の発達に伴って、家族の役割は市場の産業に依存するようになりました。娯楽はレジャー産業に、食事も外食産業に依存しました。家庭生活は、サービス産業や情報産業に依存することが多くなったのです。

　社会集団は、**基礎集団**と**機能集団**に大別されます。家族はその成員の生活と子供の成長の基盤となる基礎集団ですが、企業に経済的機能、塾に教育的機能というように、個々の役割を外部の機能集団に任せます。

　このことも相まって、家族がともに行動したり、食事をともにして会話する機会が減少しました。また、個々バラバラに行動し、スマホかテレビを見るだけになり、互いの交流がなくなっていきます。

　でも、哲学は偏重した考えを疑うので、頭ごなしに今の家族が崩壊しているとは考えません。もしかしたら、これが未来のよりよい家族形態への過渡的現象なのかもしれないからです。

✳ 結婚生活もどんどん変わっていく

　結婚後も別居生活を選ぶ**オンデマンド婚**が増えてきています。これは、お互いの仕事やライフスタイルなどを尊重し、必要なときに会えばいいという新しい結婚の形をいいます。結婚前から積極的に別居を選択しているのが特徴です（仕事上の単身赴任による別居婚とは異なる）。

　仕事と子育てを両立させるために別居する例もあります。「育児と仕事の両立のためには、忙しい夫と暮らすより両親と同居した方がよい」「結婚して一緒に暮らしても、出張や残業ですれ違いが明らかとなる場合は別居した方がよい」などの意見があるようです。

　また、**女性の働きやすさ**をより実現していかなければならないので、クォータ制（割当制）によって、女性雇用者の割合に一定の数値目標を設定し、その達成を義務づけるなどをして、**積極的差別是正措置**（ポジティブ・アクション）が進められるべきだという意見があります。

　サルトルは哲学的に考え、結婚は自由を縛るものとして、契約結婚 P179 を唱えていました。これからも、様々な結婚形態が考えられるでしょう。

少子化で人口が減ると未来はどうなる？

❋ 少子化と高齢社会で労働力が不足する

女性の社会進出やその他様々な要因にともない、晩婚あるいは未婚化が進み、1人の女性が生む子供の数は減少しました。仕事と家庭の両立の問題や経済的理由などから、理想の子供の人数を決定しない、または子供をもうけないと決断する夫婦も多くなっています。

生活が不安定なために結婚に踏み切れないケース、また、結婚観が多様化し、生涯結婚しないことを意思決定するケースもあるようです。少子化の一方で、医療技術の進歩によって、平均寿命が延びました。よいことですが、これによって高齢化が急速に進みました。

全人口に対する65歳以上の人口の割合（高齢人口比率）が7％を超えた社会は「高齢化社会」と呼ばれ、14％を超えた社会は「高齢社会」と呼ばれています。日本はすでに1970年に高齢化社会に、1994年には高齢社会に突入しています。世界全体が高齢化しているのですが、日本の場合は異例の速さと言われています。

また、2005年には、子供の出生数が死亡者数を下回って、人口減少時代に入りました。少子高齢化と人口減少による未来の予測は様々ですが、経済、財政、教育、社会制度に大きな影響を及ぼします。

経済面では労働人口の減少が予測され、若者、女性、高齢者などの就業支援が進まない場合は、2030年に767万人の労働者が減少するという推計があります（就業支援が進んだ場合は171万人の減少）。

これは、専門知識や熟練技術の不足につながります。当然、国際競争において技術開発に遅れをとり、今までの技術大国としての日本の姿が揺らいでいくことが予測されます。

✳ これだけのマイナス要因がある…、けれど当たらないこともある

少子高齢化と人口減少が進むと貯蓄率が低下しますので、投資が抑制されて資本主義市場の経済発展が望めなくなります。市場規模は縮小し、消費は減少して競争力は低下します。つまり、経済成長は絶望的となります。

財政面では、人口の減少により税収が減少しますので、財政赤字の拡大が予想されます。国債については、異論も多くありますが、1人あたりの国債残高が増加するという説が一般的です（これは、税収を増やすためのトリックであると唱える人々もいます）。

社会保障関係費は人口減少と高齢化が重なると、足りなくなる可能性があります。人口が減れば保険料を収める人が減りますので、給付の引き下げと保険料負担の増加が生じます。また、人口減少と高齢化により、介護にもしわよせがくるので、若い人への負担は高まります。

教育面では少子化により学校の統廃合が進み、数値上では、大学受験者全員がどこかの大学に入学できる時代がすでにきています（大学全入時代）。受験産業は市場経済の中にありますので、生徒の獲得競争が起こり授業形態の変化を余儀なくされています。

社会全体としては、核家族化・少子化が、子供が社会性やルールを学ぶ場であった家庭における教育機能を低下させていますので、子供の性格形成などにも問題を及ぼしているようです。

一方、住宅事情は緩和されますが、地方では過疎化が進んでおり、空き家が増えるという問題があります。就職難は緩和されるのは当然ですが、これは労働力不足と裏返しの状態にあります。

都心の住宅は、価値が下がるという説と、依然として変わらないという説があります（ボードリヤールのブランド説を参照 ☞ P223）。

なんだか日本の未来は絶望的にみえますが、人口数に頼らない労働形態が進んできているので、取り越し苦労かもしれません。

高齢社会の生き方

◇◇◇◇◇

高齢者の生き方と「死」の克服

✳ 歳をとることについて考えておくに越したことはない

1994年から**高齢社会**（高齢人口比率が14％を超えた状態）が進み、家庭だけでは介護を担いきれない状況のもと、2000年から**介護保険制度**が始まりました。介護保険制度は、それまで家族で行ってきた介護を社会全体で実行するという制度です。

2006年には、介護保険法が改正・施行され、高齢者の転倒防止のための筋力トレーニングや高齢者自立を支援する訪問介護など、予防を重視した介護が盛り込まれました。

同年、改正高年齢者雇用安定法が施行されました。企業は定年退職制度の廃止か、**定年年齢引き上げ**、また、定年後の継続雇用のいずれかによって、65歳までの雇用制度の設置が義務付けられました。退職を迎えた高齢者の専門知識や熟練した技術を次世代に継承するために、そうした人材を再雇用する企業もあります。

高齢者は、身体的のみならず、場合によっては精神的な問題を多く抱え込むようになります。

資本主義社会では生産性が高いサービスを提供する者が価値があるとされます。高齢になると一般に生産性が下がるので、社会における自己の意義が見出しづらくなります。社会の役に立っていないと、不安になるという人も多いようです。

✳ 「死の哲学」を早めにおさらいしておいた方がいい

　人はいつ死ぬかはわかりません。ハイデガー  P253 は死の特徴として、①自分の死は誰とも交換できない（**交換不可能性**）、②孤独となる（**没交渉性**）、③必ず死ぬ（**確実性**）、④いつ死ぬかわからない（**無規定性**）、⑤最後に来る（**追い越し不可能性**）という分析をしています。

　われわれは死をこのように了解しているのですから、「死」は現存在が存在するやいなや、いやおうなしに引き受けなければならない究極可能性です。

　ソクラテスは哲学は**死の訓練** P250 であると考えました。哲学で徳を高めて死に臨む態度です。ギリシアのエピクロスは、死はアトムの解体であるから、死を恐れる必要はないと説きました。仏教でも「生老病死」 P64 により人生は一切皆苦だと説かれています。

　ありのままに、無理をしないで、自然な人生を受け入れるという哲学が必要だと言えるでしょう（ただし、科学技術の進歩により**不老不死** P338 が実現したときは、また別の生き方が考えられることになるでしょう）。

キケロの『老境について』

✳ 紀元前にも老後について考えていた哲学者がいた！

　ローマのストア派 ☞ P32 の哲学者マルクス・トゥッリウス・キケロ（紀元前 106 ～前 43）が、すでに『老境について』という書を著しています。紀元前から高齢問題を扱っているので、歳をとることは人間にとって、大変に深い問題であることがよくわかります。

　キケロによると、世の中の人は、**老境**に入ると楽しみがなくなるだの、他人から相手にされなくなるだのと恐れているが、まったくそんなことはないとされます。

　まず、キケロによると、老人は高度な仕事ができます。世間では、老人は若者のする仕事ができないという誤解が広まっています（まさに現代社会と同じです）。しかし、仕事で大切なのは肉体の活力・機動性ではなく、思慮・貫禄・見識である。つまり、社会においては老人に精神的な意味があるわけです。キケロは、老人は、若者にはまねできない仕事ができると説いています。

　さて次に、老境に入ると肉体が弱ってくると世の人は言います。けれども、熱意と活動とが持続しているかぎり健康体の維持が可能だとされます。そしてキケロは、歳をとると知力も増して**記憶力**も減ずることはないと説いています。

　最近の脳科学でも年齢に比例して能力が高まる部位があると言われています。前頭葉の創造的な分野はより活性化されるそうです。

　さらに、キケロは老人は**嫌われる**のではないかという不安を持つ必要もないと言います。老人たちは、嫌われるどころか好かれているとされます。老人が自分で歳をとったと意識しているほど、若者はそれを意識していないのかもしれません。

✻ 老後は楽しいことばかりだ

　キケロは、若者も老人の様々な教えを楽しみにしていると言います。現代はネットで何でも調べられる時代ですが、例えば、高齢者の太平洋戦争のリアルな体験や戦後改革の思い出などには、歴史的な重みがあります。

　キケロは、「知識を錬磨し、**精神の訓練**に汗を流していれば肉体的な力の欠乏を覚えることはない。絶えず仕事をしている人は老境が忍び寄るのも気がつかないものだ」と説きます。

　老境のよいところはそれだけではありません。老境ではほとんど欲情がなくなり、思考が妨害されません。

　キケロは、「肉欲と野望から離れた老境は、よろこばしい生活をおくることができる。適度な食事、談話の楽しみもあるし、自然にかこまれて晩年をすごすことほど幸福なことはない」と老境のメリットを強調しています。

　また、老人たちは、気みじかで、苦労性で、憤りやすく、片意地だと言われることもあるとされます。

　これは今も昔も変わらないようです。「だが、若者でもそんな人はたくさんいるではないか」ともあります。逆に、気長で温厚な老人だってたくさんいると説かれています。

　キケロもまた、「死」について語っています。死はすべての年齢にとって共通なものであり、青年も同じ状況にある。

　人は、等しく、いつ死ぬのかわからない。もちろん死ぬことは不安かもしれない。だが、もしも死において、人の**魂が消えうせる**のなら、死はまったく無視してさしつかえないとキケロは言います。

　一方、「もしも死んでも**魂が消えないで**別世界へいけるのなら、死は願い求めるべきことだろう」とも説いています。キケロは、死について恐れる必要はないので、ゆったりと生活すればよいと考えました。

格差社会と世界はどうなる？

‹›‹›‹›‹›

賃金が上がらない理由があった

✳ これからの世界経済はどうなる？

　フランスの経済学者トマ・ピケティ（1971 ～）は著書『21 世紀の資本』で世界に衝撃を与えました。ピケティによると、先進国の GDP の成長率のピーク期は終わり、21 世紀末にはさらに下がり続けるとされます。これには、**人口減少**という要因も拍車をかけます。全体の経済成長が停滞すると、貧しい人々が増えます。富裕国であるアメリカ、ドイツ、イギリス、カナダ、日本、フランス、イタリア、オーストラリアの各国の資本所得の推移によると、国民所得に占める資本所得の比率が増加しているのです。

　ところで、『21 世紀の資本』では、膨大なデータを分析した結果、「**資本収益率（r）はつねに経済成長率（g）より大きいという不等式が成り立つ**」と主張されます（**r ＞ g**）。

　ピケティによれば、従来、格差問題は、経済成長によって解決すると思われていました。しかし、現代では、経済成長を期待して資本主義を放置すれば、ますます格差が拡大するというのです。

　私たちは一生懸命働けば、給与が上がると思っていました。それは過去の話だそうです。ピケティによると、長期的にみれば、「資本収益率（r）は経済成長率（g）よりも大きい」とされます。働くより土地や株などに投資して不労所得を得るほうが、儲かる世の中になってしまったのです。

✳ やっぱりちゃんと働くべきかも？

　従来の自由主義経済の理論では、高所得層や大企業が富を増やすと、低所得層にも富が流れて、社会全体が潤うと主張されていました（市場のメカニズムを放任すると、ｒ＝ｇの均衡が起こるという説）。

　しかし、現代では、資本から得られる収益率が経済成長率を上回れば、それだけ富は**資本家**へ蓄積されます。資本を持つ人は、経済が成長するよりも迅速に、自分の資本を増やすことができます。しかし、所得による**貯蓄率**が低い現代では、ほとんどの人は投資に資本を回す余裕がありません。金持ちは様々な**金融商品**に投資し、有利な資産運用ができます。インフレ対策として、資産を土地、株、貴金属などに分散投資することもできます。

　しかし、『21世紀の資本』は、働かずに金融資産や土地などに投資しろとアドバイスしているわけではありません。

　その逆で、ピケティは、この世界の貧富の格差を是正するために、「**累進課税の富裕税**」を世界的に導入し、財産の再分配をするべきだと提案しています。

世界はどこかの誰かに支配されている?

✳ 〈帝国〉は世界に広がっている

　アントニオ・ネグリ（伊）とマイケル・ハート（米）は、2000年に『〈帝国〉』を著しました。アントニオ・ネグリはイタリアのマルクス主義思想家です。ですから、『〈帝国〉』は左翼の側から世の中を説明しようとした著作です。

　1980年代に社会主義が崩壊し、アメリカが力を伸ばしてきましたが、2001年に9.11同時多発テロが起こりました。

　この書は、この事件を予告したものとして多くの人が興味をもちました。〈帝国〉が〈　〉で囲まれているのは、今までの帝国主義とは意味が違うということです。「帝国主義」とは資本主義の発展形態で、植民地支配を行っていたことが特徴ですが、これとはまったく異なった資本主義が出現しているというのです。

　では、この〈帝国〉はどこにあるのでしょうか。ネグリとハートは「アメリカが帝国だ」と言っているわけではありません。でも、ほとんどの人がそう解釈したのです。間違っているわけではありませんが、〈帝国〉はアメリカを含めたもっと大きなところに拡大をしているので、「これが〈帝国〉だ」と指し示すことはできないのです。

　「〈帝国〉は権力の領土上の中心を打ち立てることもなければ、脱中心的で脱領土的な支配総体なのであり、これはそのたえず拡大しつづける開かれた内部に、グローバルな領域全体を漸進的に組み込んでいくのである。〈帝国〉は、その指令のネットワークを調節しながら、異種混交的（ハイブリッド）なアイデンティティと柔軟な階層秩序、そしてまた複数の交換を管理運営するのだ」（『〈帝国〉』）

✳ 戦う「マルチチュード」

　確かに、アメリカの一極集中型の権力は、「帝国主義」と言えるかもしれません。しかし、〈帝国〉はもっとグローバルなレベルの話です。それは、アメリカのように領土上にあるわけではありません。固定した境界も障壁もありません。世界全体に広がっているのです。これが〈帝国〉が「脱中心的」で「脱領土的」な支配装置と言われる理由です。また、これは、決まった形をもっていないので、ますます拡大しつづけます。

　「多国籍企業は労働力をさまざまな市場に直接的に割り当て、資源を機能的に配分し、世界的生産の多岐にわたる部門を階層的に組織化する。投資を選択し、金融と通貨に関する作戦行動を指示する複合的な機構が、世界市場の新しい地形、より実情に即した言い方をすれば、世界の新しい政治的な構造化を決定するのである」（『〈帝国〉』）

　本来の帝国主義では、中心となる国民国家がその領域を他国に拡大しました。これに対して〈帝国〉にはそのような中心となる国家はなく、国家を超えた制度や世界に広がる多国籍企業が結節点となってネットワーク状の権力を形成します。

　〈帝国〉には権力の場所がないわけですから、それは至るところに存在すると同時に、どこにも存在しないというあり方をします。だから〈帝国〉の支配には限界もなく、世界全体を実際に支配する体制をとります。

　この〈帝国〉に立ち向かう革命的な主体は従来の「プロレタリアート（労働者階級）」ではなく、**マルチチュード（多数・群衆）**と呼ばれます。「マルチチュード」とは、国境を越えたネットワーク上の人々がグローバリゼーションを通じてつながった対抗勢力です。「マルチチュード」を構成するのは、学生、女性、外国人労働者や移民など誰でもいいのです。ネットの世界では「マルチチュード」VS「〈帝国〉」という時代がきているのかもしれません。

環境問題と異文化

〈◇◇◇◇◇〉

地球レベルの環境問題が山積み

✳ 動物も大切にしよう

　現在を生きている人類が、環境問題の解決に当たって、未来の世代のために今の状況を先延ばしせず、責任を持って行動する倫理は、「**世代間倫理**」と呼ばれます。

　地球の生態系という有限空間で、環境を破壊し資源を枯渇させるという行為は、私たちの世代が加害者になり、未来の世代が被害者になるという構造をもっているとされます。

　人間だけではなく生物にも**生存の権利**があるという考え方もみられます。オーストラリア・メルボルン出身の哲学者、倫理学者、菜食主義者のピーター・シンガー（1946 ～ ）は、『動物の解放』（1975）で、動物実験と工場畜産を批判しています。

　また、環境倫理の考え方は、人間中心主義の観点からは自然環境は将来の利用のために保護するという立場になります。しかし、自然環境それ自体の価値のために保護するという発想への転換が求められています。

　地球有限主義とは、これからは地球資源が有限であるという前提で様々なシステムを根本的に見直していくべきであるという考え方です。

　一方これを極端に進めると、自由主義に抵触する場合や「**環境ファシズム**」に陥る危険性などが指摘されています。

✳ 地球環境問題の相互関係と発展途上国の資源問題

　環境問題の主要因として、発展途上国の人口増加や先進国における**大量生産、大量消費、大量廃棄**などがあげられます。先進国が開発援助をした場合に、発展途上国の経済活動水準の上昇が生じて、公害問題が起こります。

　先進国の環境配慮が不足した場合にもこれが生じると考えられています。また、先進国による有害廃棄物の越境移動によって発展途上国の公害問題はさらに加速するとされています。

　高度な経済活動は化学物質の使用を進めますので、海洋汚染も進みます。先進国と発展途上国の間に著しいエネルギーの消費格差が生じていて、発展途上国のなかにはエネルギー消費が世界平均の 10 分の 1 に満たない地域もあります。

　地球温暖化も影響し、砂漠化、海洋汚染、化学物質の使用によるフロン発生、オゾン層の破壊、**野生生物種の減少**などが起っています。

　発展途上国の人口の急増、焼畑・耕作、木材生産により熱帯化という現象が生じ、野生生物は減少するとされています。

異文化世界へのまなざし

✳ 先進国と発展途上国のお互いの言い分

　1971 年（石油危機直前期）のエネルギー需要は、先進国と発展途上国では、100：15 という大きな差がありました。ところが、その後発展途上国の**エネルギー消費量**の増加は大きくなり、先進国の増加率をはるかに上回る国も出てきました。

　その理由として、2009 ～ 10 年の人口増加率は、発展途上国が多いアフリカは 2.32%、中南米 1.12%、アジア 1.05% でした。つまり人口増加率が高くなるとエネルギー需要が増えていくというわけです。

　また、2008 年のリーマンショックで、先進国の経済がマイナス成長になると、発展途上国の経済も影響を受けましたが、逆に、発展途上国の中には、経済成長率が 5 % を超える国もありました（エネルギー需要の増加が要因の 1 つと考えられています）。

　さらに、発展途上国の場合は、省エネルギー技術が遅れているために、「省エネ型経済」に移行していない分、エネルギー消費量は増えます。近未来においてこの傾向が続けば、発展途上国のエネルギー消費量は先進国に近づいていきますので、世界のエネルギー消費は 2 倍近くに伸びるとされます。

　そうなると、やはり長期的には、**資源面と地球環境面**から経済的危機が発生する原因になるかもしれません。先進国からすると、発展途上国によるエネルギー消費の増大は、資源問題や環境問題を悪化させているようにみえます。

　しかし、先進国がやりたい放題にエネルギーを消費して環境を破壊してきているという事実が先行しているので、途上国側は正当な経済活動を行っていると主張しているわけです。

✱ 多民族への偏見を取り除く考え方

　人間には、自分が所属するグループとは相容れない「行動」や「思考」を排除・否定する傾向があります。

　異なる習慣・文化をもつ別の国の人と出会ったとき、自民族や自国の文化を上位とし、他の文化を低く見るようなことが行われることがあります ☞ P115 。

　パレスチナ系アメリカ人の文学研究者エドワード・ワディ・サイード（1935 ～ 2003）は、**エスノセントリズム（自民族中心主義）**や西洋中心の**オリエンタリズム**などの考え方を帝国主義的であると批判しました。

　「東洋人は、後進的、退行的、非文明的、停滞的などさまざまな呼称で呼ばれる他の民族とともに、生物学的決定論と倫理的、政治的教訓からなる枠組のなかに置かれてながめられた。…東洋人は従属人種の一員であったがゆえに、従属させられなければならなかった」（『オリエンタリズム』）

　サイードによれば、ある民族や文化にとって、他の民族や文化の存在が自己の存立をおびやかし、共存することが不可能であるような絶対的な他者と認識されたとき、それは「敵」とされます。

　そして、その民族は他の民族を抹殺する「物語」をつくりはじめるといいます。自民族や自文化以外の異文化や他者に対して、誤った**共同幻想**を作り出すこともあります。

　その幻想の基になっていることの１つは、実は少数の人間が、それも数時間程度しか異文化に接触していないのに、自己幻想を抱いて広めていくことです。

　エスノセントリズムは、１人か２人の人間に起因した恐怖感や危機意識によって一挙にひろまって、全体主義化するという恐ろしさを持ちます。

　現代の人種差別も、ちょっとした誤解などではなく激しい思い込み・幻想のレベルなので、まだまだ解決のときは遠いのかもしれません。

様々な危機について考える

〈◇◇◇◇〉

様々な感染症を調べてみると?

✳ インフルエンザにも気をつけよう

　スペイン風邪は 1918 年〜 1919 年に世界各国で多くの死者を出した、インフルエンザによる**パンデミック**です。第一次世界大戦時に、中立国のスペインでは情報操作が行われておらず、そのため、真実がスペインから伝えられ、スペイン風邪と呼ばれました。

　2009 年には、新型インフルエンザ（A ／ H1N1）の大流行がありました。世界の 214 カ国・地域で感染が確認され、1 万 8449 人の死亡者（WHO の統計、2010 年 8 月 1 日時点）が出ています。

　厚生労働省によると、毎年、日本では、WHOが推奨したウイルス株を基本に、これまでの日本の流行状況などを勘案し、流行する株を予測してワクチンを作っています。この約 10 年間、ワクチン株と実際に流行したウイルス株とはほぼ一致しているとされます。

　しかし、日本においては、他の先進国に比べてワクチンの自主的な**接種率は低く（約 50%）**、インフルエンザによる死亡や入院をまねいており、流行を防止するに当たっての課題となっているとされます。

　インフルエンザでの死亡者数は、日本では 2018 年には**約 3000 人**とされています。他の代表的な感染症としては、エイズ（後天性免疫不全症候群）があり、世界では 6500 万人が感染、2500 万人が死亡しています。日本での 2018 年のエイズ患者は 377 人です。

✳ まだまだある感染症

　日本の肝炎（**ウイルス性肝炎**）の持続感染者は、B 型が 110 万～140 万人、C 型が 190 万～ 230 万人存在すると推定されています。感染時期が明確ではないことや自覚症状がないことが多いため、気づかないうちに肝硬変や肝がんへ移行して死亡者が出ています（厚生労働省HP 参照）。

　レジオネラ症は、レジオネラ属菌による細菌感染症です。近年の検査法の開発・普及に伴い、報告件数は増加傾向にあり、2017 年には約1700 人の患者がいました。高齢者や新生児は肺炎を起こす危険性が通常より高いので、注意が必要です。今のところ、予防できるワクチンはありません（厚生労働省）。

　さらに、日本に推定 108 万人、世界で 3000 万人以上の感染者がいるとされるのが、HTLV- 1 （ヒト T 細胞白血病ウイルス I 型）です。感染していても大多数の人は無症状です。HIV ウイルスと同じく一度感染するとウイルスは体内からは出ていきません。一部、成人 T 細胞性白血病・リンパ腫（ATL）などを発症します（厚生労働省）。

様々なリスク対策をしておこう

❊ まだある環境問題いろいろ

●原子力発電所の問題。

　2011年（平成23年）3月11日に起きた東日本大震災の被害を受け、東京電力福島第一原子力発電所から放射性物質が発電所外へ拡散し、東日本を中心とする広大な範囲に甚大な被害を与えました。

　福島第一原発事故で大気中に放出された放射性物質の量は、原子力安全・保安院によると37万テラベクレルと推定されています。事故は終息していないので、今後もさらに放出される可能性があるとされます。放射線物質による内部被曝が当時から懸念されています。ヨウ素131（→甲状腺）、セシウム137（→全身）、ストロンチウム90（→骨）、プルトニウム239（→骨、肝臓）[（→）は沈着場所]。

●停電その他

　2006年8月14日午後7時半頃、首都圏の約140万軒で停電しました。交通信号が消え、地下鉄や私鉄の多くが次々とストップし、エレベーターに人が閉じこめられるなど、大きな衝撃を与えました。原因は、東京都と千葉県の間を流れる旧江戸川にかかる送電線に1隻のクレーン船が接触したことでした。

　完全に復旧するまでに3時間あまりをついやしたとされます。首都圏の電力は当時は新潟県の原子力発電所や東京湾内の火力発電所などから送られていました。

　地震国日本という前提を考えて、今後の電力供給の安定について様々な対策が立てられています。各家庭の自家発電なども今後進展するかもしれません。

✳ 様々なリスクを考えてみる

●近年の地震の死者数

　世界の地震の2割は日本周辺で発生しているといわれるほど、日本は地震国です。1995年（平成7年）1月17日**阪神・淡路大震災**、死者6434人。2004年（平成16年）10月23日新潟県中越大震災、死者68人。2011年（平成23年）3月11日、**東日本大震災**、死者・行方不明者約1万8000人。2016年（平成28年）4月14・16日熊本地震、死者273人。2018年（平成30年）9月6日北海道胆振東部地震、死者42人。

　関東の震災の歴史では、1703年元禄関東地震、1855年安政江戸地震、1894年東京地震、1923年大正関東震災（関東大震災）、1924年丹沢地震、となっています。元禄関東地震から約200年後の関東大震災を経て、そのあと200 ～ 300年で再びM7クラスの地震が発生するとされています（内閣府HP参照）。

●1日の日本の死者数

　厚生労働省が2018年の日本の死者数について、統計を出しています。1位…がん37万3547人、2位…心疾患20万8210人、3位…老衰10万9606人、4位…脳血管疾患10万8165人、5位…肺炎9万4654人となっています。厚生労働省発行の資料「日本の1日」では、2005年～ 2010年における**1日の平均死者数が3280人**となっています。

　その内訳は「がんでは？　968人、心疾患では？　518人、脳血管疾患では？　338人、事故では？　111人、仕事中の事故では？　3人、老衰では？　124人、自殺では？　87人」です。

　人間は生まれた瞬間から危機にさらされています。手帳にリスクを書き出して、哲学手帳 ☞ P357 に書き出し、その対策を無意識的に（オートマチックに）できるようにするとよいでしょう。

中東紛争

≪≫≪≫

✳ 聖書のイスラエル人とアラブ人の始まり

『旧約聖書』の「創世記」には、アブラム（後の**アブラハム**）と妻サライは年老いていて子供にめぐまれなかったので、エジプト出身の女奴隷ハガルをアブラムの側女にしたことが記されています。

けれども、アブラムの子**イシュマエル**を身ごもったハガルがサライを軽んじるようになりました。この後、サライは奇跡によってアブラムの子を産み、**イサク**と名づけました。アブラムは、「イシュマエルもひとつの国民の父とする」という神の言葉に助けられ、水とパンをもたせてハガルとイシュマエルを家から追放しました。

ハガル親子の革袋の水が尽きたとき、神は「あの子を抱き上げ、あなたの腕で抱きしめてあげなさい。必ず大きな国民とする」と語り、そこで井戸が見つかって 2 人は助かります。

イシュマエルは成長して荒れ野に住む人となり、彼は母の生まれ故郷であるエジプトから妻をめとりました。こうして、イシュマエルの子孫は**アラブ人**となったのです。

一方、イスラエル人は、紀元前 1500 年頃、**カナン（パレスチナ）**に移住したとされます。出エジプト ☞ **P45** の後は、神から十戒をはじめとする律法を授かり信仰共同体を形成し、紀元前 1000 年頃にダビデ王はイスラエル王国を統一しました。

✳ ユダヤ人とアラブ人の宿命

　パレスチナの王国はダビデ王、ソロモン王の時代に栄華をむかえましたが、北イスラエルと南ユダに分裂し、北イスラエルは前722年にアッシリアにより滅ぼされます。南ユダは前586年に新バビロニアに攻撃され、**バビロン捕囚**となりました。

　時代はとんで、**イエス** 🖙 P49 はイスラエル（パレスチナ）のベツレヘムで生まれ、弟子たちによってキリスト教が成立しました。610年にはムハンマドがイスラム教を創始しています。1516年にはオスマン帝国（イスラム教）がパレスチナを征服してしまいますが、1897年には独立建国をめざす**ユダヤ民族主義（シオニズム）**が高まり、第1回シオニスト大会が開かれました。

　シオニズムとは、イスラエルの地（パレスチナ）に故郷を再建する近代のユダヤ人運動です（「ところがダビデは**シオン**の要害を取った。これがダビデの町である」『旧約聖書』「サムエル記」下5：7）。しかし、1915年、**フサイン＝マクマホン協定**で、イギリスがオスマン帝国の支配下にあったアラブ地域の独立と、アラブ人のパレスチナでの居住を認めました。

中東情勢が複雑すぎる

✳ 中東戦争の勃発

　1917年には、**バルフォア宣言**で、イギリス政府のシオニズム支持表明がなされました。この宣言よって、イギリスは戦争へのユダヤ人の協力を得るためにユダヤ人国家樹立を支持したのです。

　1920年、サン・レモ会議で委任統治領パレスチナと委任統治領メソポタミアはイギリスに与えられました。1932年には委任統治領メソポタミアは、**イラク王国**として独立を達成しました。

　1933年、ドイツにナチス政権が誕生し、**ユダヤ人を迫害**します。1939年には、ドイツのポーランド侵攻により第二次世界大戦が勃発しました。戦後の1947年、国連はパレスチナ分割決議を採択します。1948年5月14日に**イスラエルは独立を宣言**しました。

　しかし、国連によるパレスチナ分割決議がユダヤ人に有利であるとしてアラブ側が反発し、第一次中東戦争が起こりました（1948年5月～1949年4月）。イスラエルがパレスチナの多くを獲得し、国境線（グリーンライン）が確定します。経済的・軍事的な要衝であるスエズ運河をエジプトが国有化してイギリスなどと対立し、第二次中東戦争が勃発（1956年10月～11月）。イスラエルが参戦しシナイ半島に侵攻しました。機能停止した安保理に代わり国連総会が平和のための結集決議を行い、停戦後イスラエル軍は撤退しました。

　1964年には、**パレスチナ解放機構（PLO）**が設立されます。ユダヤ教、キリスト教、イスラム教の聖地であるエルサレムのアラブ支配に対しイスラエルの不満が生じます。シリアに親パレスチナ政権が誕生し、第三次中東戦争（1967年6月）が起こりました。イスラエルが短期間にヨルダン川西岸地区、**ガザ地区**、シナイ半島などを占領することになりました。

✳ 中東和平から現代まで

　1969 年、アラファトが PLO の議長に就任。エジプトがシナイ半島を取り戻すためアラブ諸国の協力の下でイスラエルを奇襲し、**第四次中東戦争**（1973 年 10 月）が起こりました。アラブ諸国によるイスラエル支援国への原油輸出制限により石油危機が発生、日本では、田中角栄内閣でしたが、狂乱物価が生じました。トイレットペーパーが品薄となって、主婦の争奪戦になったのがこの時です。

　第四次中東戦争停戦後の 1978 年、**キャンプ・デービッド**（アメリカ合衆国大統領別荘）でエジプトとイスラエルが和平に合意し、シナイ半島はエジプトに返還されることになりました。

　しかし、1987 年、占領地区でパレスチナ人の蜂起（インティファーダ）が起こります。1991 年、**湾岸戦争**勃発。ペルシア湾周辺の国家地域で起こった、イラクの**サダム・フセイン**政権とアメリカを中心とした多国籍軍による戦争でした。中東和平会議を経て、1993 年、イスラエルと PLO が相互承認を合意。パレスチナ暫定自治協定調印。1994 年には、パレスチナ自治開始となります。1995 年、イスラエルと PLO はパレスチナ自治拡大に最終合意しましたが、イスラエルのイツハク・ラビン首相は 1995 年 11 月 4 日、テルアビブで催された和平集会に出席したことで、和平反対派のユダヤ人青年から銃撃されて死亡しました。

　1996 年、アラファト PLO 議長がパレスチナ自治政府議長に選出され、2001 年、シャロン政権が発足しました。イスラエルが占領地域に入植地を拡大し分離壁を建設します。この年、9 月に**米同時多発テロ**が発生しました。2006 年には、パレスチナ総選挙で対イスラエル強硬派**「ハマース」**が勝利しました。ハマースは自爆攻撃やロケット弾を用いたイスラエル国防軍および市民への攻撃を開始しました。2008 年 12 月 27 日、ガザ地区を実効支配するハマースとイスラエルとの間に戦争が勃発しています。

哲学と自然科学

古代ギリシアの万学の祖アリストテレスから、学問の分類整理が行われてきました。特に自然科学は当初は哲学の一部であり、そこから細分化していきました。

4章は、科学史というテーマをとりあげて、そこから未来の人間のあり方を多面的に考えることを目的としています。一般に、文系と理系という分け方をしますが、それは専門分野の話で、すべての人は文系と理系を交差する思考をもっています。

これは、もともと世界は「記号」情報の集積であって、数学という「記号」で表現する場合は理系、言語という「記号」で表現する場合は文系と便宜上分類しているだけの話です。哲学ではすべてを「記号」情報の角度から扱うので、同じものが違う表現をしているという前提で考えます。

コンピュータのプログラマーが文系であることは多いものです。もともと言語が記号ですし、0と1も記号だからです。

これからは、学問のフュージョン化がますます進むと考えられますので、文学、語学、芸術、歴史、政治、経済、地理、科学、医学、薬学、工学などあらゆる分野の「専門的」な「概念的知識」を縦横無尽に横断し、かつそれらを融合させて新たな側面の「知」を生み出す、あるいはビジネスのアイディアに活かすなどのニーズが高まるでしょう。

それらを総括的に捉えるには、人類の哲学史と諸学問の分岐を知っておくと抵抗感がなくなります。

あえて「畑ちがい」の情報をとりいれることで、思わぬ知の連鎖が産まれることでしょう。

科学的な情報は週単位で変わっていくので、この章では、現在わかっている科学技術の進歩段階と、かなり先のSFのような未来、しかし、ありえないこともないような未来について紹介しています。

「安楽死・尊厳死とは？」には、将来、自分の細胞から臓器をつくってそれを交換するという話や、それらにかかわる倫理的問題などを述べています。

クローンや遺伝子操作には様々な法律的な制限がありますが、法律が追いつく前に科学的な成果が実現してしまうことはよくありますので、近未来には何が起こるかわかりません。ここにも倫理的な問題が生じてくることでしょう。

コンピュータの歴史は、哲学と無関係のようにみえますが、人間の思考を記号化して計算するという哲学分野があります。今後、コンピュータ科学と思考の記号化はますます関連性をもつようになるでしょう。哲学と科学の歴史については、Ⅰ部の空間・時間の概念と関連することと、量子コンピュータの発明のもととなる量子の二面性などをざっくり紹介しています。

IT社会の目指しているものも、記号情報の統合なので、近未来に驚くべき社会システムが産まれると考えられ、それを予測することは、ビジネスなどに大きく役立つことでしょう。

世界が記号の集まりだと考えて、様々な分野を総合的に考えてみる

テーマ別 編

319

THINK 🎓 22

安楽死・尊厳死とは？

〈◇◇◇◇◇〉

生命倫理の様々な問題

❋ 生命を操作するということ

　先端医療技術の発展は、医学の領域にとどまらない哲学的な問題を提起しています。人間の生殖や出生は、古代・中世・近代の社会では神秘
☞ P34 と捉えられたり、機械論的に説明がなされるなどしていました。

　体外受精とは女性の体外で精子と卵子を受精させ受精卵をつくることです。1978年にイギリスで、「試験管ベビー」と呼ばれた体外受精児が誕生しました。

　妻が妊娠できない場合、第三者の女性に妊娠出産してもらうことを**代理出産**といいます。夫婦の受精卵を第三者の女性に移植して代理出産してもらう「**ホストマザー**」や、妻が卵子を提供できない場合に、夫の精子を使って第三者の女性に代理出産してもらう「**代理母**」もあります。これらについては、宗教的、文化的に様々な意見があります。

　一方で、代理母が子の引き渡しを拒否する事件が起きています（アメリカの**ベビーM事件**など）。代理出産の場合、法律上での親子関係の確定方法に様々な問題が生じます。また、遺伝的なつながりのみでの親子関係なので、複雑になる場合があるようです。

　生命に関わる科学技術は、クローンの問題とも関わります。クローンの**自我**や**自我同一性**については、哲学的な問題が生じるときがあります。

✳ 医療の生命倫理とはどのようなものか？

重い疾病をもつ患者には、病名の告知やどのような治療・介護をのぞむかを選択する権利（自己決定権）があります。また、自分の「命の終え方」にも、本人の意思ができる限り尊重されます。

生命の質（QOL） が重視される場合は、たとえば、自分が病気の末期にいたった場合、生命維持装置で生命が保たれることを拒否することもできます。このように、尊厳をもって自然に死をむかえることは、「**尊厳死**」と呼ばれています。

また、医師には、診断や治療に関する情報を患者に十分に提供する義務があります。患者が納得したうえでの**インフォームド・コンセント**にもとづいた医療行為が理想です。

インフォームド・コンセントとは、患者が十分な説明を受けた上で同意することです。患者は医師から、病名、病気の経緯、治療法、薬と副作用、代わりの治療法、手術の成功率などについて十分な説明を受ける権利があるとされます。そのような中で、末期患者のケアを行うこと（**ホスピス**）が重要視されています。

末期医療と哲学の密接な関係

✳ ロス博士の『死ぬ瞬間』

　医師のエリザベス・キューブラー゠ロスの著書『死ぬ瞬間（On Death and Dying)』は、1969年に発表されました。ここには、200人の死にゆく患者との対話の中で調査され分析された、死の受容のプロセスが記されています。

① **「否認」**…患者が大きな衝撃を受けてこれを否認する段階です。「全面的な否認」と治療法によって助かるのではないかという「部分的な否認」が生じる場合もあります。

② **「怒り」**…なぜ自分がこんな目にあうのか、死ななければならないのかという怒りを周りの人々に向ける段階です。

③ **「取引」**…神など超越的な存在と延命の取引をする段階です。悔い改めたり、数ヶ月の延命を願うなど、死なずにすむように取引を試みる段階です。

　「神は私をこの世から連れ去ろうと決められた。そして私の怒りにみちた命乞いに応えてくださらない。ならば、うまくお願いしてみたら少しは便宜をはかってくださるのではないか…」とあります。

④ **「抑うつ」**…取引が無意味なことを自覚し、運命に対し無力さを感じ、失望し、ひどい抑うつと絶望を感じる段階です。

　「ソーシャルワーカー、医師、あるいは牧師が患者の悩みをその夫と話し合い、患者が自尊心を保てるよう夫の協力を仰ぐこともできよう」

⑤ **「受容」**…死を受容する最終段階です。最終的に自分が死に行くことを受け入れるとされます。場合によっては、悟った解脱の境地が現れ、安らかに死を受け入れることもあると報告されています。

✳ 脳死と臓器移植

　人間の死は、従来は心臓の停止による心臓死とされていました。しかし、人工呼吸器などの医療技術の進歩によって、脳の機能はすべて死んでいますが、心臓は機械によって動かされているという、新たな死としての「脳死」が出現しました。脳死になった患者は、やがて心臓死をむかえるとされます（植物状態は、脳幹の機能力が残存したまま意識を失っている状態です）。

　そのため、**リヴィング・ウィル（生前遺言）**によって、自分が末期症状になったときには延命措置をせずに、「尊厳死」を希望する意志をはっきりと生前に残しておくという選択があります。

　本人の意志にもとづいて延命措置を停止し、自然に死をむかえる「尊厳死」に対して、投薬などによって人為的に死亡にいたらせることは「**安楽死**」と呼ばれます。

　また、これは臓器移植にまつわる問題を生じさせます。

　欧米では、哲学的に自分の身体は自分の所有物 ☞ P136 ですから、それをどのように処分するかは、自分自身で自由に決定できるとされます。デカルト哲学以来、精神と身体は、それぞれ独立した実体であるという伝統もなくなってはいません。

　物心二元論 ☞ P80 を全身と脳という臓器で考えたとしても、脳が死ぬと意識（精神）が死んだわけなので、精神を失った身体は物体と解釈されます。

　この考え方ですと、臓器移植には倫理的問題は生じません。一方、日本では、物心二元論的あるいはキリスト教的な肉体と霊性を峻別する伝統が薄いこともあり、姿のある脳死や植物状態を死と割り切ることにはとまどいを感じる傾向にあるとされます。

　科学的・合理的な技術が、最終的には人間の「死」という哲学的問題につながっていくという難しさがあります。

クローンと遺伝子操作

◆◇◇◇◆

クローン人間は製造禁止

✳ 映画を観るとクローンの気持ちがわかる？

　クローンを題材にした映画はいろいろあります。アーノルド・シュワルツェネッガー主演『**シックス・デイ**』（2000年、The 6th Day）は未来の話です（未来といっても2010年）。創世記で神が人間を創った日に由来する法律「6ｄ法」により、人間の**クローン**を作ることは禁じられていました。

　ある日、主人公アダムが、自分の誕生日の夜に仕事を終えて自宅に戻ると、クローンと思われるもうひとりの自分が家族と誕生日を祝っていました。自分の家庭と生活を取り戻すため、アダムは真相をつきつめようとします。

　映画『**アイランド**』（2005年、The Island）は、男女のクローン人間と政府の非情なエージェントとの死闘を描くSFスリラーです。放射能汚染から守られた近未来の巨大施設で暮らす人々。彼らの夢は地上の楽園「アイランド」行きの権利を得ることでした。

　しかし、主人公（ユアン・マクレガー）は、地球は汚染されていないこと、施設の住人がクローンであること、そしてアイランド行きとは、自分のホストのために臓器を提供することであるという秘密を知ってしまいます。彼は恋人（スカーレット・ヨハンソン）とともに施設からの脱出を図ります。クローンらの苦悩が描かれています。

✻ 細胞はあともどりができることの発見

『シックス・デイ』の冒頭でも紹介されますが、1996 年、イギリスで**クローン羊「ドリー」**が誕生しました。各国では規制の方向性を打ち出していて、日本でも 2001 年に**ヒトクローン規制法**が施行されました。現時点では、人間の尊厳を守りつつ、生殖補助医療や臓器移植あるいは再生医療において、技術を適用することが考えられています。

1950 年代、発生学者のウォディントンは、「1 度分化した細胞はあともどりできない」と説明していました。

ところが、2012 年に京都大学の山中伸弥教授とともにノーベル賞を受賞したイギリスの生物学者ジョン・ガードン（1933 ～）は、この常識を初めて覆しました。

ガードンは細胞から核を取り出し、核の働きを失わせた別の受精卵に移植しました。そしてこの核移植した卵から正常な幼生や成体が得られることを示しました。

こうして、1 度分化した細胞もなんらかの操作によって、受精卵のような状態にもどせることがわかりました。

万能細胞で将来は明るい?

✳ ES 細胞と iPS 細胞

ES 細胞は、1981 年にイギリスのエバンス博士（2007 年ノーベル賞受賞）によって生み出されました。1998 年には、アメリカのトムソン教授が、ついにヒトの ES 細胞の作製に成功します。

受精卵は、胎盤を含むあらゆる細胞になれる能力をもち、これを全能性（totipotency）と言います。これに対して、ES 細胞がもつ、胎盤にはなれないけど、体をつくるあらゆる細胞になれる能力を多能性（pluripotency）と言います。

ES 細胞は全能性こそもちませんが、再生医療などへの応用には十分であると考えられます。そのためか報道などでは「**万能細胞**」という言葉が使われるようになりました。

現在、ES 細胞には、不妊治療などで体外受精した胚を使っているそうです。しかし、これらの胚は、子宮に戻せば人になるわけですから、倫理的に問題があるという意見もあります。

2006 年（平成 18 年）に京都大学の山中伸弥教授を中心とする研究チームが、世界ではじめてマウスの皮膚細胞から、次いで 2007（平成 19 年）年には、世界ではじめてヒトの皮膚細胞から、**iPS 細胞**をつくることに成功しました。

2011 年には、京都大学のグループが iPS 細胞からマウスを誕生させることにも成功しています。

iPS 細胞は、神経や筋肉、血液など、様々な組織や臓器の細胞になる能力がある新型万能細胞のことです。受精卵を壊してつくる「**胚性幹細胞（ES 細胞）**」に比べ、倫理的な問題がなく、患者の体細胞からつくられるため、拒絶反応の問題も回避できるのです。

✳ クローン技術によって得られる利点

クローン技術は、肉質のよい牛、乳量の多い牛など、食料として優良な動物をつくるメリットがあるとされます。また、同じ遺伝子をもった動物を産生できるので、同じ遺伝的条件をもとにした実験研究が可能となっています。医療の進歩には、人と同じような疾患をもつモデル動物による実験が必要とされています。クローン技術により、疾患モデル動物を安定的かつ大量に供給することができるとも言われています。

また、希少動物の保護・再生をすることもできます。1つの個体から複数の個体を産生することにより、絶滅の危機に瀕した動物の絶滅を回避できるというわけです。

映画『ジュラシック・パーク』では、絶滅した恐竜を再生することで、恐竜のテーマパークをつくっていました。このようなことが可能なのかもしれません。ただ、ネアンデルタール人を再生することができたとしても、人なので、倫理的問題が絡んでくる可能性もあります。

さらに、**遺伝子組み換え技術**等によって、人の組織との適合性を向上させた動物の臓器を移植できるようになり、その動物をクローン技術を用いて大量に産生すれば、移植用臓器に転用できるとの考えがあります。

遺伝子組み換え技術により、病気の治療に必要なタンパク質を分泌する動物を産生できれば、クローン技術によってその動物を多く産生し、病気の治療に役立てることができます。動物から分泌されたタンパク質を利用することで、医薬品を効率的に製造できるとされます。

これらには、動物のクローンは倫理的に許されるという前提があります。私たちは動物を食料としているので抵抗が少ないからです。

しかし、オーストラリア・メルボルン出身の哲学者ピーター・シンガー☞P306は、動物実験と工場畜産を批判しており、本人は菜食主義を貫き通しています。

コンピュータの歴史

◇◆◇◆◇◆◇

哲学者が夢見た考えるマシン

❋ 数学と哲学とコンピュータ

　ここでは、コンピュータの歴史を概観してみます。特に 1980 年代の日本最初のパソコンから、最近までのその進歩を眺めれば今後、どれほどのテクノロジーが実現していくのかの未来予測に役立ちます。

　紀元前 150 〜前 100 年に古代ギリシア人によって、**歯車式アナログ計算機**が作られました。1642 年には、フランスの思想家・自然哲学者・数学者のブレーズ・パスカルが、**歯車式計算機パスカリーヌ**を開発します。1690 年代には、ドイツのライプニッツ ☞ **P84** が計算機を開発しています。また、ライプニッツは**二進法**を唱えました。

　19 世紀以降になると、1865 年に万国電信連合（現・国際電気通信連合）が設立されました。日本は明治維新に技術導入が進み、1877 年(明治 10 年) に万国郵便連合に加盟しました（西南戦争が起った年）。

　そして、1890 年には、本格的に**パンチカード**が使われ始めます。パンチカードとは、0 と 1 の二進数情報をカードに穴をあけることで記録するもので、それを機械に伝えて自動集計機などを制御します（これは 1980 年代になっても電電公社〔現・NTT〕などで普通に使われていました）。

　イギリスの数学者、計算機科学者、哲学者のアラン・チューリング（1912 〜 1954）はナチスの暗号を解読したことで有名です。これは映画『イミテーション・ゲーム』で描かれています。

✳ なつかしのパソコン黎明期

　20 世紀以降になると、真空管が発明されます。1945 年、ハンガリー出身のアメリカの数学者ジョン・フォン・ノイマン（1903 ～ 1957）によって、一般にいう「ノイマン型」コンピュータが考案されました。後に、真空管による世界初のコンピュータが作られ、トランジスタの発明により、コンピュータは飛躍的な進歩を遂げました（現在のコンピュータも、基本的に「ノイマン型」です）。

　そしていよいよ 1952 年、IBM が商用の**プログラム内蔵式**コンピュータを発売します。1974 年にはインテルが 8 ビットのマイクロプロセッサ i8080 を発表し、この頃、ビル・ゲイツが**マイクロソフト**を設立しました。日本では、1981 年（昭和 56 年）に発売された NEC の PC-8801 が日本のパソコンの黎明と言えます。これは、マイクロソフトの BASIC で、自分でプログラミングをするか、カセット・テープに信号が書き込まれたソフトを読み込むことで、ゲームなどができました（内蔵メモリは、スイッチを切ると消えてしまうタイプ）。

コンピュータで未来の世界は明るい？

✳ 現在のコンピュータ事情

アップルは、1977 年にパーソナル・コンピュータ Apple II を発売しました。1981 年、IBM が PC-DOS を搭載したパーソナル・コンピュータ IBM PC を発売。以後、マイクロソフトから各社に MS-DOS が供給されています。1982 年、NEC が PC-9801 を発売。最初の **GUI（グラフィカル・ユーザー・インターフェース）**は、1973 年にカリフォルニアにあるゼロックスの研究所で試作された Alto というコンピュータでした。このコンピュータはアップルに影響を与え、1984 年、アップルが Macintosh を発売します。

日本では、1987 年以降には、ハードディスクが普及しました（このときの容量は、約 20MB で価格は約 30 万円でした）。**MS-DOS** を搭載していましたが、マイクロソフトが最初の Windows 製品である Windows1.0 を発売(1985 年)。この頃はハードディスクとフロッピーディスクが媒体だったので、Windows のフロッピーディスクが何十枚もあるという状況で、これをハードディスクにインストールするという作業を行う時代でした。1990 年、マイクロソフトが Windows 3.0 を発売、さらに、1995 年にはマイクロソフトが **Windows 95** を発売し、これによって Windows の市場拡大が決定的になりました。

2001 年 3 月、アップルが **Mac OS X** を発売し、10 月には iPod が発表されます。2007 年にはアップルが iPhone を発売。同年に Android が発表され、2008 年 9 月に初の Android 端末も発売されます。2010 年 1 月、サンフランシスコで開かれた製品発表会で iPad 第 1 世代が発表されました。今後のパソコン、タブレットに次ぐ、新たなスタイルのガジェットが模索されています。

✳ 量子コンピュータ

　現在のコンピュータでは何百年、何千年とかかるような計算が、**量子コンピュータ**を使えば現実的な時間で解けるとされています。最近では量子コンピュータの実用化・商用化の兆しがみえてきたので、これが実現すれば世界のすべてが変わってしまうかもしれません。

　現代のコンピュータは同じ時間で実行できる計算回数を増やすことで高速化を実現しています。チップに詰め込んだトランジスタ回路で情報を処理するため、情報量を多くするにつれ、チップ上の密度を上げていく必要があり、マイクロチップ、ナノチップという極小化の集積技術を進めています。

　しかしながら、すでに、「**ムーアの法則**」も終わりをむかえたという考え方もあります（1965 年、インテル創業者の 1 人、ゴードン・ムーア [1929 ～] は、「集積回路上のトランジスタ数は 18 ヶ月ごとに倍になる」と予測しました）。回路を並列に多く並べて計算処理をスピードアップしても、今度は電力消費の増大が解決しません。

　ところが、量子コンピュータの場合は、内部で大量のデータが**重なり合った状態**を作り出すことができます（量子の重ね合わせ）。

　1 つの量子で同時に 2 通りの状態を、2 つの量子で 4 通り、4 つならば 16 通りを同時に計算できます。また、複数の量子は、観測された段階で、他方が 1 であれば他方も 1、他方が 0 であれば他方も 0 と、遠隔地でも一致します（量子テレポーテーション）。離れていても一瞬でそれぞれの状態が決まるので、想像を絶する高速通信が実現すると考えられます。

　量子コンピュータは様々な新素材の分子構造をシミュレーションできるので、今まで何十年もかかっていた組み合わせが、現実的に導き出せます。想像すればきりがないのですが、物体の分子構造を瞬時に解析し、それを **3D プリンタ**で複製することもできるならば、人間を複製することもできるかもしれません（再び倫理的問題が発生しますが）。

IT社会の発展と問題

<><><><><>

情報化社会での注意点

✳ ネット依存の問題

　厚生労働省が2012年度、全国の中学・高校264校、約10万人を対象に**ネット依存**の危険度についての調査を行いました。アメリカなどで使われている評価法を使い、8つの質問のうち5問以上にあてはまると「依存の疑いが強い」と分析しています。

□ネットに夢中になっていると感じているか

□満足のため**使用時間**を長くしなければと感じているか

□**制限や中止**を試みたが、うまくいかないことがたびたびあったか

□使用時間を短くしようとして**落ち込みやイライラ**を感じるか

□使い始めに考えたより長時間続けているか

□ネットで**人間関係**を台無しにしたことがあるか

□熱中しすぎを隠すため、家族らにうそをついたことがあるか

□問題や絶望、不安から**逃げる**ためにネットを使うか

　8つの質問のうち5問以上にあてはまると、健康面や精神面への影響が懸念されます。本人は病気というの認識がないケースが多いので危惧されています。

　子供の生活が昼夜逆転し始めたら依存に注意が必要だとする医者の意見もあります。さりげないことが「依存」と関係があるので注意深く様子に変わりがないか見ていかなければならないでしょう。

のデートも
アバターなの？

やぁ

✳ 情報が多くなるほど選別が難しくなる

　ネット上では、何年も前から蓄積されている情報に、リアルタイムで新しい情報がどんどん追加されていきます。ネットの場合は情報が多すぎるために、どれが真の情報なのかわからなくなりがちです。

　特に、誰もが行っている検索による情報収集は、自分の偏見のフィルターを通して、**「見たいものだけを見る」**という態度になり、偏った考え方に陥る場合があります。したがって、おびただしい情報のなかから、メディアの情報を読み解き活用する能力（**情報リテラシー**）を高めるのが望ましいとされます。

　テレビ・新聞・雑誌・書籍、次にネットニュース検索で全体をつかみ、さらに、YouTube や SNS などの情報を取得した上で、総合的に判断するのが望ましいとされます。また海外のニュースなどからもまんべんなく情報を得て、日本のニュースと照らし合わせることも必要です。

　情報化社会の問題としては、情報にアクセスできる能力や機器をもつ者ともたない者の格差として、**デジタル・デバイド**（**情報格差**）が生じやすいことがあげられるようです。

ビッグデータが管理する社会

✳ 便利になりすぎる未来

ユビキタス（Ubiquitous）社会が到来し、「いつでも、どこでも何でも誰とでも」というネットワークに接続できて、情報のやりとりを自在に行うことができるようになりました。ユビキタスとは、ラテン語で「（神は）いたるところに存在する」という意味です。

さらに、現代は、IoT（Internet of Things）社会に入りました。

「IoT」とは、「モノのインターネット」といわれます。パソコンやスマートフォンだけでなく、ドア、冷蔵庫、洗濯機、エアコン、トイレ、風呂、窓、カーテンなど、いろいろなモノがネットにつながって、使い道が増え、便利になっていくことをいいます。例えば、洗濯機、エアコンなどを家の外から音声で操作できます。冷蔵庫に不足品が出れば、自動的に配達してもらえるなどのシステムもできてくるでしょう。体重計、血圧計、体温計のデータをスマホに送り、体調管理や運動のアドバイスを受けることもできます。

「IoT」の発表会（2015年、アメリカ）などでは、スノーボードなどに取り付けて自分の滑り方をスマホで確認できる器具や、ミルクの量を測る哺乳瓶なども展示されました。服や靴などの製品もサイズ調整をコンピュータチップが行うので、フィット感が増します。

すでに犬や猫などのペットには、マイクロチップが埋め込まれて、**ID管理**がなされています。人間にも同じく、個人情報がすべて記録されたマイクロチップを手に埋め込むという動きが始まっています。住民票、健康保険証、免許証、定期券、銀行口座情報、パスポート、マイナンバー、家族関係、就業状態、健康状態、免疫関連などの情報が、手の親指の下あたりに埋め込まれるようになるでしょう。

✴ データが大きくなりすぎて未来に変化が起こる

　企業は巨大なデータ（テラバイト、ペタバイト［1,024 テラバイト］、エクサバイト（1,000 ペタバイト）など）を格納し、操作・管理していますが、このようなデータは**ビッグデータ（big data）**と呼ばれています。ツイッターやフェイスブックといったソーシャル・ネットワーキング・サービス（SNS）の投稿、コンビニのポイントカードやクレジットカードの利用履歴などもすべてビッグデータに含まれています。

　「Google（グーグル）」、「Apple（アップル）」、「Facebook（フェイスブック）」、「Amazon.com（アマゾン・ドット・コム）」の 4 社は、商品やサービス、情報を、全世界に提供する基盤となる企業です。この 4 社は、頭文字で **GAFA（ガーファ）**と呼ばれています。サービス利用と同時に、顧客は氏名や住所、クレジットカード番号、購入履歴など個人情報を提供することになります。

　これら、ビッグデータと、個人に埋め込まれたマイクロチップとの情報によってすべてがつながれば、人類全体の動きがデータ化され、必要なサービスの提供、緊急時の医療対応、犯罪の防止などが行われやすくなります。**24 時間の健康管理体制**ができあがり、栄養素のバランス管理、健康状態の管理、緊急事態の管理などが行われるので、個人の健康と長寿が保障されやすくなるでしょう。

　マイクロチップは小型化し、現在ではダストサイズのチップも開発されています。このダストチップを空気中に拡散しておけば、それを吸い込んだ個人は動向を追跡管理されますので、ウイルスの蔓延の防止、犯罪の防止などに役立てることができます。

　遺伝子情報が記録されると、疾病の予測や生殖の補助情報の管理を行いやすくなります。これらの技術に、脳内のデータをリンクさせることができるようになれば、人類全体が一体となったビッグデータによる新しい意識が発生するかもしれません。

テーマ別編

哲学と自然科学

335

THINK 🎓 26

人工知能とシンギュラリティ

❖❖❖❖❖

ほとんどヴァーチャルな世界で生きる時代

✳ コンピュータが人間の脳を超える時

アメリカの未来学者、思想家レイ・カーツワイル博士（1948 ～）は、『スピリチュアル・マシーン―コンピュータに魂が宿るとき』で、**技術的特異点**（Technological Singularity）について言及しています。

他の著作として『ポスト・ヒューマン誕生―コンピュータが人類の知性を超えるとき』、『シンギュラリティは近い―人類が生命を超越するとき』があります。

カーツワイル博士によると、この技術的特異点（シンギュラリティ）とは、「100 兆の極端に遅い結合（シナプス）しかない人間の脳の限界を、人間と機械が統合された文明によって超越する瞬間」のことです。

カーツワイル博士の予言は 10 年経った 2020 年の時点でも、かなり当たっています。

2019 年にはコンピュータが家具や装飾品に組み込まれていることや3Dによる仮想現実、知的なシミュレーション・ソフトを教師として勉強を教わるようになるとすでに予測していました。

仮想現実（ヴァーチャル・リアリティ）は、本当の現実と区別がつかないほど高品質になるとされますので、それによって未来の仕事も教育も大きく変わることになります。

✳ 数十年で驚くべき世界が…

　カーツワイル博士によると、2029 年までには、1000 ドル（1999年のドル価）のコンピュータが 1000 人分の脳のコンピュテーション能力に匹敵するようになるとされます。カーツワイル博士は、人間のユーザーと世界規模のコンピューティング・ネットワークがやりとりをするために、目や耳に移植手術が行われると予言しています。

　視覚障害者はリーディング・ナビゲーション・システムを搭載した眼鏡を使用し、聴覚障害者はレンズのディスプレイを通して他人が話すことを読みます。手足が麻痺している人は、コンピュータ制御の神経シミュレーションと外骨格ロボット装置によって歩行、階段の昇降ができるとされます。自動運転システム、**仮想アーチスト**、**自動パーソナリティ**（例：初音ミクの発展型、ロボットなど）の日常化が実現します。

　2099 年以降になると、もはや人間とコンピュータの違いがはっきりしなくなり、脳が炭素ベースの細胞プロセスではなくなり、電子やフォトン（光子）を土台にするようになります。これらの脳は人間知能の拡張から生まれた機械知能（AI）が人間であると主張するとされます。

知性が宇宙に拡大して「神」が出現する?

✳ 機械が機械を創造する

パラダイムシフトの起こる率は加速化しており、今の時点では10年ごとに2倍とされています。ITの能力はさらに速いペースで指数関数的に成長していますし、さらには人間の脳のスキャンも指数関数的に向上しているテクノロジーのひとつであるとされます。「脳スキャンの時間的解像度、空間的解像度、帯域幅は、毎年2倍になっている。今や、人間の脳が働く原理の本格的なリバース・エンジニアリング（解読し、それをAIなどのテクノロジーに応用すること）に十分なツールを手にしている」(『シンギュラリティは近い』)。

その他、カーツワイル博士は、バイオテクノロジーで自分の身体の組織や臓器のすべての若返りが実現可能になり、人々は平均寿命を延長し、根本的に病気や老化から離れると考えます（人間は不老不死となる）。

「機械が、人間の持つ設計技術能力を獲得すれば、速度や容量は人間のそれをはるかに超え、機械自身の設計（ソースコード）にアクセスし、自身を操作する能力をもつことになる」(同前)

「頭蓋骨には、100兆のニューロン間結合しか収まる余地がない。…機械は、それ自身の設計を組み替えて、性能を際限なく増加させることができる。ナノテクノロジーを用いた設計をすれば、サイズを大きくすることもエネルギー消費が増大することもなく、生物の脳よりも能力をはるかに高められる」(同前)

また、精神転送（マインド・アップローディング）により、人間がソフトウェアベースになります。そのうち、脳のバックアップをとっておくのが常識となる時代がくるそうです。

✳ シンギュラリティの到達点は人間が「神」となること？

ナノマシンは、脳内に直接挿入することができ、脳細胞と相互作用することができます。脳と内部コンピュータの直接的な連携がとれますから、外部機器を必要としない仮想現実（ヴァーチャル・リアリティ）が現実になるとされます。

脳をスキャンする際も、外側からではなく**ナノボット**を侵入させて内側からスキャンすることで正確になります。ナノボットは、人間の血球ほどの大きさか（７～８ミクロン）、それよりも小さいロボットであるとされます。数十億個のナノボットが何らかの方法で血液・脳関門を通過し、脳のあらゆる毛細血管を駆け巡り、無線 LAN によって情報を送ります。こうして得た情報によって、脳のモデルを構築し、生物的な特徴をもったマシンを作ります。さらには、脳とマシンを接続して、その境がなくなる段階に入り、知性は飛躍的に拡大するとされます。

「シンギュラリティの到来後、人間の脳という生物学的な起源をもつ知能と、人間が発明したテクノロジーという起源をもつ知能が、宇宙の中にある物質とエネルギーに調和するようになる」（同前）

カーツワイル博士によると、知能は物質とエネルギーを再構成し、コンピューティングの最適なレベルを実現し、宇宙に向かっていきます。「今のところ、光速が、情報伝達の限界を定める要因とされている。この制限を回避することは、確かにあまり現実的ではないが、なんらかの方法で乗り越えることができるかもしれないと思わせる手がかりはある。もしもわずかでも**光速の限界**から逃れることができれば、ついには超光速の能力を駆使できるようになるだろう」（同前）☞ P345

人類の知性が光速の制限を超えれば、宇宙の隅々まで情報伝達が可能となるので、宇宙そのものが知性体となるというわけです。カーツワイル博士は無神論者ですが、神という極地に到達はできないまでも**「神という概念」**に進んでいるのは間違いないと説いています。

哲学と科学の歴史

❈❈❈❈❈

ルネサンスの科学から近代科学へ

✳ ルネサンスの時代は、迷信と化学がごちゃまぜだった

　ルネサンスの時代には、ヘルメス・トリスメギストスという架空の人物が残したとされる**「ヘルメス文書」**をもとに、宇宙や人間を解釈する思想が復活しました。「ヘルメス文書」は、哲学、宗教、占星術、錬金術、魔術など多岐に渡ります。

　ヒューマニストであったマルシリオ・フィチーノ（1433 ～ 1499）の翻訳によって、ヘルメス主義と新プラトン主義 ☞ P34 はともに流行しました。迷信、呪術・魔術、神秘主義と科学が混ざり合った思想の中で、近代の科学への道がひらけていったのです。

　万能の天才と呼ばれたレオナルド・ダ・ヴィンチ ☞ P74 は、画家として有名ですが、攻城機や戦車、飛行機、機関銃の設計など、理工学の分野にも優れた才能を発揮しました。

　彼には「一般法則を立てる前に実験して同じ結果を生むかどうかを試すべきである」という考え方がありました。これは、**科学の実証性**を重視した考え方です。

　イスラム世界では錬金術による化学が進歩しました。

　また、1400 年頃にマインツの名家に生まれたとされるグーテンベルクが、イスラム世界から伝わった活字印刷技術を応用した印刷機を開発しました ☞ P204 。

✳ 宇宙とエーテルの問題

　ポーランドに生まれたコペルニクス（1473 ～ 1543）はイタリアで学び、古代ギリシアの哲学者アリスタルコスの地動説を知りました。そして、天文学の研究に没頭することで、**太陽中心説（地動説）**を完成させました。

　イギリスの哲学者、法学者のフランシス・ベーコン（1561 ～ 1626）は、様々な実験結果を総合して原理を見出す**帰納法**を唱えました。

　クリスチャン・ホイヘンス（1629 ～ 1695）は、オランダの物理学者で、天文学者です。デカルトの友人でもあります。ホイヘンスは、15 歳頃にデカルトの『**哲学原理**』（方法的懐疑から慣性の法則などまでが展開されている）を読破し、天文学や物理学に大きな関心を持ちました。

　ホイヘンスは、光は**波動**であり**エーテル**が媒介する縦方向の振動である、と考えました（デカルトもエーテル説を唱えていた）。

　パスカル P258 は、真空の存在を確証する種々の実験を試み、「パスカルの原理」を確立しました。

19〜20世紀に科学が急速に発展

✳ 機械論的世界観とラプラスの悪魔

　ニュートンが体系化した力学の基本となる3法則は、慣性の法則、加速度の法則、作用反作用の法則です。これら3法則が基本となって、「**万有引力の法則**」が導き出されました。精密な数学で自然法則を記述することで、ニュートンの力学はアリストテレス 🖙P246 の力学にとって変わりました。

　また、平面ガラス上にレンズを固定し、それを上から見ると同心円状のリングが見えますが、これは「**ニュートン環（リング）**」と呼ばれます。ニュートンが発見したものですが、これは光の粒子性によるものとしていました。イギリスの物理学者トーマス・ヤング（1773〜1829）は**光は波動**であって、その波動が干渉し合う結果としてニュートン環が生じるといいました。

　ニュートンは、光ほど速い速度を伝えるには、そうとう硬い媒質がないとおかしいと考え、**光の粒子説**を唱えました。

　ニュートン力学の世界では、宇宙に働くすべての力は、力学で説明可能です。よって、ある時刻における宇宙のある場所に力学的状態が与えられていると、未来の森羅万象のすべてが、曖昧さのない確定された状態で予知できるとされます。

　1812年にフランスの数学者ピエール＝シモン・ラプラス（1749〜1827）は、「自然界のあらゆる力と物質の状態を完全に把握した知的存在が実在すれば、その知的存在にとって、宇宙の中で何一つとして不確定なものはなく、未来を完全な正確さで予見できる」と主張しました。この知的存在を「**ラプラスの悪魔**」 🖙P83 と呼びます。

✳ 資本主義と科学の関係

18世紀後半になると、植民地の拡大と軍艦の性能強化のために、正確な羅針盤が必要となりました。シャルル・ド・クーロン（1738～1808）は、静電気の測定装置を作り、静電気力は万有引力と同様に帯電粒子間の距離の逆二乗となる法則（**クーロンの法則**。距離が2倍になれば、力は4分の1になる）を示しました。

イギリスの物理学者ジェームズ・プレスコット・ジュール（1818～1889）は「**ジュールの法則**」を発見し、熱の仕事量の値を明らかにするなど、熱力学の発展に寄与しました。

18世紀までは、絶対王政の啓蒙君主による宮廷サロンが科学者の活動の場でした。しかし、19世紀になると「科学者」は、自立した職業として、数学や物理学などの専門分野を研究しました。

産業革命による資本主義社会は、19世紀末から資本集中による大資本の独占段階へと入ります。

1895年、ドイツのヴィルヘルム・レントゲン（1845～1923）は**X線**を発見し、フランスのアンリ・ベクレル（1852～1908）はウラン鉱石から**ベクレル線**が出ていることを発表しました。1897年イギリスのJ.J.トムソンは、手製真空管をつかって**電子の存在**を証明しました。ベクレルに刺激を受けたマリー・キュリーは1898年にウランやポロニウムよりも強い放射線を出すラジウムを発見して、これらの元素が放射線を放射する能力を「**放射能**」と名づけました。

1902年、キュリー夫妻はラジウム塩からの強い放射線を確認し、ラジウム塩の一部を、イギリスで活躍した物理学者、化学者のアーネスト・ラザフォード（1871～1937）に送りました。ラザフォードは、そこから発せられている放射線にα線・β線の名をつけました。

1903年には、トムソンが原子模型を発表し、1905年にはアインシュタインが「光量子仮説」を発表します。

物理学の歴史と将来

⬦⬦⬦⬦⬦

頭の中の数式と現象が一致するすごさ

✳ 物体が縮むのではなく空間が縮む？

　光の媒質としてのエーテルの存在は、19世紀から定説となっていました。そこで、1887年に、アメリカの物理学者のアルバート・マイケルソンとエドワード・モーリーが実験を行いましたが、エーテルの存在は検証されませんでした（**マイケルソン・モーリーの実験**）。

　もし、エーテルが存在するなら、宇宙の中を移動している地球は、その方向にエーテルの向かい風を受けているはずです。そこで、光速が加速されるはずなので、地球の向かう方向とそうでない直角の方向とで光速の差を検出しようとしました。なぜか光速の差は出ず、「どんな場合でも光速は同じ」ということになります。このつじつまを合わせるために、「エーテル中を進む物体は、**進行方向に対して縮む**」（例：地球が進んでいる方向に地球全体が縮む）という奇妙な仮説もありました。アイルランドの物理学者ジョージ・フィッツジェラルド（1851 ～ 1901）とオランダの物理学者ヘンドリック・ローレンツ（1853 ～ 1928）らは、物体が動くと縮むのならば、光が進む距離が縮まるので、進行方向も直角の方向も同じ速さで伝わることになるとしました。

　普通だと、そんなバカなで終わりますが、科学の世界ではパラダイムシフトが起こります。なんとアインシュタインの**特殊相対性理論**によって、空間そのものが縮むことがわかったのです。

✳ パラダイムシフトの具体例

　特殊相対性理論はエーテルの存在を否定し、光速は動いている人から見ても止まっている人から見ても変わらない（光速は加速されない）こと、また光速を超えるものは存在しない、ということを明らかにしました（**光速度不変の原理**）。

　光の速度が変わらないとすると、時間と空間の方が変わることになります。ニュートン以来、時間はどこの誰にとっても均一に流れるもので、空間は座標系で示される「**絶対時空**」ですが、それが相対的になるわけです。「観測者によって時間は異なる」「光速に近づくほど時間は遅れる」など、今までの常識がひっくり返る結論が導き出されました。

　さらに、アインシュタインは、加速度運動（重力を含む運動）を包括した**一般相対性理論**を完成させます。これによると、「重力によって空間が曲がるから光の経路も曲がる」とされます。すでに、太陽にかくれて地球から見えない位置にある恒星の光が、地球に届いているという観測はされていましたが、これは、太陽の重力で空間が曲がること（重力レンズ効果）によって起きていることが証明されました。

相対性理論と量子力学の影響がすごすぎる

✳ 物質のエネルギーを開放する方法

アインシュタインは「物体の質量は光速に近づくほど増す」とし、「質量（m）」「光速（c）」「エネルギー（E）」の間に一定の関係が成り立つという有名な $E=mc^2$ を発表しました。

ところで、キュリー夫妻やラザフォードらの研究の後、放射性元素は放射線を出して、別な元素に変わるという説（**放射性崩壊**）が唱えられ、元素は変化しないという常識がくつがえされたのでした。

さらに、中性子をウランにぶつけて、ウランより原子量が大きい元素の生成をめざしていたのに、軽いバリウムができてしまいました。

この軽くなった分の失われた質量差はエネルギーに換算した値になることがわかり「**質量とエネルギーの等価性**（$E=mc^2$）」が、現象として実証されました。この核分裂反応について、デンマークの物理学者ニールス・ボーア（1885 〜 1962）は、天然の元素のウラン 235 に分裂の可能性があると考えました。

ドイツでヒトラーのナチスが政権を獲得し、ユダヤ人への迫害がだんだんと激しくなりましたので、ユダヤ人であったアインシュタインはアメリカに移住しました。1939 年、第二次世界大戦勃発し、アインシュタインは、アメリカ大統領フランクリン・ルーズベルトに手紙を出します。その内容は、原子力による非常に強力な新型爆弾を作ることが考えられるというものでした。ルーズベルト大統領のもとで、原爆開発計画（マンハッタン計画）が始まります（アインシュタインは参加していません）。**ロバート・オッペンハイマー**（1904 〜 1967）はすぐれた物理学者でしたが、この計画の代表者だったので、後に「原爆の父」と呼ばれるようになりました。

✳ 相対性理論と量子力学は現代の物理理論をささえている

1945 年、原子爆弾は完成し、ニューメキシコ州で**プルトニウム原爆**実験に成功しました。8月6日には広島に**ウラン型**の原爆が、9日には長崎にプルトニウム型の原爆が投下されました。この報告を聞いてアインシュタインは後悔し、戦後は核兵器廃絶を訴え続けました。

さかのぼること 1924 年に、オーストリア生まれのスイスの物理学者ヴォルフガング・パウリ（1900 ~ 1958）は、原子はそれぞれに持つことができる電子の数が決まっており、電子は1つの軌道には2個までしか乗ることができないとしました。

同年、ドイツの理論物理学者ヴェルナー・カール・ハイゼンベルク（1901 ~ 1976）は、ある粒子の位置をより正確に決定するほど、その運動量を正確に知ることができなくなり、逆もまた同様であるとする**不確定性原理**を唱えました。これら原子や電子など、ミクロ的な物理現象を記述する力学が**量子力学**です。

ところで、アインシュタインは、「神はサイコロを振らない」として、量子力学の不完全さを指摘し、ボーア・アインシュタイン論争が生じます。ニールス・ボーアの**コペンハーゲン解釈**（デンマークのコペンハーゲンで説かれたから）によると、量子は異なる状態の**重ね合わせ**で、粒子と波動のどちらの状態であるとも言えず、観測すると観測値に対応する状態に変化する（波束が収縮する）という説です。例えれば、電子は原子の周りに波動としてモヤーッとあるのですが、見た瞬間に、粒となって観測されるということです。

コペンハーゲン解釈以外に、**多世界解釈**（並行世界的な解釈）などがありますが、まだよくわかっていないそうです。現在、量子力学的な現象を用いて従来のコンピュータより高速な処理ができる**量子コンピュータ**に期待がかかっています。今まで解けなかった問題が解けるようになるという夢のような世界が待っているとされます。

5 哲学と自己啓発

　最終章では、哲学と自己啓発の関連について説明します。

　すでに自己啓発の本を読んだり、セミナーなどに参加している方も、西洋の思想、インドの思想をもとに、自己啓発とはそもそも何なのかを考え直すと、体得した知識を深める助けとなるでしょう。

　自己啓発を表面的に据えると、単なる楽天主義や自己満足、気分を持ち上げるだけのテクニックかと思いがちです。

　一般に、自己啓発が主張している内容には、「ポジティブ・シンキング」、「目標設定」、「アファーメーション（自己宣言）」、「潜在意識の活用」、「感情コントロール」、「決断力と意志力の強化」、「視覚化（ヴィジュアライゼーション）」などがあげられます。

　ポジティブ・シンキングは一般に定着している考え方ですが、言うは易しで、なかなか実行できません。自分の気持ちをどうやってポジティブにもっていったらいいのかがわからないのです。そこに至るには詳細な心理学的・哲学的な手法があり、さらにその態度を習慣化しなければならないので、かなりの訓練が必要となります。

　「目標設定」なども、手が届かないように感じる壮大な目標を掲げたほうがいいのか、自分が実行できそうな程度の小目標を掲げたらいいのか、様々な説があります（最近は、実現不可能な大きなイメージを持ったほうが、脳科学的には効果があるという説もあります）。

哲学・心理学・宗教などの知識を使って、自己啓発をしてみよう！

「潜在意識」にアファーメーションを繰り返して、肯定的自己イメージを刻印していくわけですが、どのようなアファーメーションがよいのか、何回繰り返せばよいのか、期間はどのくらいなのかといろいろな疑問を持たれる方も多いようです。

「視覚化」にいたっては、1日に何回すればいいのか、どのような状態でイメージするのか、瞑想法は何を使ったら効果的かなど、疑問はキリがありません。

ですから、自己啓発書を読んだり、セミナーに出席したりして、自分にもっとも合っている方法を選択したらよいでしょう。

また、時にアメリカ系の自己啓発書が難解な理由として、背景にある哲学・思想・宗教など、アメリカでは一般常識になっている部分の説明が省かれていることがあげられます。

一般に、カルヴァン系プロテスタントの思想家ラルフ・エマーソン（1803 ～ 1882）の思想（ニューソート思想に関連）、ベンジャミン・フランクリン（1705 ～ 1790）の思想などが暗黙の了解になっている時があります。

逆に、日本の仏教系自己啓発書ですと、わかりやすいという人も多いようです。自己啓発にも様々な流派がありますので、多くの内容に目を通すと、より新しい発見があるでしょう。

また、哲学史そのものが巨大な自己啓発とも言えるので、様々な哲学書を読むこともおすすめします。

THINK 🎓 29

チームワークとアイディア

〜〜〜〜〜

なぜ人が話し合うとアイディアが生まれるのか?

✳ 人間は1人では何もできない

目標を達成するためには、必要なことをすべて自分1人で背負い込んではいけないという鉄則あります。一般に、パートナーという最大の協力者を持たずして、大きな功績を残した人はいないとよく言われます。

ナポレオン・ヒル著『Think and Grow rich』 ☞ P371 でよくとりあげられるのが、ヘンリー・フォードの例です。フォード自身は、フォード自動車のV8エンジンを作成するときに、多くの技術者の力を借りています。

また、スティーブ・ジョブズ（1955 ~ 2011）は、アップル共同設立者の1人スティーブ・ウォズニアックやその他多くの優れた技術者の協力を得て、ガレージで Machintosh を開発しました。iPhone も iPad も莫大な数の技術者が背後で協力をしているから成功したのでしょう。

伝記『スティーブ・ジョブズ』（ウォルター・アイザックソン著）には、ジョブズは専門的なことは専門家にまかせていたということがよく書かれています。2人あるいはそれ以上の人たちが、お互いのもつ経験や知識、またアイディアを交換しあって、**目標を達成するチーム**が必要でしょう。これは、自分の欠けている分野を補足するという関係なので、お互いが依存しあっているという消極的な関係ではありません。

✳ 哲学の始まりは対話をすることだった

　共通の利益を掲げて、一定のルールに基づいてチームが行動すると、驚くべき効果が得られるとされます。

　チームワークの利点は、古代ギリシアの哲学者ソクラテスが使った対話  P20 が十分に生かされるところです。対話では、疑問が相手から提示されて、それに答えるときに、なぜか自分が今まで考えもしなかったようなアイディアが、潜在的に隠れていた自分の心の中から引き出されます。

　また、相手に知識を求めたり、批判をしたりしているうちに、相手もまた潜在的にもっていた知恵を外化させていきます。

　「タッチパネルのタブレットをつくったらどうだろう」

　「パソコンのようなタブレットか。ネットもできるのかい」

　「ヴァーチャル・キーボードもつければいい」

　「なら、小型化して、電話機能とタブレットをくっつけてしまえば？」

　このように、積極的な**ブレイン・ストーミング**がなされることで、革命的な新製品が開発されるのでしょう。

対話によって、思考の化学変化が起こる

❋ 対話によって、互いに深まっていく

　人と人が対話をすることによって、新たな知へと到達する**問答法** P20 は、ソクラテスによって説かれています。これは、長い議論を寸断して、互いに発言することで、その賛否をたしかめながら相手と共同して議論をすすめる方法です。

　この問答法を使えば、一方的に話を聞かされるのではなく、互いに議論の進みぐあいに積極的に関わり、相手といっしょに考えていくことになります。

　これを会社で応用する場合は、議事録をとりながら、議論のプロセスで、「はい」「いいえ」の確認をしながら問いを進めていきます。一般的には会議の議事録をとって、終わりにまとめて提出しますが、問答法の場合、もし、議論に成果が見られない場合は、別の議事録を作っておき、この時系列を見ながらさかのぼり、もう一度、対話をやりなおすことができます。

　プラトンの対話篇『ゴルギアス』において、ソクラテスがなぜ質問形式で議論するのかについて説明しています。

　「それは、あなたをどうこうするためではなく、ロゴス（言論）のためなのです。そうすることによって、論じられていることがらを、われわれにできるだけ明白にすることができるだろうというのです」

　相手が質問攻めにされて、答えられなくなったら、問い手と答え手を交代します。答える方は「はい」「いいえ」で答えるので、徐々に問い手の方も質問しながら思考が深まっていきます。

✳ チームワークの力の背後に働く仕組みとは？

　相手の考えを単に一方的に批判するのではなく、対話の中でより高い次元のアイディアを生み出していく。これらはチームワークによるアイディアの創出に寄与します。

　自己啓発のバイブル『Think and Grow Rich』（邦題『思考は現実化する』）では、マスター・マインド（Master　Mind）について言及されています（Coordination of knowledge and effort,in a spirit of harmony,between two or more people,for the attainment of a definite purpose.）。

　これは、はっきりした目的を達成するために、2人あるいはもっと多くの人たちの間で、スピリット（精神）が調和する中で、知識と努力の協力関係が発生するという原理です。

　一般的にブレイン・ストーミングをすると、思いもかけないアイディアが生まれるものです。これは、常識的には、お互いの発言が脳を刺激しあって、新たな発想が生み出されるからだと考えられます。

　しかし、自己啓発の世界では、ここで精神的な要素が特に強調されます。すべての物質は神の被造物ですから、精神的な要素を帯びているという哲学の伝統（シェリングの同一哲学など）が、キリスト教的に受け継がれていると考えられます。

　多くの人々をまとめ上げるマネージャーなどは、この「マスター・マインド」を働かせる必要があります。人々の精神的な調和をもとめれば、「無限の知性（Infinit Intelligence）」 ☞ P369 に接触することができます。つまり、精神的なハーモニーが高まることで、潜在意識の奥深くにある情報源から思わぬアイディアが引き出されるとされます。

　これは、哲学史上でも、「啓示」「暗号」など様々な名称で呼ばれていますが、決して非科学的でも神秘的でもなく、高度な情報ネットワークからの情報抽出法を説明していると考えられます。

ポジティブに考える

<>

前向きな思考は、前向きな出来事を引き寄せる

✳ 自分のテンションが上がることを考えればそれは「正しい」！

　積極的態度をもつこと、すなわち**ポジティブ・シンキング**というのは、使い古された感がありますが、自己啓発では欠かせない必須の項目です。

　ポジティブに考えるとは、なんでも楽観的に捉えるということではありません。不利益な状況に直面しても、折れない心をもつという意味であり、さらに**問題解決**への準備をするための態度です。

　この積極的態度・ポジティブな意識を維持するというのは、一つにはアメリカの**プラグマティズムの哲学**を起源としています。

　心理学者・哲学者であるウィリアム・ジェームズは、積極的思考を説いています。

　もし、人生で問題につきあたったならば、「これは悪い状況だ」と判断するのか、「これは乗り越えられるべき試練だ」と考えるのかは、その人の判断一つで決まります。

　現代の思想では、できごとの本質は中立であるという考え方をとります。善くも悪くもないのです。何か不愉快なことが起こったら、それそのものが善なのか、悪なのかをいったん保留します。そして、結果的に、自分が「穏やかな気分でいる」のと「イライラして怒っている」のとどちらが得かを考えます。**効用**がある（快楽が増大する）方は、もちろん「穏やかな気分でいる」ことです。

✳ ポジティブになるのは至上命令である

　フランスの哲学者アラン ☞ P186 も、思考をポジティブに前向き・積極的・肯定的にもっていくという作業は、「やった方がいい」のではなく「必ずやらなければならない」と説いていました。

　なぜなら、人間の心は放置しておくと、必ず悪い状況を考えるからです。これは常に人間の**防衛本能**が働いているからです。

　ニュースなどから情報を得て用心するのは大切ですが、先に暗い気分でメンタルをやられ、免疫力を落とし、病気になってしまっては本末転倒でしょう。

　よって、どうやったら自分の気分がよくなるかに徹底的に集中し、なにがなんでも、ポジティブな気分に盛り上げていかなければなりません。

　まず、何か悪い状況が身に降りかかったら、これは「学習である」と考えます。ドイツの哲学者ヘーゲルは、「**矛盾**によって、精神が高まっていく」という弁証法 ☞ P233 を説きました。

　自己啓発の世界では「これによって私はどういう利益をえられるだろうか」と自問することがすすめられます。

問題が生じたら、かくされた利益を探す

✳ トラブルが生じたら、チャンスを探す

ポジティブ・シンキングでは、現実の状況はさておいて「これは必ずうまくいく」と考えます。考えるだけならすぐにできますし、不利益もありません。そんな根拠のない自信をもってどうするのだと思うかもしれませんが、これらも哲学史において多くの人が推奨している考え方です。

プラグマティズムの哲学者デューイによれば、思考は道具です。問題が生じたら、思考を**問題解決のための道具**として使います。つまり、使えない思考を捨てて、新しい思考へと切り替えるのです。

つまり、なんらかのトラブルは軌道修正のシグナルであると言えます。ほとんどの人は、悪い面を信じすぎて、本来回避できたことができないといった、もったいない結果に陥ります。デューイの道具主義（instrumentalism）に基づき、**問題解決学習**を行いましょう。

一説によると、人間は恐怖や不安を感じることで、思考能力が一時的に低下し、本来ならありえないようなミスをしてしまうとされます。これを防止するには、恐怖や不安をむりやりでもよいので保留し、明るい思考に転換すればよいということです。

前向きに考えることで、その中にかくされている恩恵が見えるようになるので、そこで一気に挽回します（哲学の基本的原則では、すべての存在に**対立物**があります。つまり、すべてが悪いということはありえません）。

どんな状況においても可能性があるのですが、ネガティブになると脳が悪いことだけを選択するようになるので、さらに悪循環が起こるのです。いつも心を見張っておく必要があるでしょう。

✳ 哲学手帳をつくってみよう！

　ジェームズは論文「情緒とは何か」（1886）で、感情は人間が自分の身体の運動すなわち動作に対して起こす運動であると主張しました。たとえば恐れは逃げる動作への反応であり、逃げる動作によって恐怖がますます増大すると説いています。つまり**恐怖はそれ自身で加速する**のです。

　一方、デューイ ☞P107 は意識の形成には、身体運動、すなわち動作のほかに、動作の禁止という過程を考える必要性を指摘しました。恐怖は私たちが全力をあげて逃げることができる場合には消えます。でも、逃げる動作がさまたげられるときにこそ、恐怖の感情が増大します。

　私たちは、忙しくしているときは、それに集中していますが、暇になったとたんにあれこれを悩み始めるものです。よって自己啓発の悩み解決法は、「**とにかく忙しくすること**」です。

　自己啓発では、手帳を特に重視します。それを自己啓発手帳といいますが、普通のスケジュール帳ではありません。カレンダーだけではなく、月単位、週単位、１日単位の構成をもつのは一般の手帳と同じです。スマホのリマインダーも併用するとよいでしょう。

　自己啓発手帳は、目標設定ページがあるのが特徴です。全体的な**大目標（ゴール）**を決めて、月単位で大きな目標をつくり、週に細分化し、さらにそこから１日の計画を組みます（あまり細分化して限定するとそれに縛られるので、状況でどんどん内容を変化させていった方がよいとされています）。

　大目標をたてると、脳がそれを実現しようとするために、オートマティックにデータを集め始めるので、それを常にメモって行動します。

　さらにおすすめは、「哲学コーナー」を作って、本書の哲学者の思考を図解化してヴィジュアル化することです。そうすると古今東西の思考法全集が出来上がるので、これをもとに新しい行動計画を立てます。ぜひ、「**哲学手帳**」を自作することをおすすめします。

モティベーションを高める

〈✕✕✕✕◇〉

やる気がでないときは、とりあえずやる

✳ とりあえず始めれば、やる気が出てくる

　やる気を出すということ。これは、なかなか難しいことです。よく「やる気を出せ」と言われますが、何をどうしていいのかわかりません。「やる気をだすぞ！」というのも「やる気」がないとできませんから。

　間違いなく言えることは、「自分の好きなことにはやる気が出る」けれども、「自分の嫌いなことにはやる気が出ない」ということです。

　だったら、好きな勉強や仕事だけをすればいいという話になりますが、様々な事情があって難しい。よく、「ワクワクするようなことをせよ」とアドバイスされ、すぐにワクワクするような職場に転職する人もいますが、そこでまたワクワクしなくなったらどうするのでしょう。

　好きなことをしろと言われて、どれだけの人が好きなことで生計を立てているのでしょうか。では、どうすればよいのか？

　今の状態の中で苦しいことを、楽しいことへと変換していけばよいのです。そうすれば、転職する必要もありません。では、どうやって、苦しみを楽しみに変換することができるのでしょうか。

　ここで関連のある哲学が、**功利主義**の哲学です。功利主義の哲学では、功利の原理が説かれていました。功利の原理とは、「人間は快楽を求めて、苦痛を避ける」ということでした ☞ P150 。これを応用すれば、劇的な心理的変化が起こります。

仕事は終わったが。

肝硬変
脳卒中

※ 快楽と重要度の高い作業を連想づける

　自分の人生で、「快楽が増すことは善、苦痛が増すことは悪」とはっきり確認します。そして、快楽を最大限にするという目的をめざせば、「やる気」が出ます。逆に苦痛が生じるのを避けるということを目的にすれば、やはり「やる気」がでるわけです。

　さらに、ベンサムが唱えた功利の原理、「快楽を求めて苦痛を避ける」「効用が最大化することが善である」という説に修正を加えた J.S. ミルの質的功利主義では、質的に高い快楽をめざします P152 。

　現代の自己啓発では、さらにこれを一歩進めて、「快楽」と結びついている連想、「苦痛」と結びついている「連想」を組みなおして再結合するという方法をとります。

　まず、「納豆はおいしい（快楽である）」「納豆はまずい（苦痛である）」など、客観的事象（納豆）は同じであるものに対して、主観の相対性（人それぞれ）が生じる理由を考えます。

　これは、対象に「真実がある」のではなく、主観の側に真実があるからです。納豆自体は、「うまい」も「まずい」もない中立的な物質です。

苦痛と快楽の条件付けを変える習慣

✳ 苦痛と快楽は、自分の中で変換することができる

なぜ、「納豆はおいしい（快楽である）」「納豆はまずい（苦痛である）」などの**主観の相対性**（人それぞれの判断基準）が生じるのでしょうか。

実際に嫌いな食べ物の印象を変えれば、急においしそうに見えたりします（納豆の場合は、のりを巻いて天ぷらにするなど）。

食べ物一つの例でわかるように、人間が何に対して快楽をもつのか、苦痛をもつのかは、絶対的なものではありません。絶対的なものでないのなら変えることができます。

アメリカの自己啓発コーチであるアンソニー・ロビンズ（1960 ～）は、『Awaken the Giant Within』で**苦痛と快楽**（Pain and Pleasure）へのフォーカスについて述べています。現状のままでいると「苦痛」が続き、なにかを変えれば「快楽」が生み出されるとするなら、絶対に自分を変えたいという**決意・決断**が生まれます。

そして、自分が、知恵を高めるために学習をすることに大きな「快楽」を感じ、スキルアップすることに大きな「快楽」を感じ、日々、仕事のことだけを考えることに大きな「快楽」を感じるとしたらどうなるでしょうか。成功はオートマティックということになります。

逆に、無駄な動画をだらだらと見ることに激しい「苦痛」を感じ、友達と無駄に遊んだり、無用な SNS で連絡をとりあったり、無用な長電話をするなどという行為に激しい「苦痛」を感じるようにしたとします。その人は、高度な生産性を発揮することができるでしょう。

アンソニー・ロビンズによると、これは「**条件付け**」されているものですから、古い「条件付け」を断ち切って、新しい習慣による新しい「条件付け」に結びつけるような行動をすればよいとされます。

✳ 嫌いな食べ物にチャレンジ、嫌な仕事にチャレンジ

　このように固定観念を破壊するためには、刻々と変化していくというポストモダン思想 ☞P206 なども参考にするとよいでしょう。

　心理学では、一般的に、「作業→報酬」ぐせをつけるとよいと考えられています。「ゲームで気分転換をしてから、仕事をする」という場合、先に報酬が与えられてしまっているのでよくありません。「仕事をしてから〜をする」に切り替えたほうが効率が上がります。

　単純な例ですが、アメを職場の机に置いておき、「ここまで書類をつくったら１つ食べる」などでも効果があるそうです（脳は糖分を欲しがるので、簡単に条件付けができるとされます）。

　仕事中にネットに気を取られる人は、「ここまで作業を進めたらネットをみる」という「作業→報酬」ぐせを習慣化するといいかもしれません。

　また、嫌いな仕事にも積極的にチャレンジをし、ある程度、進んだら「こんなに仕事ができてすごい！」と自分で自分を褒める方法があります。

　すると、脳は仕事をする（苦痛）と褒められる（快楽）というイメージの結合をはじめ、いつのまにか**「仕事は快楽である」**という条件付けが成立します。

　何かを「先延ばし」にすることも、この方法で解決できるとされます。もし先延ばしをしたら、「何を失うか」「数年後にどうなるか」「どれほどのコストや犠牲を払うのか」を考えて、その苦痛を先延ばしと条件付けをします。逆に、「先延ばし」をしなければ何を得られるかを考えて、それを快楽のイメージと条件付けをします。

　このように、本来的には苦痛であることを快楽に転換し、常識で快楽とされていることを**苦痛へと転換**する、「古い思考のつながり」を破壊し、「新しい思考のつながり」をつくる訓練がすすめられています。

　『あなたの夢を現実化させる成功の９ステップ』（ジェームス・スキナー）が大変に参考になります。

主体的に生きるとは？

❬❬❬❬❭❭❭❭

欲求に惑わされずに、理性に従うことが自由なの!?

✳ 自分で自分をコントロールするのは難しい…

　現代の自己啓発では、「**主体性**」というキーワードが重んじられています。自己啓発でいう主体性とは、なにか出来事が生じたときにそれに流されずに自分自身のあり方を自由に決定する、ということです。

　私たちの生活では、様々な誘惑にうちかつために、何かを断ち切ることや、積極的に持続したりする**自己コントロール**が求められるでしょう。

　たとえば、コンビニで「カスタードとホイップのダブルクリーム」なんてキャッチのついたシュークリームが目に入ったとたんに、反射的に買ってしまい、あとからダイエットやら健康面などで後悔するなんてことがあるでしょう。

　毎日、揚げ物と炭水化物（例：天丼、牛丼などの丼ものなど）を大量に摂取して、健康診断でC判定が続出とか。ネットでついついワンクリックで買いすぎて、翌月のクレジットカードの明細をみてどんよりした気分になるということもあるでしょう。また、フィットネスクラブで筋トレを始めたはいいが、日に日に飽きてきて、フロアに足を運ぶのも苦しくなり、むなしく会費だけが引き落とされ、ある日、ついに解約にふみきるなんてこともあります。

　自己コントロールできずに、意志が支配されてしまったという敗北感！　これを克服するには、どうすればよいでしょうか。

　これは意志力を強化するという自己啓発の課題です。

✳ カントの哲学を活用して、自己改造をしよう！

　カントの哲学は、「道徳的かそうでないか」という判定基準（公式）で自己の行動を決定するものでした。「汝、無条件に～せよ」という**定言命令** **P240** に合致しているかどうかが行動のテスターとなります。

　人間が、**感性的存在**であり、欲望に流されるのは当たり前。しかし、ここで理性的存在でもある人間には、**理性（実践理性）**の命令が発動されます。

　例えば、「汝、ホイップクリームがのっている甘いプリンを無条件に欲望に流されて買うことなかれ」という命令です。

　カントの哲学によれば、この場合、「汝、もし甘いものをとりすぎると、太るかもしれないし、体に悪いから買うな」ではありません。

　この「汝、もし××なら、～せよ」は条件付きの**仮言命令**です。カントによれば、条件付きの仮言命令は道徳的ではありません。よって、「汝、無条件に欲望に流されることなかれ」という理性的命令によって購買欲を控える態度こそが望ましいのです。

主体性をもつとは、周りの状況に流されないこと

✳ 自由な意志力で、ダンベル何キロ持てる？

「汝、もしシックスパックになりたいのなら、ダンベルを上げ下げせよ」という心の命令も、「もし××ならば○○せよ」という報酬型の命令であれば効果がありますが、人によっては挫折します（脳科学的な報酬型 ☞ P361 が自分に合っている場合はそれを実行しましょう）。

この場合は、「苦痛のために苦痛を得る」というそれ自体を**目的**とするような精神力を鍛え、その瞬間ごとにモティベーションを上げるという方法があります。つまり、自分は自己コントロールできているということそのものを喜びにします。

「無条件に〜せよ」という心の世界の命令に従えば、そこがスタート地点、すなわち「**自律**」 ☞ P240 、これぞ主体性を持つことの醍醐味です。

つまり、「今日は、フィットネスやりたくないなー」という感性的（欲望的）で自堕落な態度が、理性の力により、「いや、無条件に続けるべし！」という内面的な命令に従ったとしましょう。それは、自分の運命を変えるほどの選択権を得ていることになるのです。感覚世界の誘惑に惑わされず、「無条件」な判断を自分を出発点として行ったからです（カント哲学ではこれを自由と呼びました）

重いダンベルを叫びながら上げたり下げたり、肩に負荷をかけて、腰にベルトを巻いて下半身を屈伸したり、それって奴隷みたいな「不自由」な存在なんじゃないの？　なんて思うかもしれません。

普通は、「オレは、『自由』に焼き鳥屋で１杯やるよ」という方が「自由」に思えます。しかし、これは、動物的な本能による**因果律（因果法則）**にしばられているのだから、逆に欲望に支配された「不自由」な人生だということになるのです。

✳ 感情とリアクションの間には、一瞬のチャンスあり

　現代の自己啓発では、過去の哲学者の説をより時勢に合わせて応用した形式で紹介することが多いようです。特にイギリス系の自由主義思想の傾向がわかりやすく説明されます。

　イギリスの経済学者・思想家のアダム・スミスは、客観的な**常識（良心）**で「自己規制」することを強調しています。

　自己の中にルールをもって、外部の状況に安易に左右されない。

　人は、何かの出来事が起こると、瞬間的に影響されてしまうことが多いものです。

　しかし、出来事と反応の間には時間があります。そのときに、人間は「自己規制」によってすぐに反応するのではなく、落ち着いた判断をすることができるわけです。

　たとえば、電車の中で不意に誰かに押されたら、誰でもドキッとしますし、カッとなったりするでしょう。言い合いになる光景などもみかけるわけですが、あとから考えてみればどうでもいいようなことである場合が多いようです。

　「押される」→「本能的に感情が出る」→「相手を睨む、文句を言う」

　この前半の「押される」→「本能的に感情が出る」の部分を止めるには、そうとうな修行をして達人になるしかありません。

　「押される」→「平常心」は難易度が高すぎます（ストア派 ☞ **P32** などで、事前の訓練をしておくしかありません）。

　でも、「本能的に感情が出る」→ここで１回、深呼吸してアダム・スミスの「自己規制」を思い出す→落ち着いてトラブル回避。

　これなら、それほどむずかしいことではありません。

　常に、瞬間ごとに自己の中心からスタートできる「**決定権**」があると考え、「自分は主体的な人間だ」と繰り返せば、日々の安心感が得られるのです。

信念とイメージの力

⬦⬦⬦⬦⬦

「できると考えるとできる」のはなぜか?

❋ 信念は魔術のような力をもっている

　世の中にはたくさんの情報があふれています。その情報は五感を通じて私たちの意識に絶えず入り込んできます。それらは、常に有益であるとは限りません。ですから、受け身の状態でいると、**情報の取捨選択**ができず、自分の気分を高める内容と、気分を落ち込ませる内容とがごちゃまぜに脳へと入力されてしまうわけです。

　フロイトは、意識と無意識の構造 ☞ **P124** を示しましたが、自己啓発の世界では、自分自身で気がついている部分を顕在意識（意識）といい、無意識のうちに多くの情報を処理しているのが潜在意識（無意識）であると説明することがあります。潜在意識の中に有害な情報を溜め込んでいくと、顕在意識の焦点が、有害なものをさらにかき集めようとします。つまり、世の中の悪いところばかりを見るようになります。

　よって、悪いニュースを何度も繰り返して見たり聞いたりしていると、その焦点が強化され、さらに悪いニュースが**潜在意識**に**蓄積**されます。その結果、自分の行動を不運な方へと向かわせる力が働きますから、自らの選択によって、自動的（無意識的）に不運を誘い込むことになります。すると、潜在意識に蓄積されたバッド・ニュース情報と現実の自分の姿が一致します。「ああ、悪い予感がすると思っていたが、やっぱりその通りになった」。これを「**自己達成予言**」といいます。

✳ 自分の考え方をチェックし続けよう

このように、外からの**否定的・消極的**な情報、さらに「できない」「むりだ」「だめだ」といった自分自身の内部の否定的な言動によって、マイナスのイメージがつくられはじめると、それがフィードバックして現象化します。

だから、常に自分の心を見張って、否定的・消極的な情報が潜在意識に入ってこないようにしなければなりません。ただし、「自己達成予言」は悪い方にだけ働くのではありません。これを利用して、積極的な思考を潜在意識にあふれさせれば、よいことを**引き寄せる**ことができます。

フロイトの場合は、**催眠療法**を患者の治療に用いました。催眠療法とは、怪しい術ではなく科学的な方法です。催眠状態に入るには、他者催眠と自己催眠があります。自己啓発では自己催眠を使うのが一般的です。

まず、1日の初めに深呼吸をしながら、リラックス状態に入ります。この段階で催眠状態に入ります（**自律訓練法**）。落ち着いてきたら、自分の目標を視覚化すると効果が出ると考えられています。

肯定的なアファーメーションを繰り返す

✳ 今の現状は、あなたが変えることができる！

目標が実現している状態を映画のように思い浮かべる「視覚化（ヴィジュアライゼーション）」は、スポーツ選手が行う準備です。

自分が物事を成就している状態を、ありありと臨場感をもって思い描くことで、まさに「思考」が「現実化」するわけです。

インドの哲学 ☞P60 では、**マントラ（真言）**を何度も唱えます。仏教では、『般若心経』 ☞P68 など、お経を唱える場合もあります。これらは、短いフレーズを何度も唱えることによって、リラックス状態を作り出し、そこで「**観想**」をすることで、肯定的なイメージを潜在意識に焼き付けていると考えられます。「観想」とは阿弥陀如来などをイメージすることです。

また、密教 ☞P71 などには、短いフレーズとして、「われは、金剛薩埵なり」などがあります。マントラを唱えながら、自分自身が光り輝く仏であるとありありとイメージして、指は**印契**を結びます。

現代の自己啓発では、目標について、ありありと視覚化をして、「私はできつつある」「すでに実現している」「成功した」という**自己宣言（アファーメーション）**を繰り返します。

その状態を維持しつつ、**アンカリング**を行います。アンカリングとは無意識的な条件付けです。成功しているイメージがピークに達したときに、「人差し指と中指をつなげる」などの条件付け行為をします。これを毎日行い、今度は、仕事中に応用します。

例えばプレゼンなどの前にこの印契（指の形）をすばやく結べば、ピーク時の意識が再現されます（指の形などは自由なので、アンカリング限定の特殊なパターンを自分で決めればよいでしょう）。

✳ 自己啓発で、思考が現象化していく仕組みとは？

　自己啓発のバイブル『Think and Grow Rich』では、**信念（Faith）**が「リッチになるためのセカンド・ステップ」だとされます。願望（Desire）を視覚化（Visualization）し、願望（Desire）の達成（Attainment）を信じることが強調されています。

　特に重要なのは、**思考の波動**（the vibration of thought）です。思考の波動などというと神秘的な印象を受けますが、アメリカの自己啓発者のほとんどが、自分とは放送局のようなもので、いつも思考の波を発していると主張しています。これはキリスト教の神秘的な文化が影響していると考えられます。

　『Think and Grow Rich』では、思考の波動を潜在意識（subconscious mind）が拾い上げると、「**無限の知性（Infinite Intelligence）**」に送信すると説かれています。「無限の知性」とは、神や宇宙の原理、集合無意識などでしょう。哲学史的には「存在そのもの」のことです。つまり、思考の波動を潜在意識に送り込むと、世界の根源的なシステムに情報が伝達されるから、個人の力では及ばない高度な支援によって、思考が物質化・現象化するというわけです。

　実践法は、先ほど述べた視覚化とアファーメーションです。自分の求めているイメージを思い浮かべながら、そのイメージを、何度も潜在意識に繰り返して染み込ませます。

　すると、潜在意識は「無限の知性」、つまり世界の高度な根源的なネットワーク・システムに情報を伝達するとされます。すると、願望実現のための情報が自動的に集まってくるので、**積極的に行動する**ようになります（「イメージするだけで、行動しないと意味がない」という批判は的外れです。イメージをすれば行動をするようになるという意味です）。

他人に与えるということ

❖❖❖❖❖

報酬を考えないで行動する

✳ イエスの黄金律が自己啓発に生きている

　「人に与える」とは、自己啓発の中でも特に重要な分野と言えます。これは、金銭、物質的報酬だけではありません。親切な行為、賞賛・励ましの言葉など、無形のものも含めます。

　一般にこれは、「黄金律」と呼ばれているものです。

　「黄金律」とは「他人から自分にしてもらいたいと思うような行為を人に対してせよ」という、哲学と宗教の根本的ルールです。有名なものは、『新約聖書』の「イエスの黄金律」です。

　「マタイによる福音書」7：12に「人にしてもらいたいと思うことは何でも、あなたがたも人にしなさい」とあります。

　「ルカによる福音書」6：31 ～ 35には「人にしてもらいたいと思うことを、人にもしなさい」「返してもらうことを当てにして貸したところで、どんな恵みがあろうか」「人に善いことをし、何も当てにしないで貸しなさい」とあります。

　人に使われている、利用されているなどと考えると、何かを吸い取られて損をしているという喪失感をもちます。でも実際は、例えれば呼吸をしているようなものです。息を吐かないで、ずっと吸っているわけにはいきません。吐くことで、植物がその二酸化炭素を酸素に変えて、またこちらに返してくれるという相互関係があるわけです。

✳ 人に与えれば与えるほどいいことが起こる

　種をまけば、種は土に埋もれて見えなくなってしまいます。けれども、それは収穫というかたちで恩恵をもたらしてくれます。つまり、「与える」とは「取られている」のではなく、**「受け取るための準備」**ということになるでしょう。

　これを勉強で当てはめてみましょう。数学の問題を何時間もかけて解いたとします。「ああ、時間がもったいなかった、なぜならゲームができなかったから」なんて思う人はいません。スポーツ選手が、訓練をして「あー、筋肉痛で損をした」とは思いません。

　また、これを職場で考えてみましょう。

　どんな仕事においても、脳のなんらかの部位は鍛えられています。働いているときは、集中力・持久力が強化されており、思考力も強化されています。むしろ、お金を払ってでも仕事をするべきです。

　受け取る**報酬を上回る**質の高い仕事をすると、巡り巡って、結果的に報酬として返ってくるということです。ナポレオン・ヒル哲学では、これは「**プラスアルファの魔法**」と呼ばれています。

仕事とは与え続けること

✳ 様々な哲学を活用して、自己改造をしよう！

　自己啓発書では、報酬以上の仕事をしてきた人は、報酬以下の仕事しかしていない人よりも高い地位につくことができるといいます。

　報酬以上の仕事をしている人は本来よりも不思議に高い報酬（物質的報酬）が得られるとされます。さらに、報酬以上の仕事をすると充実感や満足感といった精神的な報酬が得られるのです。

　J.S. ミルは、「満足した豚であるよりも、不満足な人間の方がよい。満足した愚者であるよりも、不満足なソクラテスの方がよい」と説いていました。

　また、ミルは功利主義において、**イエスの黄金律**を強調しています。「他人から自分にしてもらいたいと思うような行為を人に対してせよ」という黄金律を実践することで、**質的な功利の原理**が働きます。「時給」「日給」「年収」のような考え方を持たずに、人生全体が質的に高まるように、時間に関係なく仕事をし続けます。つまり、自宅に仕事を持ち帰ることをも喜びとし、もし、その仕事も完了したならば、さらに副業をスケジュールに組み込むくらいの気合が必要です。

　なぜなら、仕事は「与える」ことであり、その結果、誰かが救われているのです。宅配で荷物を運んできてくれている人のおかげで、自分は外に出なくてもよい。その分、仕事をする。コンビニのフライドチキンも鶏をさばいて揚げてくれている人がいるから、骨なしで食べられる。その分、自分も仕事で返す。

　水道局があるから水が出るし、下水道を管理している人がいるからトイレの水を流せる。電気がくる、ガスが出る。これらは、すでに自分が働いている以上の利益として提供されています。

✴ 人に与えると、恩恵がめぐりめぐって返ってくる

日本の江戸時代の思想家中江藤樹（1608 ～ 1648）がこう説いています。親が子に与えるように、天は地に雨を降らせ、植物に実をならせる、だから、宇宙全体が「**孝**」に満ちている（親子の関係のように）。親子の関係に損得がないように、宇宙には損得がありません。

この「与える」という事象が自己啓発の**マーケティング**で説明されることがあります。まず、出発点として、顧客の満足をつかむには、顧客のニーズと提供する商品・サービスの質が同じである必要があります。

競合市場がなければ、「顧客の望むもの＝提供するもの」という等式がなりたちますが、資本主義社会では競合があるのが普通ですので、ほとんどの市場がレッドオーシャンです。

品質が他のものと同じだとすれば、顧客は価格の安い方を選ぶようになってしまい、価格競争となり、デフレのスパイラルは止まりません。そこで、サービスの上に、お金にならないサービスを追加します。ただのサービスではなく、圧倒的なサービスを行うこととされます。

そこでは、報酬以上に「与える」秘技（はたから見ると一見バカバカしく思える行為）、すなわち、**見返りを期待しない奉仕**が行われていることになります。

また、ひとに気づかれないように奉仕するというのも大切です。これは、『新約聖書』の福音書によるものです。

「自分の義を、見られるために人の前で行わないように、注意しなさい」「あなたは、施しをする場合、右の手のしていることを左の手に知らせるな」（「マタイによる福音書」6：1,3）

人に与えることや、自分の功績を人に見せてしまうと、その瞬間に報酬を受け取ってしまったことになるという意味です。自己啓発では、こっそりと人に与えるという行為を行って、自分の心のうちにそれをしまっておけば、天に富を増していることになるのです。

参考文献（本書で参照・引用した書籍）

『世界の名著 プラトンⅠ』田中美知太郎編集（中央公論新社）

『世界の名著 アリストテレス』田中 美知太郎編集（中央公論新社）

『世界の名著 デカルト』野田又夫他訳（中央公論新社）

『世界の名著 孔子・孟子』貝塚茂樹訳（中央公論新社）

『世界の名著 老子・荘子』小川環樹、森三樹三郎訳（中央公論新社）

『老境について』キケロ著、吉田正通訳（岩波文庫）

『口語訳聖書』日本聖書協会

『世界の名著 朱子・王陽明』荒木見悟訳（中央公論新社）

『「朱子語類」抄』三浦國雄訳（講談社学術文庫）

『ブッダの真理のことば・感興のことば』中村元訳（岩波文庫）

『方法序説』デカルト著、谷川多佳子訳（岩波文庫）

『世界の名著 スピノザ・ライプニッツ』下村寅太郎編集（中央公論新社）

『ノヴム・オルガヌム―新機関』ベーコン著、桂寿一訳（岩波文庫）

『人知原理論』ジョージ・バークリ著、大槻春彦訳（岩波文庫）

『純粋理性批判』カント著、篠田英雄訳（岩波文庫）

『実践理性批判』カント著、波多野精一、宮本和吉、篠田英雄訳（岩波文庫）

『世界の名著 ショーペンハウアー』西尾幹二編集（中央公論新社）

『歴史哲学講義（上）（下）』ヘーゲル著、長谷川宏訳（岩波文庫）

『歴史哲学』ヘーゲル著、武市健人訳（岩波文庫）

『世界の名著 ヘーゲル　精神現象学序論　法の哲学』岩崎武雄編集（中央公論社）

『現象学の理念』エドムント フッサール著、立松弘孝訳（みすず書房）

『プラグマティズム』W.ジェイムズ著、桝田啓三郎訳（岩波文庫）

『世界の名著 キルケゴール』桝田啓三郎編集、杉山 好訳（中央公論新社）

『世界の名著 ニーチェ』手塚富雄編集（中央公論新社）

『ヤスパース選集〈29〉理性と実存』カール・ヤスパース著、草薙正夫訳（理想社）

『哲学』ヤスパース著、小倉 志祥、林田 新二訳（中央公論新社）

『全体性と無限（上）（下）』レヴィナス著、熊野純彦訳（岩波文庫）

『世界の名著 ハイデガー』原佑、渡邊二郎訳（中央公論新社）

『存在と無 上巻・下巻』サルトル著、松浪信三郎訳（人文書院）

『グーテンベルクの銀河系』マーシャル マクルーハン著、森常治訳（みすず書房）

『ポスト・モダンの条件』ジャン＝フランソワ・リオタール著、小林康夫訳（水声社）

『複製技術時代の芸術』ヴァルター・ベンヤミン著、佐々木 基一編集（晶文社）

『アンチ・オイディプス』ジル・ドゥルーズ、フェリックス・ガタリ著、市倉 宏祐訳（河出書房新社）

『戦争論』クラウゼヴィッツ著、篠田英雄訳（岩波文庫）

『クラウゼヴィッツ「戦争論」入門』井門 満明著（原書房）

『社会契約論』J.J.ルソー著、桑原武夫、前川貞次郎訳（岩波文庫）

『君主論』マキアヴェッリ著、河島英昭訳（岩波文庫）

『自由からの逃走』エーリッヒ・フロム著、日高六郎訳（東京創元社）

『世界の名著 ベンサム/J.S.ミル』関嘉彦編集（中央公論新社）

『正義論』ジョン・ロールズ著、川本隆史、福間聡、神島裕子訳（紀伊國屋書店）

『啓蒙の弁証法―哲学的断想』ホルクハイマー、アドルノ著、徳永恂訳（岩波文庫）

『これからの「正義」の話をしよう』マイケル・サンデル著、鬼澤忍訳（早川書房）

『世界の名著 ホッブズ』永井道雄著（中央公論新社）

『世界の名著 アダム・スミス』玉野井芳郎編集（中央公論新社）

『世界の名著 ウェーバー』尾高邦雄編集（中央公論新社）

『世界の名著 バーク マルサス』水野洋編集（中央公論新社）

『世界の名著 マルクス　エンゲルス』鈴木鴻一郎編集（中央公論新社）

『人類の知的遺産〈70〉ケインズ』伊東光晴著（講談社）

『21世紀の資本』トマ・ピケティ著、山形浩生、守岡桜、森本正史訳(みすず書房)

『世界の名著 フロイト』大河内一男訳(中央公論新社)

『心理学と錬金術』C・G・ユング著、池田紘一、鎌田道生訳(人文書院)

『ウィトゲンシュタイン全集 1 論理哲学論考』ウィトゲンシュタイン著、奥雅博訳(大修館書店)

『新訳 ソシュール 一般言語学講義』フェルディナン・ド・ソシュール著、町田健訳(研究社)

『現代フランス哲学 (ワードマップ)』久米博著(新曜社)

『監獄の誕生 ―監視と処罰』ミシェル・フーコー著、田村俶訳(新潮社)

『立体哲学』渡辺義雄編(朝日出版社)

『中国古典の名言録』守屋洋、守屋淳著(東洋経済新報社)

『この一冊で中国古典がわかる!』守屋洋著(三笠書房)

『人生の哲学』渡邊二郎著(角川ソフィア文庫)

『嫌われる勇気』岸見一郎、古賀史健著(ダイヤモンド社)

『ハンナ・アーレント全体主義の起原』仲正昌樹著(NHK出版)

『精神のエネルギー』アンリ・ベルクソン著、宇波彰訳(第三文明社)

『野生の思考』クロード・レヴィ=ストロース著、大橋保夫訳(みすず書房)

『パスカル パンセ』鹿島茂著(NHK出版)

『般若心経』佐々木閑著(NHK出版)

『山川喜輝の生物が面白いほどわかる本』山川喜輝著(KADOKAWA)

『幸福論』アラン著、神谷幹夫訳(岩波文庫)

『アラン 幸福論』合田正人著(NHK出版)

『誰でも簡単に幸せを感じる方法は アランの『幸福論』に書いてあった』富増章成著(中経の文庫)

『アドラー人生の意味の心理学』岸見一郎著(NHK出版)

『愛するということ』エーリッヒ・フロム著、鈴木晶訳(紀伊國屋書店)

『表徴の帝国』ロランバルト著、宗左近訳(ちくま学芸文庫)

『科学革命の構造』トーマス・クーン著、中山茂訳(みすず書房)

『<帝国> グローバル化の世界秩序とマルチチュードの可能性』アントニオ・ネグリ、マイケル・ハート著、水嶋一憲、酒井隆史、浜邦彦、吉田俊実訳(以文社)

『オリエンタリズム 上・下』エドワード・W・サイード著 今沢紀子他訳(平凡社)

『経済学の歴史』中村達也、新村聡、八木紀一郎著(有斐閣)

『全体性と限界 (上)(下)』レヴィナス著、熊野純彦訳(岩波文庫)

『現代哲学への挑戦』船木亨著(放送大学教育振興会)

『哲学史における生命概念』佐藤康邦著(放送大学教育振興会)

『哲学入門』柏原啓一著(放送大学教育振興会)

『知識ゼロからの科学史入門』池内了著(幻冬舎)

『スティーブ・ジョブズ』ウォルター・アイザックソン著、井口耕二訳(講談社)

『僕らのパソコン30年史 ニッポン パソコンクロニクル』SE編集部編(翔泳社)

『ニュース解説室へようこそ 2019-2020年版』ニュース解説室へようこそ!編集委員会著(清水書院)

『現代社会ライブラリーへようこそ 2019-2020年版』現代社会ライブラリーへようこそ!編集委員会著(清水書院)

『最新図説倫理』(浜島書店)、『新倫理資料集』(実教出版)

『高等学校 現代倫理』(清水書院)

『死ぬ瞬間―死とその過程について』エリザベス・キューブラー・ロス著、鈴木晶訳(読売新聞社)

『スピリチュアル・マシーン―コンピュータに魂が宿るとき』レイ・カーツワイル著、田中三彦、田中茂彦訳(翔泳社)

『アンソニー・ロビンズの運命を動かす』アンソニー・ロビンズ著、本田健訳(三笠書房)

『Awaken the Giant Within』Tony Robbins著(Simon & Schuster)

『思考は現実化する』ナポレオン・ヒル著、田中孝顕訳(きこ書房)

『Think and Grow Rich!』Napoleon Hill著、Ross Cornwell編集(Mindpower Press)

『あなたの夢を現実化させる成功の9ステップ』ジェームス・スキナー著(幻冬舎文庫)

『完訳 7つの習慣』スティーブン・R・コヴィー著、フランクリン・コヴィー・ジャパン訳(キング・ベアー出版)

【著者紹介】

富増章成
(とます・あきなり)

河合塾やその他大手予備校で「日本史」「倫理」「現代社会」など
を担当。中央大学文学部哲学科卒業後、上智大学神学部に学ぶ。
歴史をはじめ、哲学や宗教などのわかりにくい部分を読者の実
感に寄り添った、身近な視点で解きほぐすことで定評がある。
著書に『超訳 哲学者図鑑』(かんき出版)、『読破できない難解な
本がわかる本』(ダイヤモンド社)、『図解でわかる! ニーチェの
考え方』『図解 世界一わかりやすい キリスト教』『誰でも簡単に
幸せを感じる方法はアランの「幸福論」に書いてあった』(以上、
KADOKAWA)、『日本史《伝説》になった100人』(王様文庫
／三笠書房)、『オッサンになる人、ならない人』(PHP研究所)、
『哲学の小径—世界は謎に満ちている!』(講談社)、『空想哲学読
本』(宝島社文庫) など多数。

この世界を生きる哲学大全

2020年10月8日　初版発行

著　者　　富増章成
発行者　　小林圭太
発行所　　株式会社 CCCメディアハウス
　　　　　〒 141-8205　東京都品川区上大崎3丁目1番1号
　　　　　電話　03-5436-5721 (販売)
　　　　　　　　03-5436-5735 (編集)
　　　　　http://books.cccmh.co.jp

ブックデザイン　bitter design(矢部あずさ＋岡澤輝美)
イラスト　　　　飯村俊一
校閲　　　　　　古川順弘
編集協力　　　　細田　繁
印刷・製本　　　豊国印刷株式会社